Richard A. Clarke

PUŁAPKA NA SKORPIONY

Richard A. Clarke

PUŁAPKA NA SKORPIONY

Przełożyli
Katarzyna Bażyńska-Chojnacka
Piotr Chojnacki

Warszawa 2006

Tytuł oryginału
The Scorpion's Gate

This edition published by arrangement with
G.P. PUTNAM'S SONS, a member of Penguin Group (USA) Inc.

Redaktor prowadzący
Wojciech Żyłko

Redakcja i korekta
Barbara Borszewska

Korekta
Piotr Chojnacki

Opracowanie graficzne okładki
Mariusz Stelągowski

Zdjęcie na okładce
© Corbis

Wydanie I

ISBN 83-60283-24-9

VIZJA PRESS&IT
ul. Dzielna 60, 01-029 Warszawa
tel./fax 536 54 68
e-mail: vizja@vizja.pl
www: vizja.net.pl

Skład i łamanie
Justyna Marciniak

Dedykuję

wszystkim, którzy walczyli z terrorystami, zginęli lub odnieśli rany w tej walce, oraz tym, którzy ich kochali

Podziękowania

Książka ta nie powstałaby bez pomocy trzech moich współpracowników i przyjaciół: Neila Nyrena, wydawcy par excellence, Lena Shermana, nadzwyczajnego agenta, oraz Beverly Roundtree-Jones, niezwykle lojalnej asystentki. Bardzo im dziękuję.

Czytając tę książkę, niektórzy mogliby pomyśleć, że widzą portrety własne lub innych. Mylą się. Powieść ta jest fikcją i wszystkie postacie zostały zmyślone. Nie miała być prorocza. Możemy i powinniśmy mieć nadzieję na lepszą przyszłość. Jednak w nadchodzących latach będziemy musieli się uporać z problemami, przed jakimi stają bohaterowie tej książki: zapotrzebowaniem konkurujących mocarstw na ropę, uzyskiwanie precyzyjnych informacji, zagrożeniem bronią masowej zagłady, walką z grupami terrorystycznymi, nieszczerością rządów wobec narodów, odpowiedzialnością i lojalnością ludzi zasiadających w rządzie.

Mam nadzieję, że *Pułapka na skorpiony* zmusi czytelników do zastanowienia się nad pewnymi sprawami i pozwoli im zagłębić się w rzeczywisty świat, w którym tego typu problemami zajmują się prawdziwi ludzie. Potrzebujemy bowiem narodowej i międzynarodowej dyskusji – uzasadnionej dyskusji – właśnie o tych sprawach.

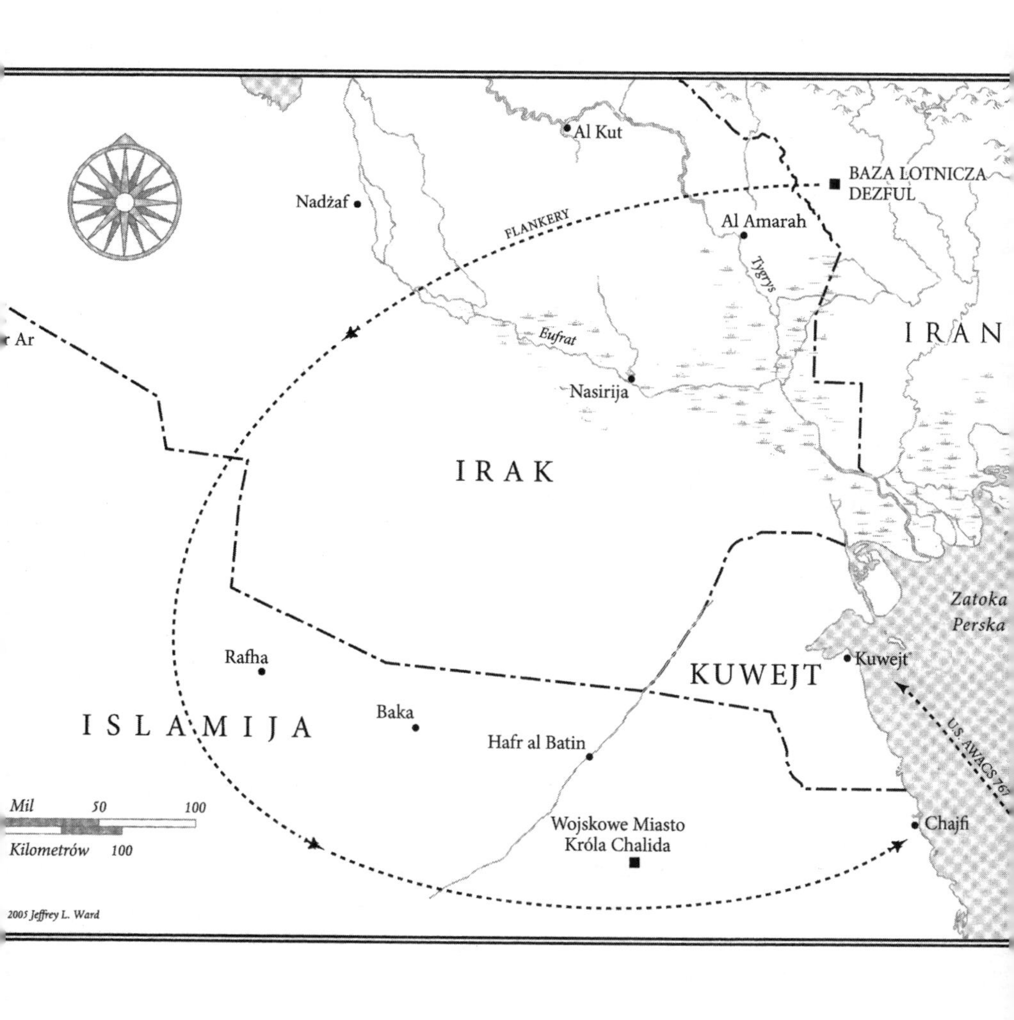
Al Kut
BAZA LOTNICZA
DEZFUL
Nadżaf
FLANKERY
Al Amarah
Tygrys
Ar
Eufrat
IRAN
Nasirija
IRAK
Zatoka
Perska
Rafha
KUWEJT
Kuwejt
ISLAMIJA
Baka
Hafr al Batin
U.S. AWACS 767
Mil
50
100
Kilometrów
100
Wojskowe Miasto
Króla Chalida
Chajfi
2005 Jeffrey L. Ward

1

28 STYCZNIA

Hotel „Diplomat”
Manama, Bahrajn

Kelner przeleciał przez foyer. Za nim strzeliła fontanna szkła, odłamki szyb z rozbitych okien powbijane w ręce, gałki oczne, nogi i mózgi. Fala uderzeniowa odbiła się od marmurowych ścian z łomotem, który odczuł w brzuchu. Po niej nadciągnął ogłuszający huk eksplozji, tak głośny, że otoczył go z niemal fizyczną siłą, wstrząsając każdym organem w jego ciele.

Brian Douglas padł na podłogę za stolikiem kelnerskim. Jego reakcja była automatyczna, jakby mięśnie same pamiętały, co robić, jakby zadziałał odruch nabyty w strasznych latach spędzonych w Bagdadzie, kiedy coś takiego przytrafiło mu się wiele razy. Gdy rozpłaszczył się na pluszowym dywanie, poczuł, jak drży podłoga hotelu „Diplomat”. Przestraszył się, że czternastopiętrowy budynek może się na niego zawalić. Pomyślał o Nowym Jorku.

Po długich sekundach ciszy na prawo i lewo wybuchły krzyki, po arabsku i angielsku wzywano Allaha i innych bogów. Znów rozległy się piski kobiet, głośne i przeszywające mózg na wylot. Ponownie słychać było ludzi jęczących z bólu i krzyczących, gdy na podłogę wokół nich wciąż padało rozbite szkło. Nad tym wszystkim rozległ się zbędny dźwięk alarmu. Zaledwie kilka stóp od Briana starszy mężczyzna wył, z czoła spływała mu krew i rozbryzgiwała się na jego białym ubraniu.

– Pomocy! Pomocy, proszę! O Boże, proszę, tutaj, pomóż…

Chociaż Brian przeżył już kilka zamachów, wybuch zmroził go do szpiku kości. Ściskało go w żołądku, głowa mu pękała, obraz rozmazywał się przed oczami. Krztusił się, łapczywie chwytając powietrze.

Dzwoniło mu w uszach i czuł się oderwany od otaczającej go rzeczywistości. Kiedy próbował zebrać myśli, poczuł, że coś poruszyło się kilka cali od jego głowy. Aż podskoczył, gdy uświadomił sobie, że to palce ręki oderwanej od ciała. Na prawo z blatu przewróconego stolika spływały strumienie krwi, jakby ktoś lał z butelki czerwone wino.

Popalone sofy, krzesła, dywany, palmy w olbrzymich, ceramicznych donicach zalegały w czymś, co niegdyś było eleganckim, wysokim holem pięciogwiazdkowego hotelu. Brian poczuł przejmującą woń, odór, od którego go zatkało, kiedy próbował przewrócić się na brzuch. Odkaszlnął i splunął, gdy uderzył go w nos obrzydliwy, ciężki smród amoniaku, azotanu i krwi. Nienawidził go, ale znał zbyt dobrze. Był to zapach bezsensownej śmierci, przywołujący bolesne wspomnienia kumpli, których stracił w Iraku.

Przez rozbite okno, wychodzące na podjazd przed hotelem, dobiegł kolejny dźwięk. Rozpoznał bez wahania terkot broni automatycznej. *Grrrr, wgrrrrrr...* Kilka sekund później rozległa się kakofonia syren; wyprodukowane w Europie wydawały dźwięki wznoszące się i opadające, amerykańskie zaś zawodziły niczym lądujące statki obcych z kosmosu.

Nagle zobaczył nad sobą twarz Aleka, jednego z jego ochroniarzy. Zastanowił się, jak długo tak leżał. Czyżby stracił przytomność?

– Boli coś pana? – spytał Alek.

Brian dopiero teraz zauważył, że z głowy ścieka mu krew, brudząc jasne włosy.

– Nie, Aleku. Znowu dopisało mi szczęście – odpowiedział Brian i podniósł się na jedno kolano, przytrzymując się stolika. Wszystko wirowało mu przed oczami. Próbował zetrzeć z twarzy krew, kurz i piasek.

– Gdzie Ian?

Odkąd trzy lata temu Brian Douglas został szefem filii SIS, brytyjskiego wywiadu, w Bahrajnie, personel placówki nalegał, by wszędzie towarzyszyło mu dwóch ochroniarzy, podczas drogi do domu na północnej plaży w Manamie, wycieczek po małym kraju, czy wizytacji podległych oddziałów w innych państwach nad Zatoką. Przez ostatni rok prawie zawsze byli to Alek i Ian, dwaj byli sierżanci Scots Guards.

Strzegli go z profesjonalną uprzejmością i osobistym zainteresowaniem, jakby troszczyli się o ukochanego siostrzeńca.

– Ian stał przy drzwiach – odpowiedział olbrzym, pomagając Brianowi stanąć na nogi. – Nie ma go już wśród nas. – Alek powiedział to powoli, smutno, śpiewnym akcentem z Aberdeen, akceptując to, czego nie mógł zmienić: że ich przyjaciel został zamordowany. – Zajmiemy się tym później. Teraz musimy zabrać pana z tego piekła.

– Ale ci ludzie potrzebują pomocy. – Brian zająknął się, gdy Alek chwycił go mocno pod rękę i umiejętnie przeprowadził przez gruzowisko do wyjścia na basen.

– O, już jadą odpowiednie służby, żeby im pomóc, a poza tym, pan nie jest w stanie ratować innych. – Alek namierzył klatkę schodową dla obsługi obok basenu i skierował Briana w jej stronę.

– Słyszał pan strzelaninę na zewnątrz? To jeszcze nie koniec.

Mężczyźni przedarli się przez dymiące zgliszcza, omijając kałuże krwi, różowe, białe i szare szczątki, które jeszcze przed chwilą były mięśniami, kośćmi i mózgami. Szkło chrzęściło im pod nogami, gdy szli do schodów prowadzących do wyjścia. Kiedy schodzili, ciemną klatkę schodową rozjaśniało blade światło awaryjne. Na dole Alek szarpnął drzwiami.

– Oczywiście zamknięte – stwierdził Alek, gestem nakazując Brianowi, żeby się zatrzymał. Z kabury pod lewą pachą wyciągnął swojego browninga Hi-Power, kaliber 40, i oddał trzy strzały w klamkę i zamek. Huk wystrzałów w betonowej klatce przeszył bólem głowę Briana. Alek kopnięciem otworzył drzwi i uśmiechnął się do Briana.

– Niech się pan nie martwi – rzekł, chowając broń. – Zostało jeszcze dziewięć nabojów.

Brian podążył za Alekiem długim korytarzem dla obsługi. Na jego końcu zobaczył dwóch innych ludzi z filii. Stali przy drzwiach wychodzących na aleję za hotelem.

– Filia ma tę trasę na liście od czterech lat, od tej konferencji ministrów spraw zagranicznych. – Ledwo usłyszał głos Aleka przez dzwonienie w uszach. Dwaj potężni mężczyźni z belgijskimi karabinami maszynowymi pod wiatrówkami przeprowadzili Briana do nieoznakowanego białego bedforda, blokującego uliczkę. Prawie natychmiast van ruszył szybko ulicami Manamy, oddalając się od płonącej ruiny, resztek hotelu „Diplomat", od ognia, od śmierci i od wijących się z bólu ludzi, którzy żałowali, że nie umarli od razu.

Van przejechał obok „Hiltona" i „Sheratona", gdzie uwijali się policjanci i ochroniarze, wznosząc przy wejściach barykady, na wypadek gdyby tutaj miało dojść do kolejnego uderzenia. Minęli szybko budynek przy Government Avenue 12, siedzibę Kutty, brytyjskiej placówki dyplomatycznej, działającej w Bahrajnie od 1902 roku.

Alek i Brian skinęli głowami z uznaniem na widok gotowych do akcji Gurkhów, z długimi na stopę nożami kukri i belgijskimi karabinami automatycznymi, którzy patrolowali ulicę przed ambasadą. Należeli do 2. Batalionu Royal Gurkha Rifles, stacjonującego w Brunei. Ci niscy żołnierze byli nielicznymi nepalskimi niedobitkami, którzy nadal służył w armii brytyjskiej, zgodnie z dwustuletnią tradycją. Alek pomagał szkolić 2. Batalion, kiedy Whitehall zdecydował, że Gurkhowie będą chronić brytyjskie ambasady w Zatoce.

– Ciche, bezlitosne, niebezpieczne ludziki – powiedział Alek, gdy van przemykał Government Avenue obok ambasady. – Oddaliby życie, żeby tylko ochronić Kutty.

Gdy tylko rozległ się wybuch, w filii wprowadzono w życie plan sporządzony na wypadek akcji terrorystycznej. Brytyjska ambasada, potencjalny kolejny cel ataku, została otoczona, a jej wyższy personel przeniesiony do tajnej kryjówki.

Bedford zwolnił, skręcił tuż obok ambasady w Isa al Kabeer i podążył w stronę dwóch budynków widocznych po prawej. Na zakręcie Brian wyjrzał przez szparę w tylnej szybie i zobaczył trzy turlające się warriory, pojazdy opancerzone armii bahrajńskiej, prychające czarnym dymem z rur wydechowych. Warriory podjechały pod gmach Ministerstwa Spraw Zagranicznych, po drugiej stronie Government Avenue. W tej samej chwili, gdy Bedford znalazł się przy wjeździe do Zakładów Maszynowych Al Mudynah, zapasowej tajnej siedziby filii, odsunęła się szara, stalowa, wysoka na 15 stóp brama. Van wjechał na podwórze i ostro zahamował. Pojazd otoczyli uzbrojeni ludzie. Kilka sekund potem lekarz armii brytyjskiej, w cywilnym ubraniu, otworzył drzwi vana i wpadł do środka. Chciał opatrzyć głowę Briana Douglasa, zanim szef wyjdzie z auta.

Kiedy Brian wychodził z vana, stała już przy nim Nancy Weldon-Jones, jego zastępca. Wzdrygnęła się na widok bandaży na głowie przełożonego.

– Nie ma się czym martwić, Nance. Będę żył. – Przerwał i spojrzał na asfalt. – Niestety, Ian nie. – Podniósł wzrok. – Jakie są doniesienia?

– Mam dane od admirała Adamsa z bazy morskiej – odpowiedziała Nancy. – Zginęli Brytyjczycy i Amerykanie, może tuzin jednych i drugich. Trzy razy tyle ofiar wśród obsługi i gości. Podejrzewamy, że była to ciężarówka-pułapka, prawdopodobnie z mieszanką keto-RDX i nadchloranu amonu. – Podała mu ramię, ale Douglas potrząsnął głową i ruszył sam. Kontynuowała raport: – Gdy tylko pojawiły się służby ratunkowe, nastąpił ostrzał z jadącego samochodu. Podobno strzelec jechał karetką Czerwonego Półksiężyca. Na wyższym piętrze znajdował się amerykański podsekretarz od czegoś tam. Oczywiście bęcwał miał szczęście i nawet go nie drasnęło. Nie był w foyer, bo otworzyli mu na dachu al Fanar Club, żeby zjadł sobie z kimś prywatne śniadanko.

Ponaglani przez Aleka z bronią w ręku, szef placówki i jego zastępca przecięli podwórze i weszli do budynku z białych betonowych bloków.

– W porządku, Nance, ale wiemy, że pierwsze raporty zwykle są błędne. Ktoś się przyznał?

– Jeszcze nie. Ale właściwie nie ma takiej potrzeby. Bez wątpienia to Hezbollah z Bahrajnu, znani skądinąd jako twoja ulubiona Irańska Gwardia Rewolucyjna i jej ukochane chłopaki z Sił Kods. – Siły Kods albo Siły Jerozolimskie była to tajna bojówka Irańskiej Gwardii Rewolucyjnej.

– Mamy Londyn na łączach? – spytał Douglas, powoli i z trudnością pokonując schody do centrum łączności.

– Tak. Już na ciebie czekają. Powinieneś mieć Wielką Czwórkę: dyrektor, jej zastępcę, szefa sztabu i… – Uśmiechnęła się. – Szefa wydziału bliskowschodniego.

– Ach, oczywiście, cóż byśmy zrobili bez szefa wydziału bliskowschodniego? – sarkastycznie zapytał Douglas. Roddy Touraine, teoretycznie jego bezpośredni przełożony, z radością robił wszystko, by spaskudzić mu życie zawodowe.

Brian i Nancy przeszli przez dwoje łukowatych drzwi do pomieszczenia o ścianach, podłodze i suficie zrobionych z ciężkiego przezroczystego tworzywa. W murach brzęczały głośno wentylatory. Pokój łączności prawie w całości wypełniał duży stół konferencyjny. Na przeciwległej ścianie wisiał czterdziestodwucalowy płaski ekran, ukazujący o wiele elegantszą salę konferencyjną, wykończoną w drewnie i zaopatrzoną w serwis z chińskiej porcelany. U szczytu stołu w Vauxhall Cross, w swoim bladobłękitnym fotelu, siadała właśnie dyrektor brytyjskiej Secret Intelligence Service, Barbara Currier.

Gdy tylko usiadła, rozpoczęła się konferencja.

– Douglas, okropnie wyglądasz! Najszczersze wyrazy współczucia z powodu Iana Martina. Jak tylko skończymy spotkanie, zadzwonię do jego żony. Oczywiście, zajmiemy się nią. – Currier wzięła filiżankę herbaty, którą podał jej szef wydziału bliskowschodniego, Touraine. – Brianie, czy mamy rozumieć, że to pierwsze otwarte działania nowych władców z Rijadu, by doprowadzić do destabilizacji sytuacji w Bahrajnie?

– Zgodzę się, że raczej się na tym nie skończy, pani dyrektor – powiedział szef delegatury, patrząc w kamerę nad monitorem – chyba, że mieli na oku jakiś konkretny cel, na przykład tego amerykańskiego ważniaka. Zasugeruję w Whitehall, że coś się zaczyna dziać, ale naszym zdaniem, to nie za inspiracją Rijadu. Według nas to prędzej akcja irańska. Chcą zmusić tutejszego królika, żeby wykopał Amerykanów z ich bazy morskiej.

– Czy król Hamad da się na to nabrać, Brianie? – spytała szefowa sztabu Currier, Pamela Braithwaite, pełniąca tę funkcję już dla trzeciego dyrektora SIS.

– Nie sądzę, Pam. Tutejsi to łebskie chłopaki. Mogą być blisko z Amerykanami, ale potrafią myśleć za siebie i robią to. – Douglas odchylił się nieco do tyłu, przejechał palcami po rozczochranych włosach i poprawił bandaż. – Myślę, że mamy tu do czynienia z początkiem nowej fali terroru w Bahrajnie, kontrolowanej przez Teheran. A pamiętajcie – ciągnął Douglas, zerkając w dokumenty, które podsunęła mu jego zastępczyni

– że szyici stanowią tutaj większość. Chociaż w otoczeniu króla znajdują się głównie sunnici. Iran od lat postrzega to jako potencjalną słabość. Jak dotąd nie udało się im tego wykorzystać, ale ciągle próbują.

Douglas zauważył, że w polu widzenia kamery znalazł się szef wydziału bliskowschodniego SIS, Roddy Touraine.

– Z całym szacunkiem dla naszego bohaterskiego i, jak widzę, przelewającego krew szefa placówki, sądzę jednak, pani dyrektor, że pomija on rzecz oczywistą. To nie jest irański atak. To idzie zza miedzy, z Arabii Saudyjskiej. Motłoch z Rijadu chce się upewnić, że król Hamad nie pozwoli jankesom wykorzystywać tej wysepki jako bazy do operacji przeciwko ich świeżo upieczonemu małemu kalifatowi.

– Ktokolwiek to zrobił, pani dyrektor – odrzekł Douglas, a twarz mu poczerwieniała – zaoferujemy królowi wszelką pomoc, ale nie będziemy w tym odosobnieni. Amerykanie stąd nie odejdą. Małe państwa nad Zatoką to wszystko, co im zostało po upadku dynastii saudyjskiej i utworzeniu Islamii, co nastąpiło zaraz po ich wycofaniu się z Iraku. Jankesi są jak plaster szynki, rozpłaszczony nad Zatoką między dwoma wielkimi pajdami wrogiego chleba, Iranem i Islamiją.

W Londynie Barbara Currier potrząsnęła ze smutkiem głową.

– W 1979 wykopano ich z Iranu, w 2003 grzecznie usunięto z Arabii, a w 2006 Frankenstein wyprosił ich z Iraku. Potem ten upadek dynastii saudyjskiej w ubiegłym roku. Teraz po prostu są zawieszeni w tym regionie i mogą liczyć tylko na wsparcie drobnicy: Kuwejtu, Bahrajnu, Kataru, Emiratów, Omanu. Jak długo mogą tak wisieć? *Sic transit gloria imperii*. Zupełnie tak jak my. – Przerwała, gdyż po stronie Bahrajnu rozległ się jakiś hałas. – Co to było?

Długie, niskie dudnienie wstrząsnęło wyciszoną salą w Bahrajnie. Wentylatory zakaszlały. Currier zobaczyła na swoim płaskim ekranie w Londynie, że ktoś wszedł do pokoju w Bahrajnie, pochylił się nad Brianem Douglasem i powiedział mu coś szeptem. Douglas przykrył mikrofon ręką. Rzucił coś szybko do swoich ludzi, a potem spojrzał w obiektyw kamery.

– Pani dyrektor, nie skończyło się na zamachu na hotel „Diplomat". Ten łomot, który właśnie słyszeliście, to odgłos walącego się „Crowne Plaza", przy tej samej ulicy co „Diplomat".

Oazy As Sulajjil
Na południe od Rijadu
Islamija (dawna Arabia Saudyjska)

– Ta biała smuga na czarnym niebie to kręgosłup naszej galaktyki – powiedział cicho Abdullah. Dwaj mężczyźni leżeli na stosie poduszek i kontemplowali nieskończone niebo. Nieboskłon jaśniał nad pustynią, z dala od świateł miasta i płomieni rafinerii. Abdullah usiadł na dywanie i zapalił nargile nabite jabłkowym tytoniem. Z wyjątkiem delikatnego bulgotania fajki wodnej, żaden dźwięk nie zakłócał ciszy panującej nad pofalowanym piaskiem.

Ahmed wstał i podszedł do żarzącego się ogniska.

– Przemawiasz jak poeta, bracie, ale próbujesz w ten sposób zmienić temat. – Poruszył drewno w palenisku. – Chińczycy niczym nie różniliby się od Amerykanów, gdyby były tutaj ich wojska – rzekł i splunął w dogasające ognisko. – I jedni, i drudzy to niewierni.

– Owszem, są niewiernymi, Ahmedzie, ale bez chińskiej broni legniemy nadzy przed naszymi wrogami. Większość naszej amerykańskiej broni nie na wiele się zda bez amerykańskich dostawców i części. Moi bracia z Szury nie są nieomylni, ale w tej sprawie mogą mieć rację. Potrzebujemy tej broni, a Chińczycy muszą tutaj być, żeby ją produkować, dopóki sami nie zdołamy tego robić.

Ahmed potrząsnął głową z dezaprobatą, więc jego brat mówił dalej.

– Musimy mieć broń, żeby wrogowie się nas bali. Dynastia saudyjska przekupiła ważnych Amerykanów, żeby pomogli jej wrócić na tron. Persowie podburzają naszych szyitów i tych w Bahrajnie. A Persowie mają teraz głowice jądrowe w swoich nowych rakietach. – Abdullah wstał i powoli podszedł do młodszego brata. – Będziemy trzymać tych Chińczyków głęboko na pustyni, za murami. – Popatrzył w dół na rozżarzone węgle. – Nie splamią naszego nowego społeczeństwa. Chińczycy potrzebują ropy. Będą się pilnować. Poza tym, broń już tutaj jest.

Dwaj mężczyźni oddalili się od ogniska otoczonego półkolem dywanów i poduszek. Wspięli się na wydmę. Przed nimi rozciągała się pustynia skąpana w przyćmionym, błękitnym świetle gwiazd i półksiężyca.

– Wiesz, Ahmedzie, prorok Mahomet, błogosławione niech będzie Jego imię, obozował kiedyś tutaj, właśnie w tej oazie. Nasz dziadek również często tu bywał. Obaj umiłowali piękno tego miejsca.

Chwycił brata za ramię, odwrócił go i spojrzał mu prosto w oczy.

– Nie przebyłem całej tej drogi tylko po to, by znowu dać się zakuć w łańcuchy. Kiedy ty byłeś w Kanadzie i uczyłeś się leczyć ludzi, ja uczyłem się ich zabijać. W zeszłym roku osobiście zabijałem Saudów, a wcześniej w Iraku zaatakowałem ich amerykańskich panów. Nie zamierzam znowu oddać państwa tym świniom, ani nikomu innemu. Allah, miłosierny i litościwy, zlecił nam misję utworzenia Islamii na cuchnącym ścierwie, jakim była Arabia Saudyjska. Ci tak zwani książęta saudyjscy siedzą w swoich nieczystych rezydencjach w Kalifornii, piją i tańczą, licząc pieniądze, które ukradli naszemu ludowi. Przekupują dziwki z amerykańskiego Kongresu, żeby odmówiono nam dostarczania części do naszej amerykańskiej broni. Przekupują żydowskich dziennikarzy, aby podburzali do napaści na nas. Tolerują, że zachłanni brytyjscy dyplomaci szpiegują w naszych ambasadach i kradną nasze dokumenty. Nie przestaną, dopóki nie przejmą kontroli nad tą ziemią. Nawet teraz dynastia i ci przestępcy z Houston, którzy im pomagają, wynajmują zabójców, żeby zabili nas wszystkich z Szury. Także Persowie przemycają agentów do Dhahranu i reszty wschodnich prowincji, udając obrońców szyitów.

Abdullah puścił ramię Ahmeda. Kochał Ahmeda, młodszego, wyższego, o ciemnych brązowych oczach. Przypominał mu ich zmarłego ojca. Chciał go przekonać.

– Ale to, co robimy teraz, to za mało. Co pozwala Amerykanom i Persom myśleć, że mogą straszyć nasz młody naród? Znasz odpowiedź. To bomba zrzucona na Hiroszimę, zabójca, który zamienia piasek w szkło i zatruwa ziemię na wiele pokoleń. Jeśli się sprzeciwimy, obrócą w proch nasze miasta i spalą naszych ludzi, a sami dalej będą kraść ropę spoczywającą pod piaskiem. To dlatego, Ahmedzie, moi tak zwani przyjaciele z Szury uważają, że potrzebujemy naszych własnych bomb.

Ahmed nie poddawał się.

– A co z Pakistańczykami? Saudowie dali im pieniądze na bombę. Sam znalazłeś akta. Pakistańczycy nas obronią.

Abdullah odwrócił się i ruszył wolno w dół do obozowiska.

– Tak, być może, Ahmedzie, ale jedyną rzeczą, jaka interesuje Pakistańczyków, są Indie. Mówią i żyją w duchu islamu, ale swojej broni będą używać do zastraszania Hindusów. Nie możemy polegać na Pakistańczykach. Poza tym, ich pociski są prymitywne. Potrzebujemy czegoś więcej niż kilku małych, pakistańskich strzał.

Zza następnej wydmy rozległo się niskie pokasływanie i narastające wycie. Tuman piasku wzbił się w nocne niebo. Startowały helikoptery. Nadszedł czas, by wrócić do miasta.

– Po co tu dziś przyjechaliśmy Abdullahu? Bo przecież nie po to, żeby popatrzeć w niebo i powspominać dziadka? – Ahmed był siedem lat młodszy i cztery cale wyższy od brata. Zaledwie dwa tygodnie temu obchodził swoje dwudzieste dziewiąte urodziny, zaraz po powrocie do domu, po ośmiu latach spędzonych w Kanadzie. Swój pobyt tam skrócił, gdyż Abdullach został członkiem nowej Szury. Ahmed chciał teraz wstąpić do drużyny brata, tak samo jak dwadzieścia lat wcześniej chciał grać z nim i jego przyjaciółmi w piłkę. Od chwili powrotu Ahmed wypytywał brata, jak może mu pomóc w sprawach nowego rządu. Jednak za każdym razem otrzymywał wymijającą odpowiedź.

– Nie, nie tylko po to, by powspominać dziadka. – Abdullah spojrzał na piasek i schował ręce pod szatę. – Miałem ogromne trudności, żeby uzyskać zgodę Szury na zatrudnienie cię w moim ministerstwie. Wielu członków rady nie ufa ci z powodu twojej wieloletniej nieobecności.

– Ale przecież tutaj nie ma przyzwoitych uczelni medycznych – rzekł Ahmed.

– Jeszcze nie. Pewnego dnia znowu znajdziemy się na czele. Ale teraz musisz dalej zajmować się medycyną, Ahmedzie – powiedział, patrząc na wydmy.

– Ale ja chcę pracować z tobą, Abdullahu. Chcę pomóc naszemu krajowi, pomóc przywrócić chwałę naszemu narodowi!

Abdullah uśmiechnął się. Ahmed znowu zachowywał się jak mały chłopiec.

– I pomożesz. Od następnego tygodnia zaczniesz pracę w szpitalu. – Widząc rozczarowanie na twarzy brata, przestał się droczyć. – Ale tak naprawdę będziesz pracował dla mnie. Pośrednio. Praca w szpitalu to tylko przykrywka dla twoich prawdziwych zajęć. Będziesz moimi oczami i uszami w gnieździe żmij po drugiej stronie grobli. – Abdullah uśmiechnął się szeroko, jakby wręczył właśnie bratu bardzo drogi prezent.

– W Bahrajnie? – zapytał zdezorientowany Ahmed.

– Tak. Może to tylko szesnaście mil za groblą, ale to miejsce jest przystanią dla tysięcy niewiernych marynarzy i ich łodzi. Są tam też Persowie, uśmiechają się, udając handlarzy, i krążą w tę i z powrotem w swoich dawach[1], ale tak naprawdę spiskują przeciwko naszemu narodowi. Pojedziesz tam, oficjalnie skłócony ze mną i rzekomo niezadowolony z naszego nowego rządu. Będziesz pracował w Centrum Medycznym w Manamie, ale oprócz tego zajmiesz się zbieraniem dla mnie specjalnych informacji. Znowu wracasz do jaskini lwa, mój mały braciszku. – Mówiąc to, Abdullah żartobliwie szturchnął Ahmeda w brzuch. Ahmed nie odskoczył.

Znad wydmy wyłonił się biały land rover. Miał zawieźć ich na prowizoryczne lądowisko helikopterów. Kiedy wsiedli do black hawka, Ahmed odwrócił się i oddał szturchańca bratu, waląc go w ramię.

– Jesteś pewny, Abdullahu, że te amerykańskie helikoptery są bezpieczne bez zapasowych części?

– Tym razem Pakistańczycy się wykazali. Zdobywali dla nas te części, przynajmniej do tej pory. – Mówiąc to Abdullah bin Raszid, wiceprzewodniczący Szury, Rady Konsultacyjnej Islamskiej Republiki Islamii i minister bezpieczeństwa, wskoczył do swojego osobistego black hawka. Na helikopterze, pod jasnobrązową warstwą świeżej farby, nadal był widoczny zielony znak sił powietrznych Arabii Saudyjskiej.

Gdy black hawk wystartował, wznosząc tuman pyłu, Ahmed założył hełm na głowę, ale nie podłączył długiego kabla interkomu. Chciał to wszystko przemyśleć, a nie znowu słuchać niezrozumiałego bełkotu załogi. Lecieli nisko nad piaskiem, śmigła black hawka młóciły roz-

---

[1] Dawa – dwumasztowiec arabski z ożaglowaniem skośnym łacińskim, często spotykany na Morzu Czerwonym i Oceanie Indyjskim. (Wszystkie przypisy pochodzą od tłumaczy).

rzedzone powietrze, niosąc ich w stroną migocących nad horyzontem świateł.

Jednostka pozbawiona była bocznych drzwi, więc Ahmed mógł patrzeć na wielbłądy, stojące na dole niczym posągi, nieporuszone hałasem helikoptera. Daleko za wielbłądami Ahmed ujrzał wieże rafinerii, strzelające wielkimi pomarańczowymi płomieniami, które tańczyły na czarnym niebie.

To wielki problem, pomyślał. Te wieże i ta gęsta czarna maź wypływająca spod piasków. Zapewnia dobrobyt naszemu narodowi, myślał, ale jednocześnie jest jak krew wielbłąda sącząca się na piasek. Przyciąga śmiercionośne skorpiony. I, myślał dalej Ahmed, Islamija przypomina teraz rannego wielbłąda. Amerykanie, Irańczycy, Chińczycy, węszą krew tej ziemi tryskającą spod jego piaskowej skóry.

Kiedy black hawk wzbił się, by ominąć olbrzymią wydmę, Ahmed pomyślał, że te państwa są jak skorpiony. I że skorpiony znowu nadciągają.

Ośrodek Analiz Wywiadu
Foggy Bottom
Waszyngton

– Jest dwudziesty ósmy stycznia, mamy sześćdziesiąt osiem stopni[2], a Biały Dom wciąż twierdzi, że globalne ocieplenie to żaden problem? Czapa lodowa Arktyki topi się, niedźwiedzie polarne padają, Eskimosi się topią, drzewa i kwiaty kwitną trzy miesiące przed czasem, a oni uważają, że to niedostateczne dowody?

Russell MacIntyre zerknął na zegarek. Był to tani cyfrowy model, wyświetlający czas w stylu wojskowym. Pokazywał 19.28. Znowu spóźni się na spotkanie z żoną u Silversteinów w McLean.

– Coś jeszcze, Deb? – spytał, spoglądając na swoją atrakcyjną asystentkę. Oczekiwał konkretnej odpowiedzi, w przeciwieństwie do tych wszystkich pytań na temat polityki i pogody.

---

[2] Dwadzieścia stopni Celsjusza.

– Na dole czeka panna Connor – odpowiedziała głosem sugerującym, że młoda podwładna siedzi w recepcji już od dłuższego czasu.

– Cholera – powiedział i natychmiast tego pożałował. Connor była jednym z najlepszych świeżych analityków, których wybrał spośród wybitnych absolwentów wyższych uczelni. Obiecał im ekscytującą pracę. Obiecał im, że wszystko zmienią. Obiecał im kontakt. MacIntyre westchnął.

– W porządku, Debbie, przyślij tu ją.

Russell MacIntyre był trzydziestoośmioletnim zastępcą dyrektora nowego Ośrodka Analiz Wywiadu, czyli IAC. Chociaż minęło już szesnaście lat, odkąd należał do drużyny pływackiej Browna, wciąż starał się dwa razy w tygodniu trenować na basenie Watergate. W kasztanowych włosach połyskiwały mu zaledwie pojedyncze pasma siwizny, ale jego żona Sarah chciała je „podmalować".

IAC, gdzie MacIntyre był numerem dwa, został utworzony w ramach ostatniego etapu reorganizacji wywiadu, rozpoczętego w wyniku raportu komisji powołanej w sprawie zamachu z jedenastego września i po fiasku w kwestii broni masowego rażenia w Iraku. Ponieważ ani CIA, ani nowy dyrektor wywiadu nie przewidzieli zamachu stanu, czy też „rewolucji" w Arabii Saudyjskiej, Kongres nareszcie doszedł do wniosku, że trzeba coś zrobić ze zdolnością analityczną. Tym czymś był IAC. Ośrodek otrzymał prawo wglądu we wszystko, co zebrały różne agendy rządu amerykańskiego, oraz mógł naciskać na te agencje, by zdobywały każdą niezbędną dla IAC informację.

Na wniosek przewodniczącego Senackiej Komisji do spraw Wywiadu, Paula Robinsona, dział analityczny został oddzielony od wywiadowczego, więc analizy miały być bezstronne, niezależne od źródeł agencyjnych. Robinson nalegał również, żeby IAC dysponował możliwościami wykorzystania otwartych źródeł – prasy, blogów, prac naukowych, telewizji z całego świata. „Jestem zdeterminowany, żeby nigdy więcej nie przewodniczyć żadnym, pożal się Boże, przesłuchaniom, jeśli stanie się coś złego, coś, co powinniśmy przewidzieć, ale tego nie zrobiliśmy", rzucał gromy Robinson podczas posiedzenia Senatu.

Nowy IAC, z elitarną ekipą dwóch setek starannie wyselekcjonowanych specjalistów, był biurokratycznie niezależny od zbieraczy informacji z innych agencji, tak zwanych trzyliterówek, CIA, NSA, NGA, FBI i NRO[3]. Wśród analityków znaleźli się starzy i młodzi, specjaliści u szczytu kariery, wyrwani z ciepłych posadek, i cudowne dzieci, które świeżo wylądowały na swoich pierwszych rządowych stanowiskach. Robinson wraz z grupą najbardziej wpływowych senatorów oraz przedstawicieli obu partii, w zasadzie wymusili na prezydencie nominację ambasadora Sola Rubensteina na szefa nowej agencji, ale sześćdziesięcioośmioletni weteran rządowy na początku odmówił z hukiem. Dopiero gdy zmienił na swoją korzyść wszelkie możliwe rozwiązania operacyjne i budżetowe, zajął się kwestią lokalizacji swojej nowej agencji.

Od czasu gdy ponad trzydzieści lat wcześniej Rubenstein uczestniczył w koktajlach na dachu ówczesnego Kennedy Center for the Performing Arts, fascynował go kompleks starych budynków na wzgórzu nad Potomakiem. Przysiadły one przy ulicy biegnącej od Departamentu Stanu w dzielnicy Foggy Bottom. Wzgórze, tak zwane Navy Hill, niegdyś było siedzibą obserwatorium marynarki. Gdy w dziewiętnastym wieku obserwatorium przeprowadziło się, wzgórze objęło w posiadanie Biuro Marynarki do spraw Medycznych. Teoretycznie wciąż do niego należało, ale na samym początku drugiej wojny światowej część budynków floty opustoszała, więc wprowadziła się tam pierwsza amerykańska prawdziwa agencja wywiadowcza, Biuro Służb Strategicznych, OSS.

Ambasador Rubenstein uparł się, by jego agencja objęła ten dziesięcioakrowy plac. Na swoje biuro wybrał apartament na parterze, zajmowany w 1942 roku przez „Dzikiego" Billa Donovana, pierwszego dyrektora OSS. Rusty MacIntyre, zastępca dyrektora Ośrodka Analiz Wywiadu, miał swoje biuro obok szefa. Obaj mężczyźni uwielbiali widok ze swoich okien na rzekę, ale niemal cały czas pętali się po trzech budynkach, które nazywali „naszym małym campusem".

---

[3] CIA – Central Intelligence Agency (Centralna Agencja Wywiadowcza); NSA – National Security Agency (Agencja Bezpieczeństwa Narodowego); NGA – National Geospatial Intelligence Agency (Krajowa Agencja Rozpoznania Przestrzeni Okołoziemskiej); FBI – Federal Bureau of Investigation (Federalne Biuro Śledcze); NRO – National Reconnaissance Office (Krajowe Biuro Rozpoznania).

MacIntyre był pierwszym nabytkiem Rubensteina dla nowej agencji. Siwowłosy, emerytowany ambasador wyciągnął go z biura dostaw dla wojska. Jak powiedział Rubenstein: „Masz opinię faceta, który potrafi odwalać gówniną robotę i nie dba o to, kto wtedy przechodzi obok". MacIntyre ciężko harował, by zapracować sobie na taką reputację. Senator Robinson także bardzo wyraźnie powiedział Rubensteinowi, że MacIntyre to dobry wybór.

– Przepraszam, że tak naciskałam na Debbie, żeby się z panem jeszcze dziś zobaczyć. Wiem, że jest pan bardzo zajęty w związku z tym zamachem w Bahrajnie, ale mówił pan, że jeśli naprawdę zajdzie taka potrzeba... – Susan Connor była wyraźnie zdenerwowana. Kiedy wkroczyła do wielkiego pokoju i usiadła na brzeżku kanapy, na jej wysokim czole pojawiły się kropelki potu.

– Jestem Rusty. Pan MacIntyre to mój świętej pamięci ojciec. – Wicedyrektor podniósł na duchu atrakcyjną dwudziestotrzyletnią analityczkę. Potem opadł na swój wysiedziany skórzany fotel pod oknem. – Powiedziałem ci, że jestem do twojej dyspozycji, bez względu na porę dnia i nocy. Co się stało?

– Powiedział nam pan poza biurem, że analiza wywiadowcza to „szukanie igły w stogu siana. Sztuka polega na tym, żeby szukać we właściwym stogu, w tym, w którym nie spodziewają się twoich poszukiwań". Tak? – Connor wyrecytowała te słowa, jakby wykuła je na blachę.

– Cóż, mogłem coś takiego powiedzieć. – MacIntyre uśmiechnął się rozbawiony, że ktoś cytuje mu jego własne słowa, i zadowolony, że wywarły one takie wrażenie przynajmniej na jednym słuchaczu. – Czyżbyś znalazła jakiś interesujący stóg, Susan? – A tak w ogóle, to jaki przydział otrzymała Connor? Armię Arabii, to znaczy, poprawił sam siebie, Islamii?

– Być może. Może interesującą igłę. – Connor rozluźniła się nieco, podekscytowana historią, którą zamierzała opowiedzieć. – Dziś rano znalazłam ten raport 505. – Raport 505 był czymś w rodzaju okólnika Agencji Bezpieczeństwa Narodowego, z biura nasłuchu elektronicznego w Fort Meade, w stanie Maryland. Był to standardowy raport o niskim priorytecie, bez szczególnych ograniczeń w rozpowszechnianiu.

NSA codziennie wydawała tysiące takich raportów, zawalając skrzynki mailowe analityków wywiadu, podłączonych do międzydepartamentowej sieci Intelwire o najwyższym poziomie zabezpieczenia.

– No dobrze. Sekundę... – MacIntyre chciał przejść do sedna. Popatrzył na rzekę zasilaną przez potoki styczniowego deszczu. Nacisnął przycisk interkomu. – Deb, zadzwoń proszę do mojej żony na komórkę i powiedz jej, że nie zjem z nią kolacji u Silversteinów. Powiedz, że zaraz do niej zadzwonię, ale niech nie czekają na mnie z kolacją. – Przyjaciele MacIntyre'a przyzwyczaili się już do jego nieobecności i dawno temu nauczyli się nie pytać o ich powód. Gestem poprosił podwładną, by kontynuowała.

– Wykorzystano tu częstotliwość nie używaną przez saudyjską armię, ale sygnał nadano z samego środka Pustej Ziemi, serca pustyni Rub al-Chali. Sekwencja sygnałów, zakodowana, wąska wiązka prosto w Thuraya. – Thuraya to komercyjny satelita nad Oceanem Indyjskim. Connor rozwijała już mapę Arabii Saudyjskiej na stoliku do kawy.

– Taak... – Niech to cholera, pomyślał. Ta mała gada o jakimś standardowym raporcie 505, zwykłym gównie... Może trzeba było iść na kolację do Silversteinów... Sarah znowu będzie zrzędzić.

– Zadzwoniłam więc do NSA, tak jak pan mówił, żeby powiedzieli mi coś więcej, niż jest w raporcie. Zbywali mnie cały dzień, aż wreszcie, tuż po piątej, oddzwonił do mnie szef D-3. – Młoda analityczka sięgnęła po kubki do kawy z agencyjnej kolekcji MacIntyre'a, żeby zabezpieczyć mapę przed zwijaniem. Connor ostrożnie ustawiła na północno-zachodnim rogu kubek z logo NSC, na południowo-zachodnim NORAD, północno-wschodni róg zabezpieczyła CinCPAC-em, a południowo-wschodni błękitnym kubkiem ze złotym napisem SIS.

– D-3? – Wicedyrektor opadł w swój skórzany fotel, który towarzyszył mu od czasu pierwszej pracy na Wzgórzu Kapitolińskim. – To oddział NSA od chińskiej armii, a nie biuro zajmujące się Arabią Saudyjską.

– Wiem. – Susan uśmiechnęła się po raz pierwszy, odkąd tu weszła. – Częstotliwości z raportu używają wyłącznie Chińskie Strategiczne Siły Rakietowe. To łącze ich dowództwa jądrowego.

– Czyżby? No i co powiedział ten facet z D-3? – MacIntyre spojrzał na mapę. Czerwony X, który zaznaczyła na niej Connor, znajdował się pośrodku niczego. – To miejsce w ogóle nie ma sensu. Chińczycy? W samym środku tej przeklętej Rub al-Chali? Dlaczego, do diabła, ta transmisja poszła z samego środka Pustej Ziemi? Tam nic nie ma, oprócz milionów mil kwadratowych piasku.

Susan przestawiła kubki.

– Powiedział, że nie wyjaśnili tego, ale on nie widzi powodu, dla którego mieliby to zrobić. Wyglądało na to, że po prostu chciał już iść do domu. Powiedział, że czeka na niego kierowca i...

MacIntyre wystrzelił z fotela i podszedł szybko do biurka.

– Może nie powinnam tym panu zawracać głowy, skoro NSA nie chciało... – wymamrotała Connor.

Wicedyrektor chwycił za szary telefon.

– Mówi MacIntyre z IAC. Chciałbym mówić z SOO. – Tylko w jednym miejscu w rządzie był prawdziwy „chłopiec o imieniu Sue", czyli starszy oficer operacyjny NSA, który kierował centrum dowodzenia agencji szpiegowskiej. – Cześć. Potrzebuję potwierdzenia częstotliwości zanotowanej w twoim raporcie 505-371129-08. Powiedziano nam, że to chiński sygnał strategiczny.

Connor słuchała nerwowo, przewidując, że jej kariera skończy się, zanim się na dobre zaczęła, szczególnie, jeśli okaże się, że w rzeczywistości chodziło o rozkazy z panamskiego okrętu.

– W porządku. Jakie tam są współrzędne geograficzne? – Kolejna pauza wydawała się trwać całe wieki. MacIntyre odwrócił się plecami do Connor i szukał czegoś w książce telefonicznej. – Dobra. Trochę to dziwne, prawda? Dzięki.

Wicedyrektor zmienił szary telefon na czerwony. Ponownie zerknął na zegarek, a potem szybko wybrał numer.

– Mam wiadomość drugiego priorytetu do ptaszka Placeset; mój kryptonim IAC-zero-dwa-zulu-papa-romeo-dziewięć.

Connor próbowała sobie przypomnieć, co to jest Placeset, może elektrooptyczny satelita o wysokiej rozdzielczości.

– Współrzędne, pięć zero stopni, trzy zero minut długości wschodniej; dwa trzy stopnie, dwa siedem minut szerokości północnej – mówił MacIntyre, rozciągając kabel telefoniczny, kiedy podszedł odczytać położenie na mapie rozłożonej na stoliku. – Potrzebny mi dziesięciomilowy promień w Focal Level 7. O której będziecie to mieli?

Focal Level System było to coś w rodzaju stop-klatki w kamerze, tylko że kamera znajdowała się na wysokości dwustu mil w kosmosie. Connor przypomniała sobie, że siódemka to prawdziwe zbliżenie, pozwalające niemal odczytać słowa na drogowskazach. Dotarło do niej, że MacIntyre potraktował ją na tyle poważnie, że uruchomił specjalny kanał, osobistą prośbę, żeby po godzinach pracy odwrócić satelitę od celów, które tego ranka ustaliła międzywydziałowa komisja CIA, Departamentu Obrony, NSA i IAC.

MacIntyre prawą ręką odłożył czerwony telefon na podstawkę, jednocześnie podnosząc lewą słuchawkę interkomu.

– Deb, zamów nam pizzę i idź do domu, dzięki. – Wicedyrektor znowu opadł ciężko na fotel i uśmiechnął się do swojej młodej analityczki. – Teraz poczekamy. Mam nadzieję, że lubisz anchois.

W takich chwilach Rusty MacIntyre czuł się jak jednoręki tapeciarz. Razem z Rubensteinem próbowali z powodzeniem nie rozbudowywać IAC; w ten sposób uniknęli rozdęcia, które sprawiło, że CIA stała się tak nieskuteczna. Ale oznaczało to jednocześnie, że Rusty zwykle robił wszystko sam, od wydawania raportów i wykłócania się z Komisją Budżetu i Kongresem o pieniądze, po wysiadywanie po nocach nad pizzą z młodymi analitykami.

Oznaczało to również, że rzadko widywał się z żoną. Po dziesięciu latach wciąż nie dorobili się potomstwa, a teraz – Sarah miała trzydzieści osiem lat – było już właściwie za późno na powiększenie rodziny. Sarah nigdy się nie skarżyła. „Brak decyzji też jest decyzją – mawiała. – Dobrze mi z tym". Może faktycznie bezdzietność jej nie przeszkadzała, gdyż mogła w pełni poświęcić się pracy w organizacji do spraw uchodźców, ale Rusty'emu i owszem.

– Zapomniałabym, tu jest moja kasa za pizzę – powiedziała Susan, kładąc cztery monety na stoliku.

Rusty MacIntyre uśmiechnął się do młodej analityczki. Potem zestawił swoją pustą szklankę pod stolik. Susan dała mu dwa razy za dużo, ale nic nie powiedział. W milczeniu MacIntyre wziął monety, jedną z nich umieścił na środku stolika i przycisnął ją kciukiem. Brzdęk. Moneta zniknęła. A potem druga. Brzdęk. Susan Connor zajrzała pod stolik i zobaczyła dwie monety w szklance. MacIntyre zrobił to jeszcze dwa razy, najwyraźniej przepychając monety przez stolik.

Susan Connor sięgnęła ręką pod blat.

– Jak pan to...? – zapytała, wyjmując szklankę.

– Amatorska magia. Moje hobby. Ale także lekcja. Nie wszystko jest tym, czym się wydaje – powiedział Rusty i usiadł w swoim fotelu. – W ten sposób...

Drrr, drrrr... To był bezpieczny telefon. Dochodziła jedenasta i dzwonił naziemny operator satelity. Zdjęcie, o które prosił MacIntyre, właśnie szło przez Intelwire. Jako wicedyrektor IAC, Rusty miał niewiele przywilejów, ale jednym z nich był siedemdziesięciodwucalowy płaski ekran podłączony do Intelwire. Pojawiło się na nim zdjęcie Pustyni Arabskiej o nadzwyczajnie wysokiej rozdzielczości. Na jego środku migał kursor w kształcie krzyżyka.

Korzystając z ręcznego sterowania, MacIntyre przybliżał i oddalał obraz i poruszając kursorem, szybko penetrował okrąg o promieniu dziesięciu mil, o który poprosił. Connor nie nadążała za szefem i dostała zawrotu głowy od patrzenia na błyskawicznie zmieniający się widok na ekranie. Czuła się, jakby patrzyła na Pustynię Arabską i jakieś budynki, z oka kamery poruszającego się kilka jardów na piaskiem. Nagle MacIntyre zatrzymał kursor i usiadł za swoim biurkiem.

– Cholerny stóg, Susan – powiedział wicedyrektor i potrząsnął głową, wprawiając w zakłopotanie analityczkę. – Cholerna igła.

– Nie jestem pewna, czy dobrze rozumiem. Co było na tym zdjęciu? – Connor przysiadła z powrotem na brzegu kanapy, trzymając na kolanach talerz z resztkami pizzy i umazanymi sosem pomidorowym anchois.

– To było dwanaście podziemnych silosów rakietowych i główna baza ruchomych pocisków. Sądząc na podstawie jednego z pocisków załadowanych na ciężarówkę w bazie, powiedziałbym, że to chiński CSS-27, najnowszy pekiński pocisk balistyczny średniego zasięgu. Z tym, że nie znajdują się one w Chinach, tylko w Arabii Saudyjskiej – ach nie, w Islamii.

Susan Connor wstała, gwizdnęła i powoli powiedziała:
– A niech to cholera. – Anchois wylądowały na dywanie.

Na pokładzie USS „Ronald Reagan"
Zatoka Perska, znana również jako Zatoka Arabska

Chociaż okręt płynął z prędkością dwudziestu pięciu węzłów, gotowy na przyjęcie eskadry F-35 Enforcers, ledwo dawało się to odczuć w apartamencie admiralskim, ukrytym pod pokładem startowym bazy lotniczej o wyporności siedemdziesięciu siedmiu tysięcy ton.

– Zapali pan cygaro, admirale? To cohiba – zaproponował nowy chorąży. Trzygwiazdkowy wiceadmirał, Bradley Otis Adams, z szerokim uśmiechem sięgnął do mahoniowej papierośnicy.

– Po pierwsze, panie chorąży, palenie cygar jest tutaj zabronione. Po drugie, kubańskie cohiby to kontrabanda. A po trzecie, pański poprzednik bardzo dobrze pana przeszkolił.

Z drugiego końca stołu w admiralskiej jadalni wychylił się jednogwiazdkowy wiceadmirał Frank Haggerty i przyjął od swojego szefa zużytą zapalniczkę Zippo. Wygrawerowano na niej słowa „HVT Bar, Bagdad". Haggerty uśmiechnął się, wspominając, że Adams odegrał dużą rolę w ściganiu ważnych celów. Frank Haggerty zapalił swoją cohibę.

– Dostałeś je w Dżebel Ali, Ruck?

Andrew Rucker był kapitanem USS „Ronald Regan", kolosa o długości 1040 stóp z dwoma reaktorami jądrowymi i załogą liczącą 5900 osób. Spojrzał przez stół na przełożonego.

– W Dubaju możesz kupić wszystko – odpowiedział i podobnie jak Adams i Haggerty zapalił cygaro.

Palenie na pokładzie okrętów floty amerykańskiej było zakazane od lat, ale nikt nie odważyłby się tego powiedzieć dowódcy Piątej Floty i jego podwładnemu, admirałowi grupy bojowej „Reagana". Kapitan „Reagana" odniósł więc jedną małą korzyść z podjęcia szefostwa kolacją.

– Panowie, myślę, że kiedy Castro wreszcie odejdzie, z wrogów Kuby staniemy się jej najwierniejszymi przyjaciółmi. I to naprawdę szybko.

Admirał Adams wypuścił dym ze swojego cygara i delektował się aromatem, który wypełnił pokój. Pulchny pięćdziesięciodwuletni oficer bardzo młodo dochrapał się trzech gwiazdek. Chociaż jego blond czupryna nieco się już przerzedziła, zwykle nie wyglądał na swoje lata. Od ponad dwudziestu pięciu lat każdy kolejny stopień zdobywał wcześniej niż jego rówieśnicy. Żartował, że w jego żyłach płynie słona woda, odkąd dwóch Otisów i trzech Adamsów służyło w marynarce w okresie ostatnich dwustu lat. W Bahrajnie przebywał od miesiąca, pełniąc jednocześnie funkcję dowódcy amerykańskich sił morskich i dowódcy Piątej Floty. Mały wyspiarski Bahrajn przyprawiał go o napady szału. Przyleciał z Bahrajnu helikopterem, żeby zjeść kolację z przyjaciółmi, Haggertym i Ruckerem, na pokładzie lotniskowca. Chciał również przez chwilę znowu znaleźć się na płynącym okręcie, zamiast gnić przy biurku na stałym lądzie.

Poza tym miał przekazać przyjaciołom wiadomość przeznaczoną wyłącznie dla ich uszu. Lekko skinął w stronę stojących w pobliżu dwóch adiutantów, a Rucker natychmiast załapał, o co chodzi.

– Lopez, Anderson, to wszystko. Dziękuję wam. – Chorąży i starszy marynarz wyszli z jadalni, cicho zamykając za sobą drzwi.

Adams wstał i zaciągnął się mocno cygarem.

– Chociaż pan Kashigian jest lekko wstrząśnięty faktem, że foyer jego hotelu zamieniło się w kostnicę, otrząsnął się i pojawił się w bazie po instrukcje. Tylko że jak się okazało, to on miał instrukcje dla mnie. – Adams wręczył Haggerty'emu zadrukowaną kartkę opatrzoną pieczęcią sekretarza obrony na górze i podpisem podsekretarza Ronalda Kashigiana u dołu.

– Zerknijcie na to.

Gdy obaj czytali dokument, Brad Adams podszedł do ściany, gdzie znajdował się widok z powietrza na Zatokę i otaczające ją kraje. Pomyślał, że na pierwszy rzut oka nic się nie zmieniło, ale teraz nie ma już Arabii Saudyjskiej, Iran ma broń jądrową, a my tkwimy w środku tego wszystkiego, mając jako siłę nacisku tylko tę flotę.

– Czy sekretarz obrony naprawdę spodziewa się, że zrobimy to wszystko, nie zdradzając się przed nikim? – spytał Haggerty. – Nie jestem pewny, czy nasze siły przygotują się do tego tak szybko w całkowitej tajemnicy.

Rucker potrząsnął głową, patrząc na dokument.

– Admirale, nie chciałbym się wymądrzać, ale czy standardowe procedury dla rozkazów takich jak te nie przewidują przesyłania ich przez ARNET, a nie dostarczanie osobiście?

Adams odwrócił się do kolegów. Rucker, obecnie czterdziestodwuletni, był obrazoburcą od czasów Annapolis. Myślał samodzielnie i nie dostosowywał się po prostu do ogólnie przyjętej linii. To dziwne, że w ogóle został kapitanem.

– Boją się, że będą przecieki, oczywiście. Zawsze boją się o przecieki. Ale tym razem dostali chyba jakiejś paranoi na ich punkcie. Jakby myśleli, że wszystko się wyda, jeśli CIA, NSA albo IAC usłyszą słowo o tym, co tu się szykuje. – Adams z powrotem usiadł za stołem, na który pozostali dwaj odłożyli rozkazy.

– Biorąc pod uwagę rozmach planowanej akcji, oczekują, że nie będzie żadnych przecieków? – spytał Haggerty. – Muszą wiedzieć, że ktoś natychmiast pojawi się, by zobaczyć nie tylko to, co tutaj robimy, ale przyjrzeć się także wszystkim ruchom w Stanach i w basenie Morza Śródziemnego. Nie da się ruszyć tylu ludzi i okrętów, żeby ktoś czegoś nie zwietrzył.

– Masz rację, Frank, i właśnie to próbowałem wytłumaczyć Kashigianowi – odpowiedział Adams. – Ale sekretarz obrony zaparł się z takim fanatyzmem, że Szura wyglądała przy nim jak szkółka niedzielna unitarystów. Nie rozumiem dokładnie, o co chodzi, ale pierwszy raz widzę, jak działają w takim tempie. Jedyne, co mi przychodzi do głowy, to to, że mają jakieś dane, którymi nie chcą się podzielić ani z nami, ani z nikim innym, albo…

– Albo co, admirale? To nie ma sensu. Irańczycy mogą wysadzić w powietrze cały ten pieprzony region, w Iraku ciągle burdel, wysyłają za nami terrorystów, gdzie tylko się da. Jakim cudem mamy zorganizować wielkie wodno-lądowe manewry z Egiptem na Morzu Czerwonym i wypchnąć prawie całą Piątą Flotę z Zatoki w dziesięć dni? – Haggerty wstał i podszedł do zdjęcia Zatoki, które przed chwilą studiował Adams. – Naprawdę nie jestem pewny, czy uda mi się zrobić to wszystko w tak krótkim czasie, admirale – powiedział Haggerty, patrząc na zdjęcie. – Dzieje się tu dużo rzeczy i nie powinniśmy pozbywać się z Zatoki amerykańskiej armii przez jakieś głupie manewry. Czego oni od nas chcą?

– Chcą, żebyśmy wypełnili rozkazy, Frank. Cywilna kontrola nad wojskiem, pamiętasz? Nawet jeśli cywile czasem robią coś bez sensu. Ty i Ruck róbcie, co trzeba, żeby przygotować nas do tych misji, ale bez rozgłosu. Największe manewry wodno-lądowe w historii, dwie grupy bojowe lotniskowców, większość naszych zasobów z Zatoki, wszystko po to, żeby wylądować na egipskim brzegu Morza Czerwonego? Islamija może to odebrać jako wiadomość. Kiedy ma nastąpić to lądowanie?

Kapitan Rucker spojrzał na rozkaz.

– Szturm komandosów na Green Beach ma się zacząć 15 marca.

– Idy marcowe. Ktoś ma poczucie humoru, albo zna historię. To daje nam trochę czasu, żeby się przygotować... i dowiedzieć się, o co naprawdę chodzi. Mało czasu, ale zawsze coś – powiedział Adams i uśmiechnął się do admirała Haggerty'ego i kapitana Ruckera.

Wiceadmirał Brad Adams wydmuchał ostatni kłąb dymu. Kiedy zdusił cygaro w wielkiej mosiężnej popielniczce, F-35 Enforcer perfekcyjnie przeprowadził nocne lądowanie na pokładzie lotniskowca. Uderzył w pokład startowy tuż nad apartamentem admiralskim. Niedoświadczeni mogliby uznać ten łomot za katastrofę. Wzrok trzech mężczyzn powędrował do monitora wiszącego w rogu, by upewnić się, że wstrząs, który właśnie odczuli, to tylko lądowanie.

2

30 STYCZNIA

Zachodnie skrzydło Białego Domu
Waszyngton

Samochody marki Chevy Suburban, prowadzące i zamykające kolumnę, przystanęły przy krawężniku, gdy przepuszczano je przez pierwszy posterunek kontrolny koło parku Ellipse. Czarny chrysler 300M, którego ochraniały, przejechał szybko do drugiej wartowni, podczas gdy umundurowany oficer Secret Service opuścił metalową barierę, zdolną zatrzymać osiemnastokołową gigantyczną ciężarówkę.

MacIntyre patrzył, jak oczy jego młodej analityczki robią się coraz większe, gdy zbliżyli się do ogrodzenia i do ogromnych bram, które otwierały się na West Executive Avenue.

– Byłaś już kiedyś w Białym Domu, Susan? – zapytał.

– Tylko trasą turystyczną z wycieczką szkolną. Czerwony Pokój, Błękitny Pokój, Zielony Pokój, Wschodni Pokój, ale tego tutaj nam nie pokazali. – Susan Connor rzuciła się szukać swojej legitymacji, gdy MacIntyre okazał swoją przez okno samochodu oficerowi Secret Service.

– Cóż, trzeba pamiętać, że to nie jest zwykły budynek rządowy wypełniony cywilnymi pracownikami, no i, oczywiście, jest jeszcze ten facet, który mieszka nad sklepem.

Samochód zatrzymał się przed przykrytymi daszkiem podwójnymi drzwiami, prowadzącymi do parterowej części Zachodniego Skrzydła.

– Zdziwisz się, jakie wszystko jest małe w Zachodnim Skrzydle. To stuletni budynek, którego nie rozbudowywano od pół wieku. Ta ulica, West Executive Avenue, to był najbardziej pożądany parking w mieście. Turyści i okoliczni mieszkańcy spacerowali sobie tutaj, kiedy tylko przyszła im na to ochota. Teraz jest objęta trzema pierścieniami bezpieczeństwa. Większość personelu Białego Domu przebywa w tym wielkim budynku za nami - powiedział MacIntyre, wskazując na Eisenhower Executive Office Building, EOB. - Przez pewien czas w EOB mieściły się jednocześnie departament wojny, marynarki i stanu. To było wtedy, gdy generał armii, niejaki Dwight Eisenhower, musiał wziąć rachunek, żeby zapłacić za kurs na Wzgórze Kapitolińskie, kiedy miał odprawę w Komitecie Sił Zbrojnych.

Kiedy MacIntyre opowiadał o przywódcy wojskowym sprzed siedemdziesięciu pięciu lat, kawalkada samochodów obecnego cywilnego przywódcy Pentagonu z piskiem opon zatrzymała się przed wejściem do Zachodniego Skrzydła. Otoczony przez cywilnych i wojskowych doradców z teczkami i segregatorami, z opancerzonego lincolna navigatora wyłonił się sekretarz obrony, Henry Conrad, i przeszedł przez otwarte drzwi, ledwo rzucając okiem na MacIntyre'a i Connor, gdyż cały czas dźgał palcem jakiegoś człowieka.

- Panu również dzień dobry - prychnęła Susan. - Kim był ten chłopiec do bicia?

- To chłopiec na posyłki, najważniejszy z bandy książątek bez twarzy na usługach pana i władcy - powiedział MacIntyre. - Przepraszam. To był podsekretarz obrony Ronald Kashigian, karcony za coś przez jego wysokość, szefa Narodowego Centrum Dowodzenia.

Connor spojrzała na szefa.

- Myślałam, że to prezydent jest naczelnym dowódcą sił zbrojnych.

- Po części tak. Prezydent i sekretarz obrony obaj są naczelnymi dowódcami. Obaj mogą wydać rozkaz użycia broni, w tym broni jądrowej. - Widząc powątpiewanie na twarzy Susan, Rusty wyjaśnił: - Ma to utrudnić pozbawienie życia głowy państwa, ale również zapobiec zbyt wolnej reakcji, gdy ktoś wyśledzi prezydenta, jak znowu sobie robi zdjęcie z drużyną Red Sox. Chodźmy.

Po wejściu do Zachodniego Skrzydła Susan z zaskoczeniem zauważyła, że korytarze są ciemne, a sufity bardzo niskie. Strażnik z Secret Service w niebieskiej marynarce ponownie poprosił ich o okazanie legitymacji i sprawdził ich nazwiska w komputerze. Obok przejechały wózki z jedzeniem, pchane przez młodych pracowników Białego Domu. MacIntyre dalej bawił się w przewodnika.

– Za tym holem jest kantyna Białego Domu. Restaurację prowadzi marynarka i serwują jedzenie na wynos bardzo zajętym pracownikom, którzy chcą udowodnić swoją ważność, jedząc przy biurkach. Marynarka zajmuje się kantyną, lotnictwo obsługuje Air Force One, komandosi prowadzą helikopter, a armia zajmuje się łącznością.

– Pracował pan tu kiedyś, prawda? – spytała Susan.

– Przez trzy lata w Radzie Bezpieczeństwa Narodowego Clintona – wyszeptał Rusty.

– Nikomu nie powiem – odpowiedziała Susan również szeptem.

Zeszli w dół po kilku stopniach i zobaczyli przed sobą drewniane drzwi, kamerę i telefon. Na drzwiach znajdowała się ogromna gipsowa pieczęć prezydenta Stanów Zjednoczonych i mosiężna tabliczka z napisem: „Pokój Sytuacyjny, dostęp ograniczony". Rusty podniósł słuchawkę telefonu i spojrzał w obiektyw kamery.

– MacIntyre z osobą towarzyszącą.

Drzwi brzęknęły i przeszli do ciasnego przedpokoju.

Za przedpokojem znajdowała się mała, wyłożona drewnem sala konferencyjna.

Wielkie skórzane fotele tłoczyły się wokół potężnego drewnianego stołu. Przed każdym fotelem znajdowała się mosiężna tabliczka z nazwiskiem członka Komitetu Szefów Rady Bezpieczeństwa Narodowego. Pod ścianami dookoła stały ławki. Na ścianie za fotelem, u szczytu stołu, wisiała kolejna prezydencka pieczęć. W jednym rogu Susan zauważyła kamerę przemysłową za kloszem z przyciemnionego szkła. W drugim rogu znajdowały się drzwi z wizjerem. U szczytu stołu stała biała konsola telefoniczna. Na przeciwległej ścianie wisiały trzy zegary cyfrowe: „Bagdad", „Zulu" i „POTUS"[4]. Susan wiedziała, że „Zulu" to wojskowa nazwa czasu Greenwich, czyli londyńskiego. Dokonując szybkich obliczeń, doszła do wniosku, że dziś POTUS oznacza czas Los Angeles, gdyż prezydent Stanów Zjednoczonych ba-

---

[4] POTUS (President of the United States) – Prezydent Stanów Zjednoczonych.

wił na Zachodnim Wybrzeżu. Czas POTUS musiał oznaczać strefę czasową, w której aktualnie znajdował się głównodowodzący.

– Nie widziałem ostatecznych ustaleń co do rozmowy pani szefa z chińskim premierem – skarżył się sekretarz obrony Conrad, pochylając się przez stół do podsekretarz stanu, Rose Cohen. – Musicie trzymać tych sukinsynów krótko. Chodzi im o tę samą ropę, co nam. – Cohen zastępowała sekretarza, który wyjechał do Azji. Zanim zdążyła otworzyć usta, do sali szybko wszedł doktor William Caulder, doradca do spraw bezpieczeństwa narodowego, i zasiadł u szczytu stołu pod pieczęcią prezydencką.

– Zaczynamy. Spotkanie poświęcone będzie głównie Chinom, ale zajmiemy się też kilkoma bieżącymi problemami. – Otworzył segregator z luźnymi kartkami. Czytał głośno, odhaczając od razu kolejne punkty. – „Chiny: kalkulacje strategiczne i chińskie rakiety w Islamii, MacIntyre, IAC; zamach w Bahrajnie, Peters, Narodowe Centrum Zwalczania Terroryzmu; manewry Bright Star – generał Burns, a potem, Henry, chciałeś poruszyć zakazany temat? – Doradca do spraw bezpieczeństwa spojrzał znad okularów na sekretarza obrony, który przytaknął.

Podobnie jak podsekretarz stanu Rose Cohen, MacIntyre również był tu w imieniu swoich szefów, Sola Rubensteina z IAC i Anthony'ego Giambi, szefa wywiadu, biegających z jednej kontrowersyjnej narady na drugą. Rusty wiele razy uczestniczył już w obradach Komitetu Szefów. Powszechnie wiadomo, że w skład KS wchodzili wszyscy członkowie Rady Bezpieczeństwa Narodowego, z wyjątkiem prezydenta i wiceprezydenta. KS był czymś w rodzaju zarządu jednego wielkiego konglomeratu, jaki tworzyły wydziały i agencje do spraw bezpieczeństwa.

– No dobrze. Najpierw poprosimy o streszczenie najnowszych analiz wywiadu dotyczących Chin z Ośrodka Analiz Wywiadu, pan MacIntyre. – Doradca do spraw bezpieczeństwa powiedział to tonem, jakby wzywał jakiegoś doktoranta na ustny egzamin.

Gdy MacIntyre otworzył teczkę, rozsunęły się drewniane panele na ścianie, odsłaniając duży monitor plazmowy. Na nim pokazała się pierwsza strona wystąpienia.

– Chiny wzmocnione przez rozwój gospodarczy – zaczął czytać. – Oszałamiający rozwój ekonomiczny, jakiego doświadczyły Chiny w ostatnim dziesięcioleciu, umożliwił modernizację miast, utworzenie krajowego przemysłu motoryzacyjnego, który ostatnio z powodzeniem eksportuje towar do nas, rozwój własnych imponujących rozwiązań technologicznych i strategiczne rozmieszczenie potężnej, choć niewielkiej, armii. – Na monitorze pojawiły się zdjęcia pekińskiego kompleksu olimpijskiego, wieżowca Gwangju i kompleksu badawczego, a potem wykresy ilustrujące gwałtowny chiński rozwój ekonomiczny.

– Wraz z postępem pojawiły się związane z modernizacją minusy, takie jak niepokoje społeczne, szczególnie na obszarach wiejskich i w starych miastach przemysłowych, zanieczyszczenie powietrza i, przede wszystkim, wzrost zapotrzebowania na ropę naftową oraz gaz. Jak widzą państwo na tym wykresie, Chiny importują teraz niewiele mniej ropy i gazu niż Stany Zjednoczone. W ciągu najbliższych dwóch lat mogą wyprzedzić nasz kraj. Wciąż mają niższe od nas zużycie energii na głowę, więc możemy się spodziewać, że import będzie wzrastał w miarę zużywania jej większej ilości. Wszystko to sprawia, że Chiny znowu stały się zależne od Rosji i byłych państw Związku Radzieckiego w centralnej Azji, od których masowo importują ropę. Wywiad donosi, że chińskie władze nie są z tej zależności zadowolone i szukają innych źródeł ropy. To dlatego zauważyliśmy ich pojawienie się w Islamii, do czego przejdę za chwilę.

MacIntyre zauważył, że udało mu się przykuć uwagę słuchaczy.

Gdy Rusty miał przejść do spraw militarnych, sekretarz skarbu, Fulton Winters, ożywił się i przełamał trans, w jaki wprawiło szefostwo wystąpienie Rusty'ego. Winters zwykle przestawał rolować swój krawat, żeby wygłosić przynajmniej jedną przepowiednię na spotkanie.

– Ludzie często mówią o chińskim zagrożeniu militarnym dla Ameryki – zaczął Winters. – Nie ma takiego. Chińska gospodarka jest ściśle związana z naszą. Jesteśmy ich rynkiem zbytu. To prawda, że obecnie przejęli większość naszych rządowych długów dzięki sprzedaży obligacji i, teoretycznie, mogą je sprzedawać lub przestać kupować. A to wywołałoby u nas inflację i załamanie rynku. Ale nie zrobią tego – Winters uśmiechnął się – ponieważ ekonomiczny rozwód uderzyłby w nich bardziej niż w nas.

Nikt się nie odezwał. Winters znowu zaczął rolować krawat.

Rusty ponownie zabrał głos.

– Tak naprawdę, najbardziej zaskakującym strategicznym osiągnięciem stała się rozbudowa chińskiej floty. Przez dziesięciolecia użytkowali radzieckie odrzuty i małe, prymitywne technologicznie przybrzeżne okręty, takie jak fregaty i niszczyciele. Potem kupili od Ukrainy i Rosji parę nowoczesnych krążowników i przestarzałych lotniskowców. Teraz, w ciągu ostatnich pięciu lat, wprowadzili do użytku trzy nowoczesne, zaprojektowane w kraju lotniskowce z samolotami szturmowymi i myśliwcami, „Czeng He", „Hung Bao" i „Czou Man". W Pakistanie, w Gwadarze, zbudowali port. Zaczęli również produkować własne krążowniki i okręty podwodne o napędzie atomowym. Podczas ubiegłorocznej wizyty grupy bojowej lotniskowca „Czou Man" w Sydney mieliśmy okazję przyjrzeć im się z bliska. To naprawdę imponujące jednostki – powiedział MacIntyre i pokazał zdjęcia chińskich okrętów w australijskim porcie.

– „Czou Man" brzmi jak powiedzonko mojego czternastoletniego syna – zażartował generał Burns.

– Czou Man, generale, był chińskim admirałem, którego flota badała Australię około 1420 roku – odpowiedział MacIntyre. – Pozostałe lotniskowce zostały nazwane na cześć admirałów z piętnastego wieku, których floty penetrowały Pacyfik i Ocean Atlantycki. Nazwy te mają sugerować, że chińska flota, tak jak kiedyś, będzie panowała nad morzami całego świata. Ale skończmy już z chińską marynarką i przejdźmy do pilniejszych spraw... – MacIntyre kliknął przycisk i na monitorze pojawił się nowy obraz.

Było to niewiarygodnie realistyczne zdjęcie bazy rakietowej w Islamii. Rusty rozpoczął swoją prezentację:

– Analitycy IAC odkryli ten nowy chiński kompleks rakietowy w Islamii dwa dni temu. Wygląda na gotowy do działania. W 1987 roku Saudyjczycy potajemnie zdobyli chińskie pociski średniego zasięgu. Podczas konfrontacji z administracją Reagana, zarzekali się, że rakiety te nie mają głowic jądrowych. Podobno miały taki uchyb kolisty, że nie mogłyby wyrządzić wielkiej szkody nikomu, z wyjątkiem obsługujących je załóg, które zaopatrywały je w płynne paliwo w naziemnych wyrzutniach.

Doradca do spraw bezpieczeństwa, który czytał porządek obrad, spojrzał znad okularów.

– Uchyb kolisty?

– To ich dokładność, Billy – zbeształ go sekretarz obrony. – No, dalej, dalej – powiedział, gestem ręki pospieszając MacIntyre'a.

– Obecnie, dwadzieścia lat później, można zauważyć zastępowanie pocisków. Niektóre z nich to ruchome, bardzo dokładne pociski na ciężarówkach, częściowo umieszczone w podziemnych wyrzutniach, na paliwo stałe. W chińskich siłach strategicznych przenoszą one głowice jądrowe, trzy w jednym pocisku. Wywiad donosi, że w głównej bazie, pośrodku Pustej Ziemi, znajduje się dwa tysiące trzystu chińskich specjalistów. Szacujemy, że mają tam dwadzieścia cztery rakiety na wyrzutniach, być może częściowo z dodatkowymi ładunkami.

– Poza ich wartością militarną, działalność taka wskazuje, że Chińczycy mają o wiele ściślejsze związki z rewolucyjnym reżimem w Rijadzie, niż nam się wcześniej wydawało. Chociaż początkowo rakiety zamówili Saudowie, dostawy i rozmieszczanie odbywały się potajemnie po rewolucji. Sądzimy, że żądny gotówki rząd Islamii, przygnieciony naszymi sankcjami, płaci im w ropie. Różnego rodzaju specjalne programy i źródła wywiadowcze nie podają nic, co wskazywałoby na obecność broni jądrowej. Naszym zdaniem Chiny niechętnie pogwałciłyby traktat o rozprzestrzenianiu broni jądrowej, a dokładność tej broni...

– Bzdury, MacIntyre! – przerwał mu sekretarz obrony. Conrad pochylił się w fotelu z wykrzywioną twarzą i wbił ciemne oczy w Rusty'ego. – Co ty, do cholery, myślisz, że kupili to jako chińskie fajerwerki na ramadan? – W Pokoju Sytuacyjnym zapadła cisza. Wszystkie oczy spoczęły na sekretarzu, który kontynuował swoją tyradę.

– Mówię ci, że wszyscy ci mordercy z Al-Kaidy w Rijadzie za wszelką cenę chcą zdobyć broń jądrową. Może i Pekin nie da im bomby, może. Ale i tak dostaną ją od głupków z Korei Północnej albo od koleżków z Al-Kaidy z Pakistanu. Chcesz mi wmówić, że ci goście z Islamabadu nie sprzedadzą swoim braciszkom w ideologii kilku bomb? Do diabła, A.Q. Khan[5] nie miał żadnych oporów. IAC po prostu nie docenia zagrożenia, jakie stanowią te reżimy.

W końcu MacIntyre podniósł do góry dwa palce i powiedział wolno, choć stanowczo:

– Nie zgadzam się z tym z dwóch powodów. Po pierwsze, broń ta została najwyraźniej zamówiona przez naszych przyjaciół Saudów, kiedy byli jeszcze u władzy. Zamówienie i dostawa nie mogły zostać zrealizowane w ciągu roku po obaleniu Saudów. Po drugie, do tych rakiet pasują tylko chińskie głowice. Nie można po prostu wziąć wielkiej pakistańskiej bomby lotniczej i dopasować jej do CSS-27. To bardzo precyzyjna broń. Myślę, że obecnie mamy tu bardzo dokładny system o ogromnej sile rażenia, bombę burzącą w dosłownym znaczeniu; to broń, która została dostarczona, żeby objąć zasięgiem Teheran i w ten sposób zastraszać Iran.

Sekretarz obrony rzucił swoimi notatkami, wydając z siebie przeciągłe:

– Pffff.

– Hm, dzięki Russellu. A teraz przejdźmy do zamachu w Bahrajnie. NCZT?

Dyrektor Narodowego Centrum Zwalczania Terroryzmu, Sean Peters, opisał technikę wykorzystaną do zamachu na hotele w Manamie, skutki i przypuszczalnych winnych.

– Najprawdopodobniej zamach przeprowadziły irańskie Siły Kods, połączenie grupy do tajnych zadań i sił specjalnych, od lat odpowiedzialne za ataki w Bahrajnie i Zatoce.

– Nonsens! Doktorze Caulder, jestem przerażony tymi rzekomymi doniesieniami wywiadu. To nie byli Irańczycy. – Tym razem sekretarz obrony walną pięścią w stół. – Ron, powiedz im. Przecież próbowali cię zabić.

---

[5] Doktor Abdul Quader Khan – pakistański inżynier, pracował w holenderskich zakładach wzbogacania uranu. Wykradł stamtąd informacje technologiczne i uciekł z nimi do Pakistanu, gdzie dzięki niemu nastąpił szybki rozwój technologii nuklearnej.

Podsekretarz Ronald Kashigian, siedzący na ławce za plecami sekretarza Conrada, chrząknął. Grube okulary i włosy obcięte na jeża upodabniały go do trenera drużyny futbolowej.

– No cóż, byłem w zaatakowanym hotelu. I nasi ludzie z wywiadu potwierdzają, że byłem celem. – Poczerwieniały mu uszy. – Eksperci z tamtego regionu mówią, że to z całą pewnością islamiści... z Rijadu.

– Jesteśmy przekonani, Billy – powiedział sekretarz obrony, wbijając pAlek w doradcę do spraw bezpieczeństwa – że Al-Kaida z Rijadu daje w ten sposób do zrozumienia królowi Hamadowi w Bahrajnie, żeby wykopał Amerykanów, albo wywołają zamieszanie takimi zamachami jak te. Ludzi tych nie zadowala fanatyczny kalifat w Arabii Saudyjskiej. Oni chcą, żeby rewolucja rozprzestrzeniła się na całą Zatokę!

Doktor Caulder, niegdyś profesor uniwersytetu w Chicago, który objął funkcję doradcy do spraw bezpieczeństwa narodowego sześć miesięcy temu, po tym jak jego poprzednik zmarł nagle w wyniku udaru, zapytał potulnie:

– A Bahrajńczycy kogo podejrzewają?

Odpowiedział mu dyrektor NCZT:

– Nie wiedzą, doktorze Caulder – rzucił i usiadł.

– Cóż, może powinniśmy przejść do, jak im tam, manewrów Bright Star? Generał Burnside.

– Burns, sir. – Przystojny i pełen spokoju czterogwiazdkowy generał sił powietrznych całą karierę poświęcił lataniu, a teraz był drugim najstarszym oficerem w Stanach Zjednoczonych i wiceprzewodniczącym Połączonych Szefów Sztabu. – Bright Star to seria ćwiczeń CENTCOM[6] z ponad dwudziestoletnią tradycją, z udziałem Arabusów, to znaczy Egipcjan.

– W ostatnich latach nieco je zaniedbano i przeprowadzano tylko na małą skalę, ale teraz, w związku z rewolucją w Arabii, Kair jest zainteresowany pokazem sił na Morzu Czerwonym, aby przekonać Rijad, że Egipt ma pełne militarne poparcie Stanów Zjednoczonych. Tak na wypadek, gdyby rząd Islamii myślał o eksporcie swojej rewolucji na

---

[6] CENTCOM (Central Command) – Dowództwo Zjednoczonych Sił Zbrojnych odpowiedzialne za teren Bliskiego Wschodu i południowo-zachodniej Azji.

zachód. Planujemy największą wodno-lądową operację w najnowszej historii, największy desant z powietrza i jedne z największych ćwiczeń bombowych, jakie przeprowadziliśmy do tej pory. Trzy oddziały komandosów wodno-lądowych, około piętnastu tysięcy ludzi, wylądują w trzech punktach egipskiego wybrzeża Morza Czerwonego. – Za pomocą laserowego wskaźnika postawił czerwoną kropkę na ekranie. – Dwie brygady 82. Dywizji Sił Powietrznodesantowych, około dziewięciu tysięcy ludzi, zostaną zrzucone za przyczółkiem na plaży. Obszar docelowy zostanie osłabiony przez Siły Powietrzne B-1 i B-2 z CONUS oraz przez grupy bojowe „Busha" i „Reagana" na Morzu Czerwonym.

– Komandosi i siły powietrznodesantowe połączą się z armią egipską i 2. Dywizją Pancerną, a następnie wspólnie ruszą w górę doliny Nilu, aby zademonstrować również współdziałanie jednostek. Zostanie to zorganizowane w ten sposób, że ludzie z Rijadu będą mogli obejrzeć wszystko w telewizji i przekonać się, czego może dokonać imponująca siła ognia Stanów Zjednoczonych. – Generał Burns wyłączył laser i usiadł.

– Jakieś pytania do generała Burnsa? Nie? Dziękuję wszystkim. Proszę, żeby teraz zostali tylko szefowie wszystkich agencji lub pełniący ich obowiązki – powiedział doktor Caulder.

– Zaczekaj na mnie w samochodzie, Susan – wyszeptał MacIntyre zza stołu do swojej analityczki, która siedziała za nim na ławce.

Kiedy ustało szuranie, doradca do spraw bezpieczeństwa, Caulder, zwrócił się do sekretarza obrony.

– Henry, o czym chciałeś rozmawiać w wąskim gronie?

Wysoki i barczysty Conrad, ubrany w drogi, dwurzędowy garnitur, promieniujący energią, poruszył się niespokojnie na fotelu.

– To bardzo delikatna sprawa, Billy – powiedział Conrad cichszym niż zazwyczaj głosem. – Przepraszam MacIntyre, że byłem taki kategoryczny, ale mamy swoje źródła, naprawdę dobre źródła w Chińskiej Ludowej Armii Wyzwoleńczej. Od nich dowiedzieliśmy się, że chińska armia i marynarka otrzymały rozkazy przygotowania się do potajemnego wysłania oddziału piechoty do Arabii Saudyjskiej przy użyciu towarowych rorowców i, uważajcie, boeingów 777 Air China. Przerzut mają ubezpieczać siły ekspedycyjne Chińskiej Marynarki

Wojennej, w tym dwa lotniskowce wraz z krążownikami wyposażonymi w pociski przeciwokrętowe i okręty podwodne.

– Ruch na morzu będzie odbywał się pod przykrywką prezentacji sił, z postojami w Perth, Pakistanie i saudyjskim porcie w Zatoce. Oczywiście przerazi to gówniane kraiki, mam na myśli mniejsze państwa w Zatoce i Iran, i spłoszy szurniętych Hindusów, co obróci się na naszą korzyść, ale w sumie będzie to fatalne posunięcie. Czerwona chińska piechota w Arabii Saudyjskiej. Ich flota po raz pierwszy na Oceanie Indyjskim.

– To dlatego nie wykluczam, że dostarczą głowice jądrowe do rakiet MacIntyre'a. Mając chińskie wojsko w kraju, mogą dostarczyć ładunki jądrowe do pocisków, ponieważ uważają, że nie ostrzelamy grupki chińskich żołnierzy. Poprą ten reżim Islamii, dopóki jest nowy i słaby, żeby tylko uzyskać długoterminowy dostęp do całej ropy. My naruszamy strategiczne rezerwy ropy, zamrożone od Michigan do Maine, ponieważ nałożyliśmy sankcje na ropę saudyjską. Płacąc maksymalną cenę na rynku transakcji natychmiastowych, gdzie prawdopodobnie i tak kupujemy saudyjską ropę, tyle że przez pośredników. Wysysamy do cna Alaskę, dogadujemy się z tymi samymi ludźmi, którzy kazali nam się wynosić z Iraku, a żółtki zamierzają zablokować saudyjską ropę długoterminowymi umowami, chronionymi przez ich przeklętą armię!

Jeszcze raz sekretarz wywołał głuchą ciszę w Pokoju Sytuacyjnym.

– Kiedy to się stanie? – spytała cicho podsekretarz Cohen.

– W marcu – bez wahania odpowiedział sekretarz obrony. – Możemy zablokować ich okrętom wejście do Zatoki.

Podsekretarz Cohen miała dość i uderzyła ręką w stół konferencyjny.

– Nie masz prawa tego zrobić, Henry. Embargo na transport wojskowy byłoby aktem wojny, tak jak kubański kryzys rakietowy, który mógł skończyć się wojną jądrową. Do czego ty, do diabła, zmierzasz? Do wojny z Chinami? Do wojny jądrowej?

– Na biurku prezydenta leży mój raport z wnioskiem, żeby usunąć tych fanatycznych uzurpatorów z Rijadu. Do tego pakietu decyzji możemy dodać morskie embargo. Musimy działać, zanim Chińczycy się umocnią. Wycofają się w przypadku jakiejkolwiek akcji Stanów

Zjednoczonych. Wiedzą, że możemy zatopić całą ich flotę w godzinę. A Hindusi nam w tym pomogą. – Sekretarz Conrad z hukiem zamknął swoje notatki.

– Nic nie wiem o tych informacjach, doktorze Caulder – wyraziła swoje oburzenie Cohen, niemal drżąc z gniewu.

– Bo jeszcze nie zostałaś do nich dopuszczona, złotko. – Conrad uśmiechnął się drwiąco, wstał zza stołu i wyszedł z Pokoju Sytuacyjnego.

Doradca do spraw bezpieczeństwa zwrócił się do Rose Cohen.

– Raport nie jest poważnie rozważany, Rose. To dlatego jest taki wściekły.

Doktor Caulder pośpiesznie wyszedł za sekretarzem Conradem, zostawiając notatki na stole i mówiąc:

– Zaczekaj na mnie, Henry.

– Rozumiem, że to koniec spotkania – powiedział Rusty w przestrzeń. Kashigian zaczekał, aż wszyscy zasiadający na ławce wyjdą, podszedł do MacIntyre'a i poklepał go po ramieniu.

– Nie baw się tym w ten sposób, MacIntyre, bo inaczej ty i twój szef Rubenstein znajdziecie się po niewłaściwej stronie barykady, jeśli wiesz, co mam na myśli.

– Nie mam zielonego pojęcia, co masz na myśli, ale domyślam się, że mi grozisz – powiedział MacIntyre na cały głos, tak żeby inni usłyszeli.

– Po prostu płyń swoim torem, dobra? – mruknął Kashigian, okręcił się na pięcie i wyszedł z Pokoju Sytuacyjnego, śpiesząc się, by dogonić sekretarza obrony i samochody czekające na zewnątrz.

Pokój Sytuacyjny nagle opustoszał. MacIntyre poszedł do kantyny. W okienku zamówił dwa mrożone jogurty. Balansując dwoma kubkami na tacy i z notatkami pod pachą, minął strażników z Secret Service i ruszył w stronę Susan Connor, która stała obok czarnego chryslera na West Executive Avenue.

– Rusty, jest luty. Kto, do diabła, je lody w lutym? – parsknęła Susan.

– No nareszcie dałaś sobie spokój z tym panem MacIntyre'em. To jogurty, nie lody, a po tym zebraniu muszę się ochłodzić – powiedział MacIntyre i wręczył jej kubek.

– To szaleńcy, szefie – stwierdziła Susan, biorąc mrożony jogurt. – Cały ten pieprzony Pentagon to szaleńcy.

Wsiedli do ciepłego samochodu.

– Pentagon to budynek, w którym pracuje około trzydziestu tysięcy ludzi. W Departamencie Obrony kolejne trzy miliony. Nie wszyscy są szaleńcami. – Rusty wyjadał jogurt łyżeczką, podczas gdy chrysler opuścił dziedziniec Eisenhower Building i przez drugi dziedziniec wyjechał na Siedemnastą Ulicę. Kiedy prowadzący suburban przejeżdżał przez bramę, agent Secret Service zatrzymał ruch na ulicy, zmieniając światła na czerwone.

– Ale ich sekretarz na pewno jest stuknięty – zachichotała Susan. – Nigdy czegoś podobnego nie widziałam.

– Witamy w pierwszej lidze. – MacIntyre uśmiechnął się. – Straciłaś najlepsze. Sekretarz Conrad tak się napalił, żeby usadzić Saudów z powrotem na tronie, że gotów jest zaryzykować wojnę z Chinami. W ciągu następnych kilku tygodni.

– Skąd on się wziął, że zachowuje się, jakby Bóg mianował go swoim namiestnikiem na ziemi? – wyseplenila Susan, gdyż język zdrętwiał jej od jogurtu. – Skąd my go wzięliśmy? Ma zdjęcia prezydenta z kozą, czy coś takiego?

– Był ekspertem od przejmowania firm na Wall Street. Wykupywał podupadłe spółki, odbudowywał je, a potem sprzedawał z sześcio- lub siedmiokrotnym przebiciem. – MacIntyre spojrzał przez okno na grupkę turystów na chodniku, którzy próbowali zajrzeć przez szybę, co to za szycha wyjeżdża z Białego Domu.

– Potem został gubernatorem Pensylwanii, skąd pochodzi, zresztą pewnie o tym wiesz. Taki potomek arystokracji, który chciał „pomóc ludziom, pomóc sobie". Przynajmniej tak twierdził podczas kampanii. Rzekomo odmienił też Pensylwanię. I to on pomógł prezydentowi wygrać, dzięki trzystu milionom w gotówce z Wall Street. Prezydent uważa Conrada za geniusza.

– Jakiej sztuczki magicznej zamierzasz dokonać? – spytała poważnie.

– Jak powiedział Otter chłopakom z Delta Tau Chi, czas ruszyć w drogę. – MacIntyre pociągnął wielki łyk mrożonego jogurtu. Samochód przemknął obok Corcoran Gallery i skierował się do Foggy Bottom.

Susan Conor zmarszczyła brwi.

– Czy to jakaś aluzja do lat siedemdziesiątych?[7]

Po powrocie do Ośrodka Analiz Wywiadu MacIntyre udał się prosto do gabinetu szefa, żeby zdać mu relację ze spotkania. Sol Rubenstein studiował analizy na temat Korei Północnej. Nie podnosząc głowy, powitał swojego zastępcę słowami:

– Słyszałem, że miałeś małą scysję z wszechmocnym sekretarzem obrony?

– Wieści szybko się rozchodzą – rzekł Rusty i opadł na jeden z dwóch wielkich, skórzanych foteli przy biurku.

– Mam dobre wtyki – odpowiedział Rubenstein i podszedł do drugiego fotela. – Rosie zadzwoniła do mnie z samochodu. Powiedziała, że się postawiłeś temu sukinsynowi. Dobrze się spisałeś. Pieprzyć go.

– Nie wierzę w tych jego informatorów u Chińczyków. Sprzedawanie rakiet to jedna sprawa, ale wysłanie wojska do Islamii, a potem jeszcze ta bzdura, że mogliby dać im bombę jądrową? Cholera, nie wierzę, żeby Islamija w ogóle poprosiła o tego rodzaju pomoc. Wpuścić kolejnych niewiernych na ich świętą ziemię? – MacIntyre pochylił się w stronę szefa.

– Nie wiem, Rusty, naprawdę nie wiem. Dzieją się dziwne rzeczy. Wszystko jest możliwe. – Dyrektor IAC zamyślił się. – Posłuchaj, gdybyś rządził Islamiją, nie potrzebowałbyś w takiej chwili ochrony? Twoja broń nie działa, bo Amerykanie wyjechali i zabrali części zapasowe. Sekretarz obrony raz na tydzień wygłasza mowę o tym, jacy to źli ludzie siedzą w Rijadzie. Irańczycy znowu kręcą się po Bahrajnie. Teheran przeciągnął Irak na swoją stronę. Kto wie, kto wie?

– Mam wrażenie, jakby było tu mnóstwo ruchomych elementów, zbyt wiele fragmentów układanki – odpowiedział MacIntyre.

– Oj tak. Zbyt wiele piłek w powietrzu naraz. To dlatego Ameryka potrzebuje teraz naprawdę dobrych analiz – stwierdził Rubenstein

---

[7] Jest to nawiązanie do filmu *Menażeria* (*Animal Farm*) z 1978 roku w reżyserii Johna Landisa.

i wyprostował się w fotelu. – Powiem ci, co powinieneś zrobić. Leć do Londynu. Mają tam bystrych chłopców, z dobrymi kontaktami, lepszymi niż nasze, a nie podzielą się tym zwykłymi kanałami z CIA. Przed kimś z twoją rangą ugną się. Poza tym, będziesz miał okazję kupić Sarah coś ładnego na Portobello Road. Lubi antyki, prawda?

– Jesteś świetnie poinformowany – powiedział Rusty i wstał. – Czy ktoś z moją rangą może tym razem polecieć pierwszą klasą?

– Nie, biznesową – rzucił Rubenstein i ponownie zagłębił się w dokumentach na temat Korei Północnej.

MacIntyre podszedł do biurka Rubensteina i cicho położył przed nim małe błękitne urządzenie.

– Co to jest, do diabła? – spytał Rubenstein.

– BlackBerry. Zostało już zaprogramowane na konto na Yahoo na twoje nazwisko. Jest również zaprogramowane, żeby wysyłać do mnie maila szyfrowanego PGP[8] na adres na Yahoo, który znasz ty i tylko kilka osób. Krótko mówiąc, to nasz nowy prywatny system komunikacji. Będziemy w kontakcie, kiedy wyjadę. – MacIntyre wręczył mu BlackBerry.

– Nigdy nie dojdę, jak to działa – powiedział Rubenstein, trzymając urządzenie, jakby to był obiekt pozaziemski.

– Wiem. Jeden z moich analityków ci pomoże. Susan Connor ma świetny zmysł techniczny. W przeciwieństwie do niektórych. – MacIntyre wybuchnął śmiechem i ruszył w stronę drzwi.

Rubenstein wreszcie podniósł wzrok.

– Czyżbyś przewidział wizytę u Angoli?

– Już kazałem Debbie zarezerwować bilet – powiedział Rusty. – Przyszedłem tu tylko po to, żeby cię do tego przekonać.

– Aaach! – ryknął dyrektor. – Wypierdalaj stąd!

[8] PGP (Pretty Good Privacy) – jedno z najpopularniejszych narzędzi do szyfrowania poczty elektronicznej.

Centrum Medyczne Salmanija
Manama, Bahrajn

– Doktorze Raszid, również cieszę się, że pan do nas dołączył. Jeśli moglibyśmy jakoś panu pomóc w urządzeniu się, proszę dać znać. – Ładna, młoda pakistańska pielęgniarka wylewnie życzyła dobrej nocy nowemu lekarzowi. Ahmed właśnie skończył swój pierwszy dyżur i był wykończony, ale nie mógł pozwolić sobie na odpoczynek. Tej nocy miał jeszcze wiele do zrobienia.

Ahmed bin Raszid poszedł na pobliski pusty parking i odpalił zdezelowanego nissana, który tu na niego czekał razem z mieszkaniem i pracą. Ludzie jego brata pomyśleli o wszystkim. Podjechał do swojego bloku przy Manama Corniche i zaparkował na ulicy, przy długiej promenadzie z rozległym widokiem na Zatokę. Ahmed wszedł do ciemnego budynku przez otwarte przejście służbowe. Gdy tylko znalazł się na klatce, para rąk chwyciła go za ramiona, okręciła i unieruchomiła chwytem nad łokciami. Oszołomiony Ahmed wbił oczy w ciemność i próbował się uwolnić, ale ten, kto go trzymał, był o wiele silniejszy.

– Chwileczkę, panie doktorze – powiedział spokojnie jakiś głos. Chwilę później lekarz został fachowo zgięty wpół.

Napastnik wydawał się usatysfakcjonowany. Rozluźnił chwyt i odezwał się ponownie.

– Tędy.

Dwaj mężczyźni ruszyli przed siebie. Wzrok Ahmeda przyzwyczaił się do ciemności i zaczął rozpoznawać kształty przed sobą. Kiedy walące jak szalone serce wróciło do normalnego rytmu, w duchu pogratulował sobie, że nie zachował się jak wystraszona dziewczynka w obliczu, jak przypuszczał, swoich osobistych agentów.

Ahmed przeszedł za przewodnikiem przez kolejne drzwi i znalazł się w kiepsko oświetlonym magazynku w suterenie. Tam czekało na nich kolejnych trzech mężczyzn. Zaczyna się, pomyślał. W jednej chwili jego zmęczenie całkowicie się ulotniło.

Odezwał się mężczyzna, który go trzymał.

– Witamy, bracie. Jesteśmy twoim zespołem. Nazywam się Saif. Czekamy na twoje rozkazy. – Mężczyzna miał szerokie ramiona i wyglądał jak kulturysta. Ahmed ocenił, że Saif zbliża się do trzydziestki, czyli był najstarszy z grupy młodych ludzi.

Ahmed złapał dech. Uświadomił sobie boleśnie, że jest tutaj jedynym amatorem, a wszyscy oczekują, że obejmie kierownictwo.

– Na początek, niech każdy z was powie, gdzie pracuje i jak do nas trafił.

Wszyscy byli sunnitami z Bahrajnu, ale z uboższych rodzin. Wywodzili się z niższej warstwy bahrajńskiej społeczności, dla której wyższe wykształcenie jest bardzo trudne do osiągnięcia i która może sobie tylko pomarzyć o lepszej posadzie. Cztery i pięć lat wcześniej przeszli religijne przeszkolenie w Rijadzie. Zostali zwerbowani i odesłani z powrotem do Bahrajnu, gdzie wciągnęli do pracy jeszcze dwóch starych kumpli.

– Jesteśmy małą komórką, ale sądzimy, że jest ich o wiele więcej – powiedział przywódca grupy, Saif bin Razak. – Nasza siła tkwi w metodzie penetracji – ciągnął Saif. – Pracujemy w biurze podróży w bazie Amerykańskiej Marynarki Wojennej, centrum telefonicznym dla rozmów międzykontynentalnych, Ministerstwie Spraw Zagranicznych i na lotnisku. – Kolejno wskazywał odpowiednie osoby. – Ja pracuję w irańskim biurze import-eksport w Sitrze. To tak naprawdę przykrywka dla Sił Kods.

– Ale dlaczego podejmujecie dla nas takie ryzyko? Czego oczekujecie? – zapytał Ahmed, wysilając wzrok, by w mdłym świetle przyjrzeć się twarzom pięciu fanatyków.

– Nie dla was, doktorze. Dla Allaha – powiedział cicho Fadl, wyglądający na najmłodszego. – Chcemy, żeby Bahrajn stał się częścią nowej Islamii. Teraz rządzi nami jedna rodzina. To sunnici, tak, ale są zagrożeni przez miejscową szyicką większość.

– Iran pomaga szyitom – wtrącił Saif. – Mułłowie przysięgli, że dołączą Bahrajn do Iranu, tak jak trzydzieści lat temu pragnął tego szach. Żeby uwolnić z opresji większość szyicką. Tfu! – splunął na podłogę. – Potem przerzucą się do wschodniej prowincji Islamii i będą mówić, że to po to, by uwolnić tamtejszą większość szyicką, ale tak naprawdę chodzi im tylko o ropę.

– Jeśli Bahrajn stanie się częścią Islamii, my, tutejsi sunnici, wejdziemy w skład wielkiego nowego narodu muzułmańskiego, który potrafi powstrzymać siły perskie. – Fadl dokończył myśl.

– Persowie mają bardzo dobrą pamięć i nadzwyczaj długi horyzont czasowy – odpowiedział Ahmed. – Sądzą, że jeśli poczekają i będą trzymać rękę na pulsie, wszystko wpadnie w ich ręce jak dojrzałe figi z palmy.

– Nie, doktorze. Oni wcale nie mają zamiaru czekać – ożywił się Saif. – Mamy dla pana informacje! Planują coś dużego pierwszego dnia jamady. To właśnie dlatego zorganizowali te zamachy w Manamie i zrzucili winę na nas. – Saif wyciągnął amerykańską gazetę. – Niech pan spojrzy na te wszystkie kłamstwa, które rozpowszechniają, o, tutaj. „Robota islamijskich komórek terrorystycznych", tak piszą!

– Macie pewność, że zamachów dokonali Persowie? – zapytał Ahmed, biorąc egzemplarz „USA Today".

– Jak już mówiłem, doktorze, pracuję w budynku, który jest przykrywką dla al Kods, irańskich sił specjalnych. Reperuję im fotokopiarki i drukarki. – Uśmiechnął się po raz pierwszy. – Czasem zerknę sobie na to, co drukują. – Saif wręczył mu gruby plik papieru w czerwonej teczce. – Siły Kods nasilają zamachy wymierzone w amerykańską marynarkę. Następnie pierwszego dnia jamady będą gotowi na zorganizowanie zamachu stanu i powszechnego powstania, tak jak planowali w 2001 roku. Tylko że tym razem nie spodziewają się tutaj obecności amerykańskiej floty i myślą, że perskie siły szybko wylądują, żeby poprzeć powstanie.

– Amerykańska flota nigdy nie opuszcza Bahrajnu – zaśmiał się Ahmed, otwierając czerwoną teczkę. – Żegluje sobie tylko w pobliżu po Zatoce.

– Przez ostatnie kilka lat, doktorze, Amerykanie wycofali swoich żołnierzy i okręty z Libanu, Somalii, Arabii Saudyjskiej, Afganistanu i Iraku. – Fadl uśmiechnął się. – Może Persowie wiedzą, kiedy planują odejść też stąd.

Tak, pomyślał Ahmed. Może i tak. Odwrócił się.

– Saifie, twój zespół musi dowiedzieć się, kiedy i jak Siły Kods planują uderzyć w amerykańską bazę morską. – Wstał i zwrócił się w stronę wyjścia. – Nie możemy dopuścić, żeby Persowie zrzucili winę za ten zamach na Islamiję. Nie możemy dać Amerykanom pretekstu do zaatakowania nas. – Ahmed bin Raszid ruszył do drzwi. – Sprawdźcie to, Saifie. – Ciemnym korytarzem wydostał się na zewnątrz i podszedł do nissana zaparkowanego na ulicy.

Wsiadając do samochodu, Ahmed z zadowoleniem myślał o swoich podwładnych, jak również o pierwszym wystąpieniu w charakterze szpiega. Wykorzysta kontakty i umiejętności swoich ludzi do zbierania wiadomości dla Islamii. Udowodni w ten sposób bratu, Abdullahowi, ile naprawdę jest wart. Może uda mu się dowieść, że Irańczycy zamierzają zrzucić na Islamiję odpowiedzialność za atak na Amerykanów... a jeszcze lepiej, jeśli uda mu się temu zapobiec.

Kiedy Ahmed jechał przez parking na tyłach wysokiego apartamentowca, jego obraz pojawił się na małym czarno-białym ekranie w bedfordzie zaparkowanym przy ulicy.

– Ha, dzięki, doktorze Raszid – szepnął ktoś po angielsku. – Zastanawialiśmy się, kto poprowadzi tę komórkę dla Rijadu. Panu Douglasowi spodoba się ta informacja.

1 lutego
Rządowy dom gościnny
Jamaran, Iran (na północ od Teheranu)

– Ośnieżony Elbrus wygląda bardzo pięknie – powiedział człowiek w garniturze biznesmena.

– Tak jest, generale. Góry są piękne przez cały rok – odpowiedział duchowny. – Usiądźmy przy ogniu i napijmy się gorącej herbaty.

Dwaj mężczyźni podeszli do wielkich foteli stojących przy kamiennym palenisku. Na stoliku między nimi stał dzbanek do herbaty.

– Pierwsza faza Diabelskiego Akwarium została zakończona. Proislamijska strona internetowa wzięła na siebie odpowiedzialność, ale tajna policja Bahrajnu uważa, że to nasi braciszkowie szyici. Zaczynają podejmować przeciwko nim działania – zrelacjonował generał.

– Bardzo dobrze. Amerykanie będą więc myśleli, że to był Rijad, a kalifowie w Bahrajnie rozprawią się z szyitami. – Duchowny szeroko się uśmiechnął. – Dobra robota. Co dalej?

– Dokończymy operację Diabelskie Akwarium. Wtedy Ormianin i jego szef zażądają akcji przeciwko Rijadowi za rzeź tylu dzielnych marynarzy – powiedział generał, nalewając sobie i duchownemu herbaty.

– Ufa pan Ormianinowi i jego szefowi? Całkowicie? – spytał duchowny.

– Nie ufam nikomu oprócz pana. – Generał uśmiechnął się. – Ale oni są naiwni i zachłanni. A ponieważ muszą wiedzieć, że mamy spotkanie z ich szefem na taśmie, nie wystawią nas do wiatru, ryzykując zdemaskowaniem.

– Wykorzysta pan Irakijczyków w fazie drugiej? – spytał duchowny, a generał kiwnął głową. – Irakijczycy dowiedli, że będą użyteczni?

– Tak, ale nasi przyjaciele z Bagdadu mają pewne trudności z Kurdami i sunnitami. Niektórzy z naszych uważają, że lada moment przyjdzie czas na oderwanie Basry.

Duchowny wstał, poprawił szaty, podszedł wolno do okna i popatrzył na ośnieżony świerk. Potem odwrócił się do generała.

– Pan i Siły Kods robiliście dla nas tak dużo i przez tak długi czas. Wygnaliście Izraelczyków z Libanu, wykorzystując Hezbollah, Buenos Aires, wszystko, co zrobił Mugnijah, przyłączyliście grupę Zawahiriego do Al-Kaidy, odzyskaliście naszych ludzi z rąk Amerykanów i wyrzuciliście Saddama, potem rząd w Bagdadzie...

– Ale pański wielki plan, to jest o wiele bardziej skomplikowane, o wiele bardziej ryzykowne. Mamy tu sporo graczy, teraz być może także i Chińczyków. – Duchowny dotknął swojego różańca.

– Z całym szacunkiem, oni wszyscy wiedzą, że mamy broń jądrową. – Generał wstał i podszedł do ognia. – Tylko nie wiedzą, ile i gdzie. Jeśli z jakiegoś powodu wielki plan nie wypali, nadal będziemy bezpieczni. Allah będzie z nami.

Duchowny skinął głową.

– Wierzę, że naszym przeznaczeniem jest być agentami Allaha, zjednoczyć szyitów i wprowadzić ich w złoty wiek – powiedział z entuzjazmem. Podszedł do dowódcy Sił Kods i położył ręce na jego ramionach. – Tak, masz rację, Allah będzie z nami.

3

2 LUTEGO

Jednostka Wsparcia Administracyjnego (ASU)
Marynarki Stanów Zjednoczonych
Dżuffajr, Bahrajn

Brian Douglas jechał prywatnym samochodem, zielonym jaguarem, z willi pod miastem do dzielnicy Dżuffajr, gdzie mieściła się ASU Bahrajn, jak nazywano kwaterę amerykańskiej Piątej Floty. Sześćdziesięcioakrowy teren otaczał wysoki kamienny mur w kolorze piasku. Komandos zatrzymał jaguara i skierował Douglasa na pas kontrolny.

– Proszę otworzyć maskę, bagażnik, wszystkie drzwi i odsunąć się od samochodu – powiedziała kobieta komandos uzbrojona w M-16, a do auta podszedł jeszcze jeden komandos z owczarkiem niemieckim. Kiedy Douglas przyglądał się, jak pies obwąchuje całego jaguara, usłyszał hałas nadlatującego helikoptera. Matowoszary black hawk usiadł po drugiej stronie muru, wywołując małą burzę piaskową koło boiska.

Douglas pomyślnie przeszedł kontrolę i przejechał przez stiukowy łuk, który wieńczył główną bramę. Wyglądał, jakby był resztką dekoracji po kręceniu *Gunga Din*. Douglas machnął swoją wydaną przez marynarkę legitymacją i został skierowany do budynku nr 1, oznaczonego charakterystycznym dla marynarki bełkotliwym skrótem „HQ-COMUSNAVACENT".

Douglas ledwo usiadł w poczekalni, kiedy wyszedł do niego olbrzym w mundurze marynarki.

– Fajnie, że jesteś, Douglas, chłopie. – Przerzedzona ryżawa czupryna i niemowlęca twarz sprawiały, że mężczyzna zupełnie nie wyglądał na dowódcę Piątej Floty. – Wchodź do środka, Bri. Podchorąży, proszę dwa duże kubki kawy. Byłem dwa dni na „Reaganie", dopiero co przyleciałem.

Szef brytyjskiego oddziału SIS wszedł za admirałem do ogromnego gabinetu.

– Przepraszam, że nie zaprosiłem cię w zeszłym miesiącu, ale miałem masę spotkań. Przez ostatni tydzień wkułem na pamięć więcej drzew genealogicznych rodzin królewskich, niż kiedy studiowałem historię Europy – ciągnął admirał Adams, przechodząc przez pokój. – Może usiądźmy tutaj, przy stole konferencyjnym. Znasz mojego N-2, faceta z wywiadu, Johnny'ego Hardy'ego. – Wszyscy trzej zasiedli przy długim stole.

– Johnny, z Brianem Douglasem poznaliśmy się w 2003 w Zielonej Strefie, kiedy ścigaliśmy razem złych chłopców. Zostałem wtedy oddelegowany do CENTCOM w Iraku. Po godzinach przesiadywaliśmy razem w HVT Bar na lotnisku. Zdobywał dla mnie bardziej kłopotliwe informacje niż wy wszyscy z wywiadu morskiego razem wzięci. Jeśli dobija się do mnie od rana, tak jak dziś, to musi mieć w tym jakiś cel. Jestem więc do twojej dyspozycji. To nasz najlepszy sojusznik, prawda, Johnny?

– Doceniam, że zgodziłeś się ze mną spotkać w tak krótkim czasie, admirale. – Douglas spojrzał w swój gigantyczny kubek z kawą, do której ktoś dolał już dużą porcję mleka.

– Pracujesz już w Bahrajnie od jakiegoś czasu. Jesteś prawdziwym ekspertem od spraw tego regionu. Kiedy tu trafiłeś, Brianie? Opowiedz Johnny'emu o swojej karierze – powiedział admirał, stawiając przed nimi tacę ciastek.

– Służyłem tu jako oficer garnizonowy podczas pierwszej wojny w Zatoce Perskiej, potem w Bagdadzie podczas drugiej wojny, teraz ponownie trafiłem tutaj jako szef filii SIS w Bahrajnie, Katarze i Zjednoczonych Emiratach Arabskich. W sumie jestem w Zatoce Perskiej, aż strach powiedzieć, od dwunastu lat. – Douglas starał się, żeby zabrzmiało to skromnie.

– Musi się panu podobać w Bahrajnie. – Kapitan Hardy umoczył biszkopta w kawie.

– Jak wielu ludziom. – Admirał wstał z krzesła. – Do diabła, bez Bahrajnu nie zostałbym admirałem. Mają tu takie słowo *amir*, czyli facet dowodzący dawami. Kurwa, oni pływali dawami do Afryki i Indii, kiedy my, Anglosasi, malowaliśmy się jeszcze na niebiesko i tłukliśmy z Rzymianami, czyż nie? – spojrzał na Douglasa.

– To raczej moi przodkowie, Piktowie, malowali się na niebiesko, ale tak, to starożytny kawałek świata. Właśnie dlatego chciałem się z tobą zobaczyć – powiedział szef SIS, próbując skierować rozmowę na właściwy tor.

– Masz rację, Brianie, nie jesteśmy tu po to, żeby dyskutować o historii. Co się dzieje? – Adams z powrotem zasiadł u szczytu stołu i skupił uwagę na swoim gościu.

– Już byłem w waszej ambasadzie i powiedziałem o wszystkim moim kolegom z agencji, ale chciałem ci to przekazać osobiście. – Brian Douglas wyciągnął z kieszeni marynarki kartkę i przeczytał. – Bardzo wiarygodne źródła SIS ujawniły, że irańskie Siły Kods wybrały jako cel pseudoterrorystycznego ataku ASU Bahrajn. Nastąpi to prawdopodobnie w ciągu najbliższych czterech tygodni. Źródła sugerują również, że Iran planuje wywołać w Bahrajnie powstanie szyitów, tak jak próbował w 1996 i 2001 roku. – Douglas przekazał dokument kapitanowi Hardy'emu, myśląc o sukcesie, jakim okazało się obserwowanie Ahmeda Raszida.

– Interesujące. Już drugi raz dzisiaj słyszę, że moja mała baza ma się stać celem ataku. To dlatego ogłosiliśmy wyższy stopień zagrożenia, Threatcon[9] Charlie. Oczywiście, zrobiłem to sam z siebie po atakach na hotel „Diplomat" i „La Crowne Plaza". – Admirał Adams wziął raport od swojego oficera wywiadu. – Ale Pentagon chyba uważa, że atak zostanie przeprowadzony przez agentów Islamii.

Brytyjski szpieg zakasłał i pociągnął spory łyk kawy z mlekiem.

– Z całym szacunkiem dla Pentagonu, nasz raport wskazuje, że Teheran będzie chciał, żebyście uwierzyli, że atak zorganizował Rijad. Ale Rijad? Im nie uda się atak na ASU. Al Kods ma ku temu możliwości. Ponadto, o tym nie poinformowaliśmy Waszyngtonu ani miej-

[9] Threatcon (Thread Condition) – poziom zagrożenia atakiem terrorystycznym.

scowej agencji, mamy powody sądzić, że Islamija wie, że Irańczycy zamierzają zrzucić na nich winę.

– Cóż, kimkolwiek są, czeka ich trudne zadanie. To miejsce jest zamknięte na trzy spusty, admirale – zapewnił N-2.

– Być może, Johnny, być może, ale każde miejsce można zaatakować. Wzmogłem czujność, ale jedynym sposobem, żeby się z tym uporać, jest dopaść ich, zanim oni dopadną nas. – Admirał przechylił się przez stół w stronę Douglasa. – Czy Bahrajńczycy potrafią tego dokonać? Czy wy i wasza agencja możecie znaleźć tych gości, kimkolwiek są?

– Bahrajn ma bardzo dobre służby bezpieczeństwa, wyszkolone przez SIS. – Douglas uśmiechnął się. – I my, i agencja, mamy własne źródła informacji. Jeśli zdołamy namierzyć grupę zamachowców, Bahrajńczycy ją rozbiją.

– Mamy tu też SEAL i jednostkę antyterrorystyczną floty, jeśli będą potrzebować pomocy. – Brad Adams wstał. – Wolą działać, niż węszyć wokół dyplomatycznych limuzyn – roześmiał się Brian. Adams odrobił lekcje. Gdy szli do drzwi, Adams zmienił ton i styl. Powiedział łagodnie do Douglasa:

– Nie możemy mieć tutaj drugiego Bagdadu. Nie zniosę myśli o kolejnych zabitych żołnierzach. Nie byłem w Iraku tak długo jak ty, ale przypomnij sobie te noce w HTV, kiedy zapijaliśmy nasze smutki z chłopakami z agencji i sił specjalnych. Przez dwa lata borykałem się tam z sunnickimi powstańcami, próbowałem powstrzymać Irańczyków.

– Krwawa jatka, prawdziwa tragedia – powiedział Douglas, patrząc w podłogę i potrząsając głową.

– Tak było, Brianie. Myślałem, że postępuję właściwie. Kurwa, każdy myślał, że mają broń masowego rażenia. Ale my odeszliśmy, a jatka trwa dalej. Szyitom nie uda się stłumić tego sunnickiego powstania. Ciągnie się to od lat i nie ma szans na poprawę. Kurdowie prawdopodobnie usankcjonują swoją niezależność, a wtedy zobaczymy, co Bagdad spróbuje z tym zrobić. Nie odpuszczą Kirkuku. Straszna strata ludzi i pieniędzy. I po co to wszystko, żeby Iran mógł mówić demokratycznie wybranemu rządowi Iraku, co ma robić? – Brad Adams przestał na chwilę grać rolę amerykańskiego admirała. – Posłuchaj, Bri, muszę jutro wyjechać na tydzień do Tampy i Waszyngtonu. Powinienem jechać, czy ten zamach na bazę może nastąpić tak szybko?

– Sam dziś wyjeżdżam do Londynu. Sądzimy, że to kwestia kilku tygodni, ale nie znaleźliśmy do tej pory ani śladu irańskich Sił Kods, mamy tylko te raporty. Jeśli dowiem się czegoś innego, wystrzelę rakietę. – Douglas pomyślał, że z przyjemnością znowu będzie pracował z tym wielkim amerykańskim marynarzem o niemowlęcej buzi. Wyszedł z Ivy League[10], nie z Annapolis, gdzie się produkuje fachowców taśmowo z jednej foremki, i w Iraku raz po raz udowadniał, że można mu ufać i że robi dobrze to, co do niego należy.

Gdy Brian Douglas przejeżdżał przez hollywoodzki łuk, na podjazd wjechał drugi uzbrojony humvee. Z jego dachu wystawał komandos z karabinem maszynowym M-60 wymierzonym w drogę dojazdową.

Wzgórze Kapitolińskie
Waszyngton

Russell MacIntyre wysiadł ze zdezelowanej taksówki na Delaware Avenue, po północnej stronie Wzgórza Kapitolińskiego, w miejscu, gdzie zbocze łagodnie opada w stronę Union Station. Było zimno i wilgotno, zanosiło się na śnieg, więc nikogo nie dziwiło, że kapelusz naciągnął głęboko na oczy. Zresztą przy tylnym wejściu do budynków senatu nikt na niego nie patrzył. Wszyscy śpieszyli się do metra, żeby jak najszybciej znaleźć się w domu lub przynajmniej w ciepłym barze.

MacIntyre wszedł tylnymi drzwiami do Hart Senate Office, najnowszego z trzech budynków, gdzie mieściły się biura komisji i pracowników setki senatorów Stanów Zjednoczonych. Napis na drzwiach informował: „Wejście tylko dla personelu". MacIntyre machnął legitymacją trzem policjantom, którzy stali obok magnetometru i rentgena.

– W porządku. Proszę przechodzić – powiedział wysoki afroamerykański sierżant policji, machając ręką. – Niech się pan nie martwi, jeśli zawyje.

---

[10] Ivy League – stowarzyszenie ośmiu elitarnych uniwersytetów amerykańskich znajdujących się w północnej części Stanów Zjednoczonych.

Korzyścią z posiadania legitymacji było to, że w pewnych miejscach, gdzie ją rozpoznawano, ochrona z góry zakładała, że jej właściciel jest uzbrojony. MacIntyre nie nosił broni, chociaż miał do tego prawo. Ośrodek Analiz Wywiadu, którym zarządzał, nie należał do jednostek operacyjnych, więc uznał, że będzie wyglądał co najmniej dziwnie z glockiem pod pachą.

MacIntyre nie wsiadł do windy kursującej na górę, ale otworzył drzwi na klatkę i zszedł schodami w dół. Na poziomie B-2 ruszył korytarzem, w którym pod niskim sufitem znajdowało się kłębowisko rur. Nie była to reprezentacyjna część Wzgórza Kapitolińskiego.

W połowie korytarza zatrzymał się przed drzwiami opatrzonymi napisem „SH-B-2-101". Podniósł słuchawkę telefonu wiszącego obok drzwi, ale zanim zdążył przyłożyć ją do ucha, usłyszał brzęczyk. Pchnął drzwi i wszedł do środka, gdzie zza biurka powitała go kobieta wyglądająca na jakieś sześćdziesiąt kilka lat.

– Wchodź, Rusty, senator już na ciebie czeka.

Wewnątrz gabinet był elegancki: ciemna boazeria, gruby bordowy dywan, zielone skórzane fotele, mosiężne wykończenia. MacIntyre pomyślał, że dokładnie tak wyglądałoby biuro Świętego Mikołaja, gdyby został on CEO, głównym oficerem wykonawczym, Bieguna Północnego. Było to tajne biuro przewodniczącego Senackiej Komisji do spraw Wywiadu, Paula Robinsona. Każdy starszy senator miał ukryte, anonimowe biuro, gdzie mógł pracować nie nękany przez wyborców i reporterów. Odbywał tu też nierejestrowane spotkania, bez wścibskich oczu śledzących, kogo senator przyjmuje. Było to dobre miejsce, by zdobywać środki na kampanię od lobbystów zainteresowanych pracą komisji. Jednak Robinson nie brał nic od nikogo, kto mieszkał poza jego rodzinną Iową. Zresztą tak naprawdę nie musiał. Nikt nie konkurował z nim podczas ostatniej reelekcji.

Robinson stał przy barku na kółkach i nalewał burbona Wild Turkey. Jedną szklankę wręczył MacIntyre'owi, mówiąc:

– Trochę zimno, co? Masz, rozgrzej się.

Zanim MacIntyre przyjął drinka, z kieszeni marynarki wyjął kartkę i położył ją na biurku.

– Oto szacunki zużycia ropy przez Chińczyków, o które pan prosił. – Pociągnął duży łyk burbona. – Miał pan rację. Zużywają jej prawie tyle samo, co my. Mają teraz dużo samochodów. Rozkwit przemysłowy. Zawarli niewiele długoterminowych umów, więc często płacą najwyższe ceny na rynku transakcji natychmiastowych, jak my. W Pentagonie aż huczy na temat Chin. O rozwoju ich floty i eksporcie rakiet do Islamii. A przy okazji, to Saudowie kupili pociski, zanim ich wygnano, nie nowy motłoch Islamii. Wywiad obronny ma nawet jakąś niepotwierdzoną historyjkę na temat potajemnego wysłania sił ekspedycyjnych Chińskiej Ludowej Armii Wyzwoleńczej do Islamii.

Senator gwałtownie się odwrócił.

– Żartujesz? Chińska armia w Arabii?

– Myślę, że prawdopodobnie ktoś ich okpił, ale w Pentagonie ślepo im wierzą. A to jest supertajne. Nie mieliśmy jeszcze informować o tym pana i komisji – przyznał MacIntyre, podchodząc za senatorem do dwóch skórzanych foteli przy sztucznym kominku.

– Cóż więc takiego pilnego zmusiło cię do przyśpieszenia naszej cotygodniowej prywatnej sesji, przez co straciłem nudne przyjęcie u Przyszłych Pieprzonych Farmerów Ameryki? – zażartował senator.

– Nie będzie mnie do końca tygodnia. Wyjeżdżam do Londynu, sprawdzić, co da się wyciągnąć od naszych kuzynów. Coś mi tu nie gra – odpowiedział MacIntyre, sącząc resztki Wild Turkey. – Po pierwsze, mamy naszego nieustraszonego sekretarza obrony powołującego się na jakieś bezsensowne źródła wywiadu obronnego, które twierdzą, że dyslokacja Chińskiej Marynarki Wojennej na Oceanie Indyjskim jest dla Pekinu przykrywką dla przerzutu piechoty do Arabii... to znaczy do Islamii.

– Dopiero co powiedziałeś, że Chińczycy potrzebują ropy, a nie wydaje mi się, żeby Rada Konsultacyjna wpuściła niewiernych na swoją bezcenną pustynię, nie uważasz? – powiedział senator, pochylając się w fotelu.

– Tak, zgadzam się. Ponadto żadne inne źródła nie podają informacji o ruchach chińskich wojsk. Ale jest tego więcej. Po drugie, w przyszłym miesiącu sekretarz Conrad planuje gigantyczne wodno-lądowe i powietrzne manewry na egipskim wybrzeżu Morza Czerwonego.

Senator Robinson uniósł brew.

– Po trzecie, senatorze, brytyjski SIS właśnie doniósł, że to naprawdę Iran, a nie Islamija, organizują zamachy w Bahrajnie, że Irańczycy chcą ostrzelać nasza bazę i zrzucić winę na Islamiję, i że planują wywołać coś w rodzaju powstania szyickiej większości w Bahrajnie. Tamtejszy król jest sunnitą, ale został wyniesiony przez szyitów i odwala kawał dobrej roboty.

– Po czwarte, ja sam przez długi czas wierzyłem, że nowy rząd w Islamii jest zły, jak zdaje się myśleć większość ludzi w Waszyngtonie. Tak, wiem, że niektórzy z nich mieli w pewnym momencie związki z Al-Kaidą, ale mamy wtyczkę, która twierdzi, że w przyszłym roku planują prawdziwe wybory narodowe.

– A co ci wyszło, jak włożyłeś to wszystko do swojego słynnego analitycznego miksera? – spytał senator Robinson, wpatrując się w swoją szklankę.

– O to chodzi, że nic, i właśnie to mnie niepokoi. Jak to mówią w *Gwiezdnych Wojnach*: „wyczuwam jakieś zaburzenia Mocy". – MacIntyre zamachał palcami obu rąk, jakby chciał przywołać Moc.

– Cóż zamierzasz z tym zrobić, Obi-Wan? – zapytał senator, po czym wstał i poszedł po dolewkę.

– Na początek lecę dziś wieczorem do Londynu, zobaczę, co tam da się wygrzebać. Zawsze więcej mówią nam osobiście, jakiś detal, którego nie mogą umieścić w raporcie dla nas z różnych powodów – oznajmił MacIntyre, machając szklanką z burbonem. – No i wydaje się, że mają lepszych analityków od nas. Spróbuję dowiedzieć się, na czym to polega i przeszczepić to do naszego małego Ośrodka Analiz Wywiadu.

– Dobry pomysł z tym Londynem, ale dlaczego by nie iść na całość i nie wpaść do naszych przyjaciół do Zatoki? Oni też wiedzą więcej niż to, co nam wysyłają – powiedział senator Robinson, przechodząc za biurko. – Poza tym, jest tam pewien facet i chciałbym, żebyś go poznał. Brad Adams, dowodzi Piątą Flotą w Bahrajnie. Przez rok pracowaliśmy razem nad pewnym programem, kiedy jeszcze był kapitanem. Pozostajemy w kontakcie. Ma podobne do nas, hmm, niepokoje, związane z cywilnym dowództwem w Pentagonie. Powiem mu, że przyjedziesz.

– W porządku. – Rusty szybko zaakceptował fakt, że jego podróż do Londynu wydłuży się, i to bardzo.

– Ale powiedz mi, Rusty, czy ty wierzysz, że ta Szura, Rada Konsultacyjna Islamii, naprawdę odda władzę w ręce powszechnie wybranych urzędników? Do diabła, ci goście wybili podczas przewrotu kilku członków saudyjskiej rodziny królewskiej. Część ich zwolenników należała do Al-Kaidy, walczyła z nami w Afganistanie i Iraku.

– Mamy wiele sygnałów, senatorze, że w Szurze doszło do rozdźwięku między rzecznikami dżihadu, którzy chcą rozprzestrzenić rewolucję, a zwolennikami modernizacji i demokratyzacji Islamii. Tak dzieje się zawsze w przypadku rewolucji. Po jakimś czasie dochodzi do walki w obozie rewolucyjnym, tak jak podczas rewolucji francuskiej, rosyjskiej...

Senator Robinson spojrzał na wiszącą na ścianie mapę Bliskiego Wschodu i zaczął myśleć na głos:

– Właściwie masz rację, Rusty, w sumie był to dość bezkrwawy przewrót. Członkowie rodziny królewskiej nie stali w kolejce pod gilotyną. Większość z nich uciekła prywatnymi samolotami do Stanów Zjednoczonych. Wszystko trwało tylko trzy dni, gdyż większość saudyjskich sił zaangażowała się w przewrót, czy też rewolucję. I jak do tej pory, wszystko, co dotychczas zrobili, żeby nas wykopać, to eksmisja naszych dostawców sprzętu dla wojska.

– Ale to my, Stany Zjednoczone, zamroziliśmy ich tutejsze konta bankowe po zamachu, senatorze. A potem wstrzymaliśmy dostawy zapasowych części do broni, którą sprzedaliśmy Saudom. – MacIntyre uznał, że może być szczery ze swoim dawnym szefem i ciągnął: – Nakładając na nich jednostronne ekonomiczne embargo, uniemożliwiliśmy amerykańskim kompaniom legalny zakup saudyjskiej ropy. To dopiero wtedy oni upaństwowili całkowicie Aramco i zerwali kontrakty na sprzedaż ropy do Ameryki. Mamy to na własne życzenie. Poza tym, rząd saudyjski także nie był taki milutki. Ścinali ludzi, odmawiali praw kobietom, utrzymywali wszystkie rodzaje związanych z terroryzmem szkół i organizacji wahhabickich[11], przed 11 września i potem. Mieli dosłownie kilka tysięcy książąt i szerzyła się korupcja.

– Posłuchaj, Rusty, ja to wszystko wiem – westchnął Paul Robinson. – Teraz saudyjska rodzina królewska zajmuje rezydencje w najlepszych dzielnicach Los Angeles i Houston. Wydają pieniądze na prawo i lewo i mieszają się w amerykańską politykę. Czy może raczej, jeszcze bardziej się mieszają. Bushowie zawsze byli z Saudami za pan brat. Nie umieszczaj tego w raporcie – senator pochylił się i pukał palcem w kolano MacIntyre'a jak dzięcioł – ale dwa miesiące temu, w tym gabinecie rozmawiałem z jednym z tych wygnanych królewskich sukinsynów. Powiedział, że ma dwadzieścia pięć milionów dolarów na zagranicznych kontach i może mi je przekazać, jeśli tylko spreparowałbym doniesienia wywiadu, które upoważniłyby Amerykanów do zorganizowania tajnej akcji, obalenia reżimu Islamii i przywrócenia dynastii saudyjskiej.

Rusty aż gwizdnął ze zdumienia.

– O cholera... Mógł pan go za to aresztować, senatorze.

– Wiem, ale nie miałbym żadnego dowodu – powiedział Robinson, siadając prosto w fotelu.

– I co pan zrobił? – spytał Rusty. Znał Paula Robinsona od szesnastu lat, kiedy obecny senator zatrudnił go w swym biurze, tuż po tym, jak Rusty został absolwentem Uniwersytetu Browna. Senator był najuczciwszym człowiekiem, jakiego kiedykolwiek znał, i nienawidził przekrętów intelektualnych, finansowych i politycznych. Korupcja naprawdę go wkurzała. Robinson po raz pierwszy zwrócił na siebie powszechną uwagę, gdy został przewodniczącym podkomisji, która tropiła oszustwa finansowe w przydzielaniu subwencji i pożyczek w Stanach Zjednoczonych.

Senator Robinson doprowadził do utworzenia Ośrodka Analiz Wywiadu, ponieważ, jak twierdził, on sam i cała władza wykonawcza nie dostawali przyzwoicie opracowanych raportów. Kiedy ośro-

---

[11] Wahhabizm – integrystyczny (fundamentalistyczny) ruch polityczno-religijny, głoszący powrót do „fundamentów" islamu: prawa religijnego (szariatu) i zasad państwa utworzonego przez Mahometa.

dek zaczął działać i dyrektor służb wywiadu wybrał ambasadora Sola Rubensteina na jego szefa, senator powiedział Rubensteinowi, że posiedzenie zatwierdzające jego kandydaturę zostanie zwołane o wiele szybciej, jeśli Rusty zostanie jego zastępcą.

Kiedy Rusty się o tym dowiedział, zadzwonił do senatora z podziękowaniem i zażartował: „Wie pan, że dobrze mi szło w firmie Beltway Bandit. Właśnie obciął mi pan pensję o jedną trzecią". „Nie próbuj na mnie swoich sztuczek, Rusty", odpowiedział Robinson. „Tu nie chodzi o pieniądze. Nie o ciebie, i nie o mnie. I nigdy nie chodziło. Chodzi o uczciwość rządu. Czułem się jak Diogenes, próbując znaleźć kogoś, kto będzie robił dobre i uczciwe analizy wywiadowcze. To będziesz ty". Nie było możliwości, żeby senator puścił płazem próbę przekupstwa przez tego Saudyjczyka.

– No cóż, Russellu, nie zadzwoniłem do FBI i nie doniosłem na tego sukinsyna. Ale przemyciłem poprawkę do projektu budżetu, która wymaga, by Departament Skarbu zamroził w Stanach Zjednoczonych wszystkie środki saudyjskiej rodziny królewskiej, dopóki Skarb nie zda szczegółowego raportu, czy fundusze te są rzeczywiście prywatne, czy też powinny zostać uznane za własność ich narodu. Mamy teraz sto osiem dni na rozpatrzenie raportu, a czas ten może zostać przedłużony na prośbę przewodniczącego każdej komisji obu izb, mającej odpowiednie kompetencje – odpowiedział senator, a na twarz wypłynął mu uśmiech kota z Cheshire. Był naprawdę mistrzem legislacyjnym. – Właśnie w taki sposób im pomogłem. A tobie, Rusty, jak mogę pomóc, skoro zamierzasz się rozbijać po całej Europie i Bliskim Wschodzie?

– Na pewno nie w ten sam sposób – odpowiedział Russell, który wciąż jeszcze śmiał się z prawnego kruczka. – Przez dłuższy czas nie byłem w Zatoce. Cóż pan może zrobić? Chyba tylko mieć oczy i uszy otwarte, szczególnie w towarzystwie naszych przyjaciół z sił zbrojnych. – MacIntyre wstał i poszedł po swoje palto porzucone na skórzanej kanapie. – I proszę ubezpieczać moje tyły.

– Zawsze to robię, Rusty. – Mężczyźni uścisnęli sobie ręce i objęli się. – I uściskaj ode mnie swoją żonę – dodał senator z uśmiechem.

– Będę musiał dać jej jakiś prezent. Pewnie już czeka na mnie w samochodzie, żeby zawieźć mnie na Dulles, i zamarza – rzekł MacIntyre i skierował się w stronę drzwi.

– Więc bierz dupę w troki, chłopcze. – Przewodniczący komisji wybuchnął śmiechem i machnął ręką. – Idź już, idź. Nigdy nie pozwalaj, żeby piękna dama czekała na ciebie na mrozie.

Sarah Goldman odczuwała w tej chwili chłód na kilka sposobów. Ich wspólna przejażdżka na lotnisko Dulles była dla MacIntyre'a trudniejsza niż negocjacje z brazylijskim wywiadem (które prowadził trzy miesiące temu, z nadzieją, że dowie się, co naprawdę wie czołowa agencja szpiegowska Ameryki Południowej na temat obecności Hezbollahu w Urugwaju).

– Już nie chodzi mi o to, że z powodu pracy lekceważysz kolacje z przyjaciółmi i wyjeżdżasz akurat teraz, kiedy przyjeżdża mój brat. Po prostu nienawidzę, jak informujesz mnie o takich rzeczach w ostatniej chwili – mówiła Sarah, odrobinę za mocno ściskając kierownicę. – Rozumiem, że nie zawsze możesz powiedzieć mi po co, bo to taka praca, i akceptuję, że jest ważniejsza od mojej, ale...

– Kochanie, nigdy nie twierdziłem, że moja praca jest ważniejsza. To, co ty robisz dla uchodźców, też jest czasem sprawą życia i śmierci – powiedział MacIntyre, żałując w tej samej chwili, że tak to ujął. Zaczął klepać się po kieszeniach, szukając paszportu. – Chodzi mi o to, że oprócz tajemnicy moja praca wiąże się również z pewną nieprzewidywalnością, spontanicznością. Gdybym sobie przypomniał, że jutro przyjeżdża twój brat, opóźniłbym wyjazd o dzień. Wiesz, że uwielbiam Danny'ego. I gdybym wiedział na pewno, kiedy wracam, też bym ci powiedział, ale nie wiem – ciągnął, wyciągając czarny dyplomatyczny paszport z nowej walizki, którą dostał od matki na Gwiazdkę.

– W porządku, Rusty, naprawdę – powiedziała, patrząc na niego zamiast na drogę. – Tylko że w niedzielę wyjeżdżam do Somalii. Muszę oddać kota do Maksa i Theo, a ty pamiętaj, żeby po powrocie odebrać Mr Hobbsa. A potem musisz go karmić, a nie zagłodzić jak zeszłego lata, kiedy byłam w Sudanie. Biedactwo.

Mr Hobbs był ich kotem i namiastką dziecka. Przez większość czasu Sarah wydawała się idealnie szczęśliwa z takiego układu. Kiedy naciskał na nią, by wreszcie podjęli decyzję o własnym dziecku, argumentowała, że musieliby z czegoś zrezygnować ze względu na ich częste podróże i godziny jego pracy. „Nie zgadzam się, żeby wyłącznie do mnie należało wychowywanie dziecka, tak jak opieka nad Mr Hobbsem. Taka odpowiedzialność powinna być rozłożona na dwie osoby". Zgodził się z tym, ale nie wyobrażał sobie, że miałby zmienić pracę na posadkę z trzydziestogodzinnym tygodniem pracy w nudziarstwie, takim jak Brookings albo RAND. Zbyt wiele było do zrobienia. Tylko kilka osób wiedziało, jak się do tego zabrać. Jego umysł ukierunkował się na skomplikowane opracowania, których nikt nigdy nie przeczyta.

Tak, chciał mieć dziecko, ich dziecko. Sarah zawsze ucinała rozmowę na ten temat tym samym nieprzekonującym zapewnieniem: „Przecież brak dziecka to nie klęska. Nie jestem taka jak moja matka, i nie zgadzam się z poglądem, że poprzez prokreację uzasadniam swoją obecność na ziemi. Uwierz mi, jest dostatecznie wielu ludzi, którzy to robią". Podróżując po całym świecie, kupował więc na lotniskach prezenty dla Sarah i kota. Nie spotykały się zresztą ze zbyt dużym uznaniem ze strony obojga.

Sarah utorowała sobie drogę między rzędami zaparkowanych samochodów, taksówek i policji, do hali odlotów Dulles, do wyjścia Virgin Atlantic. Włączyła światła awaryjne i wyszła z samochodu, żeby go uściskać, chociaż policjant krzyczał:

– Proszę odjechać!

– Uważaj na siebie i bądź ostrożny, gdziekolwiek diabli cię niosą – powiedziała Sarah, kiedy skończyła go całować i ich oddechy utworzyły dwa słupy pary w mroźnym nocnym powietrzu.

– Londyn stał się naprawdę bezpiecznym miejscem, odkąd dwadzieścia lat temu IRA zaprzestała zamachów... – zaczął. Położyła mu pAlek na ustach i włożyła rękę do kieszeni palta.

– Proszę nie dyskutować – ucięła Sarah, uśmiechnęła się ciepło do gliniarza z Dulles i wsiadła do samochodu.

Rusty pomachał jej, mając nadzieję, że patrzy na niego we wstecznym lusterku. Zaczął szukać legitymacji, żeby okazać ją ochronie.

W kieszeni znalazł jednak najpierw talię kart i wiadomość na żółtej karteczce: „Musi pan przećwiczyć karcianą sztuczkę na charytatywny pokaz IAC. Miłej podróży, szefie. Debbie".

MacIntyre pokonał kordon ochrony i udał się do Virgin Club, gdzie chciał zaczekać na swój lot. Usiadł przy barze i wyjął karty. Z jakiegoś powodu, pomyślał, podczas podróży ulatywały wszelkie napięcie między nim a Sarah. Teraz znowu doświadczył tego uczucia. Tasując karty, które Debbie wsunęła mu do kieszeni palta, zerkał na plazmowy ekran z wiadomościami CNN. Właśnie sekretarz obrony, Henry Conrad, wygłaszał w Dallas mowę do weteranów wojen zagranicznych. Poprosił barmana, żeby zrobił głośniej.

„...co ma miejsce od spotkania Franklina Roosevelta z królewską rodziną saudyjską na pokładzie krążownika USS „Quincy". Ci, którzy odsunęli Saudów od władzy, to mordercy z Al-Kaidy. Zamierzają rozszerzyć władzę zwolenników dżihadu na cały region, zagrażając naszym sojusznikom w Egipcie, Bahrajnie i innych miejscach. Ale mam dla nich wiadomość. Stany Zjednoczone Ameryki nigdy nie pozwolą im krzywdzić naszych sprzymierzeńców i pracują nad przywróceniem legalnej władzy i porządku na Półwyspie Arabskim".

Tłum w Dallas ryknął. Rusty MacIntyre na lotnisku Dulles odłożył karty i zamówił Wild Turkey.

4

4 LUTEGO

Hotel „Burdż al Arab"
Dubaj, Zjednoczone Emiraty Arabskie

Kate Delmarco, dziennikarka „New York Journal", zamówiła taksówkę do najwyższego hotelu świata, budynku w kształcie żagla na sztucznej wyspie, sto jardów od wybrzeża Dubaju. Nie weszła do hotelu, ale wsiadła do wózka golfowego, który powiózł ją z powrotem drogą na grobli na brzeg, obok parku wodnego Wild Wadi, i nabrzeżem, skąd elektrycznie napędzane małe dawy wypływały do kanałów pobliskiego hotelu i kompleksu sklepów. Wysiadła przy współczesnym, klimatyzowanym suku i kierując się tabliczkami, przeszła przez centrum handlowe do włoskiej restauracji.

Chociaż pracowała w Dubaju, jej najlepszym źródłem informacji w tym regionie był Brian Douglas, brytyjski dyplomata z ambasady brytyjskiej w Bahrajnie. Wiedziała, że jest kimś więcej niż szefem lokalnego wydziału do spraw energii; tak został zarejestrowany w wykazie pracowników ambasady. Ale pomimo kilku nocnych rejsów jego długą na trzydzieści dwie stopy „Ślicznotką z Bahrajnu", Douglas nigdy się nie ujawnił. Nigdy nie przyznał się do swojej drugiej funkcji. Tydzień temu zadzwonił i zasugerował jej, dość zagadkowo, że musi poznać jego „kumpla z Dubaju". Właśnie to zamierzała teraz zrobić.

W barze czekał na nią Jassim Nakeel, potomek jednej z rodzin, które wybudowały nowy Dubaj, wyniosłe biurowce, sztuczne wyspy z willami i apartamentowcami, oraz turystyczne parki tematyczne. Nie nosił tradycyjnego stroju arabskiego. Wyglądał jak przybysz z Malibu lub Laguna Beach.

– Pomyślałeś, że skoro nazywam się Delmarco, to lubię włoskie restauracje? – spytała, kiedy zaprowadził ją do stolika na balkonie. Kate Delmarco rzeczywiście wyglądała, jakby jej rodzina pochodziła z południowych Włoch, z lekko oliwkową cerą i długimi, czarnymi włosami. Chociaż pod koniec roku miała skończyć czterdzieści pięć lat, była wysportowana i tryskała śródziemnomorskim powabem. Zdołała załatwić sobie otwarte zaproszenie na jazdy konne w królewskich stajniach. Jazda konna stała się więc jej sobotnim porannym rytuałem.

– Niezupełnie. Po prostu pomyślałem, że spodoba ci się cowieczorny pokaz świateł w hotelu „Burdż al Arab" – powiedział Nakeel, gdy usadowił Kate przodem do olbrzymiego hotelu w kształcie żagla. – Poza tym, mają tu świetną kartę win.

– Kartę win! Czy w tym Dubaju zostało jeszcze coś arabskiego? Karty win, parki tematyczne, wysokościowce pełne Europejczyków, ty w garniturze od Armaniego. – Kate przerwała, kiedy hotel rozbłysnął na purpurowo, najpierw z jednej, potem z drugiej strony posypały się iskry, a następnie budynek przygasł i zrobił się różowy.

– Dubaj to centrum nowego arabskiego świata, Kate, nowoczesnego, przedsiębiorczego i kosmopolitycznego – wyjaśnił Nakeel, biorąc kartę win. – Dla większości Europejczyków jest tańszy niż południowa Francja i o wiele bardziej atrakcyjny. Poza tym, o tej porze roku jest tu chłodno. Barolo, rocznik 1999, proszę – zwrócił się do kelnera, nie pytając jej o zdanie. – Po tym, co się wydarzyło w Rijadzie, większość światowych przedsiębiorstw przeniosła swoje regionalne biura do Dubaju. Jest bezpieczny, nowoczesny i sprawnie funkcjonujący. A przede wszystkim, nie ma tu żadnych podatków. Wszyscy to uwielbiają.

Kate zmarszczyła brwi.

– Tak, ale nie leży ciut za blisko starego arabskiego świata? Islamii? Iranu? Z baru na szczycie Dubai Tower widać światła irańskich platform wiertniczych. – Posypała pieprzem antipasto, które właśnie się pojawiło.

– Owszem, dlatego trochę się martwimy – powiedział Nakeel, odkładając menu. – O tym właśnie chciałbym z tobą porozmawiać.

– Zamieniam się w słuch.

– Od wielu pokoleń mułłowie w Iranie pragną zjednoczyć szyitów pod jedną władzą, sprawowaną z Teheranu lub Kum, siedziby ich przywódców religijnych – zaczął. – Zaraz po przejęciu władzy w 1979 roku zaczęli podburzać szyicką większość w Iraku. To dlatego Saddam zaatakował ich w 1980 roku.

– Może i tak – odezwała się Kate, przełamując bagietkę. – Albo może tylko myślał, że zagarnie ich ropę, kiedy oni będą osłabieni po upadku szacha.

– Chodzi o to – ciągnął Nakeel – że w ciągu ośmioletniej wojny zginęło milion osób, dopóki obie strony nie przerwały walk z wyczerpania, i nikt nie wygrał. Piętnaście lat później przyszło amerykańskie wojsko i obaliło Saddama w trzy tygodnie. Minęły trzy lata i szyici zaczęli właściwie rządzić Irakiem pod irańskim przewodnictwem. Waszyngton kazał Teheranowi pracować dla siebie. Podczas gdy uwaga wszystkich Amerykanów skupiała się na wybuchających samochodach-pułapkach w Bagdadzie, Irańczycy potajemnie budowali broń jądrową, jednocześnie temu zaprzeczając i mamiąc Europejczyków i Amerykanów, że do jej wyprodukowania brakuje im pięć lat.

Kate wyglądała na znudzoną.

– Jassimie, to twoja wersja historii. Myślę, że udało nam się zapobiec, by Irak nie uzyskał ponownie broni masowego rażenia i daliśmy im demokrację. Demokracja oznacza rządy większości, czyli władzę szyitów, ale to nie oznacza, że Iran rządzi Irakiem. Jeszcze coś nowego?

– Kolejne kroki, Kate. Te, które dopiero nastąpią. – Posmakował odrobinę barolo, które nalał mu kelner, kiwnął głową z aprobatą i gestem poprosił go, by napełnił kieliszek damy. – Teraz chcą, żeby szyicka większość w Bahrajnie przejęła władzę i ułatwiła Irańczykom aktywność w Zatoce. Naprawdę wierzysz w te bzdury Pentagonu, że za zamachami w Bahrajnie stoi Islamija? – Nakeel roześmiał się.

– Nie, ale moi wydawcy i owszem. Odrzucili mój tekst o winie Teheranu i wstawili te pierdoły naszego pentagońskiego dziennikarza demonizującego Rijad – przyznała Kate.

– Wasz sekretarz obrony Conrad demonizuje ich od dnia, kiedy wyrzucili Saudów. – Przerwał i spojrzał jej w oczy. – Uważamy, że Conrad jest na usługach dynastii saudyjskiej – cicho powiedział Nakeel.

– My? Dubajski zarząd gospodarki nieruchomościami? – wypaliła Kate. – Czy oddajesz się jeszcze jakimś dodatkowym zajęciom?

Nakeel zignorował jej pytanie.

– Jeśli masz artykuł, który odrzucą twoi wydawcy, skontaktuj się z moim przyjacielem z Bahrajnu. – Gdy to mówił, „Burdż al Arab" i hotel obok niego, w kształcie ogromnej fali, rozbłysły tysiącami migocących gwiazd, z ich dachów wstrzeliły fajerwerki, a z głośników popłynęło *Rocket Man*.

– Właściwie mam zabukowany bilet w Gulf Air na jutro po południu, ale dzięki za radę, Jassimie – powiedziała.

– Mogę zatem zasugerować kogoś, z kim warto przeprowadzić tam wywiad? Taka mała podpowiedź od dubajskiego zarządu gospodarki nieruchomościami – uśmiechnął się. Właśnie przynieśli dla niego kotleciki cielęce, dla niej zapiekaną polędwicę wieprzową, a w tle śpiewała Abba.

5 lutego
Hotel „Ritz-Carlton"
Manama, Bahrajn

– Nie obawia się pani przebywać w foyer hotelowym w Bahrajnie, pani Delmarco? – zapytał Ahmed, siadając naprzeciwko niej w kawiarence. Ubrany w błękitny sweter i spodnie khaki wyglądał jak chudy amerykański student.

– A powinnam, doktorze? – spytała i wyciągnęła do niego rękę. Chciała sprawdzić, czy ją uściśnie. Uścisnął.

– Być może. W hotelu „Diplomat" i „Crowne Plaza" zginęło wiele osób, ale nie z rąk Islamii, jak twierdzą wasze gazety – powiedział szybko, zajmując swoje miejsce.

– Dziękuję, że zechciał się pan ze mną spotkać, doktorze Raszid. Wiem, że jest pan bardzo zajęty w szpitalu i... innych miejscach – dodała, zapalając papierosa. – Rozmawiałam dziś z amerykańskim oficerem wywiadu morskiego w bazie, który powiedział mi, że za terroryzmem stoi Rijad, a wszystko to ma służyć usunięciu floty z Bahrajnu.

– Musimy w Bahrajnie wprowadzić zakaz palenia – zażartował Ahmed. – I kłamania. Mogłaby pani mieć lepsze źródła informacji niż ten człowiek z wywiadu morskiego.

– Każdy ma swoje wady – odparowała i wyrzuciła kenta, zaciągnąwszy się dwa razy. – Wadą kapitana jest najwyraźniej podrywanie dziennikarek. Jemy dziś wieczorem kolację. A jakie pan ma wady, doktorze?

– Jestem uzależniony od amerykańskich komedii – uśmiechnął się. – Moja rodzina nie może tego zrozumieć. Oglądała pani *Frasier*?

Kate pomyślała, że Ahmed ma ciepły, szczery uśmiech i że szpiegostwo jest z pewnością dla niego zajęciem pobocznym. Mimo że bardzo lubiła Briana Douglasa, wydawało się, że o wiele łatwiej będzie wyciągać informacje od tego lekarza.

– *Frasier*? Ale przecież nie jest pan psychologiem, tylko kardiologiem. Dba pan o serca. – Skinęła na kelnera. – I umysły?

– Niektórzy ludzie próbują się doszukać w umysłach Amerykanów strachu, pani Delmarco, ale Ameryka nie musi się obawiać nowego rządu Islamii. Zastąpiliśmy skorumpowany, niedemokratyczny rząd nowym gabinetem, zgodnym z naszymi tradycjami i wiarą. Wciąż sprzedajemy ropę na światowych rynkach. Nie atakujemy Amerykanów. Dlaczego nie zostawią nas w spokoju? – Na jego twarzy ponownie zagościł uroczy chłopięcy uśmiech.

– My, doktorze? Myślałam, że jest pan lekarzem, który przypadkiem ma wysoko postawionego brata w Rijadzie, brata, z którym, według prasowego attaché islamijskiej ambasady jest pan skłócony? – powiedziała, wyjmując cyfrowy dyktafon.

– Mogę mówić do pani Kate? – spytał. Skinęła głową. – Zatem Kate, przestańmy się bawić. Powiedziano mi, że mogę ci zaufać, a tobie powiedziano to samo o mnie. Znam Nakeelów od dwudziestu lat. Moi rodzice mają obok nich domek letniskowy w Hiszpanii. Tak, wielu członków naszego nowego rządu nie będzie rozmawiało z kobietą dziennikarzem, ale ponieważ popieram ten rząd, ja będę. Spróbuję pomóc ci zrozumieć prawdę, zakładając, że zechcesz ją opisać. – Ahmed przerwał i dotknął słuchawki telefonu komórkowego w uchu. – Przepraszam, muszę odebrać.

Kate sączyła kawę, próbując usłyszeć, co ktoś mówi do Ahmeda. Jego twarz zmieniła się. Wyglądał na zmartwionego, wręcz przestraszonego.

– Przepraszam. Muszę wracać na OIOM. Możemy się spotkać jutro? Mogę zadzwonić? – spytał, kładąc kilka bahrajńskich dinarów na stole.

Z uśmiechem wręczyła mu swoją wizytówkę z dubajskim numerem komórkowym.

– W każdej chwili, doktorze.

Już go nie było. Kate Delmarco wyłączyła dyktafon. Zastanawiała się, co takiego wydarzyło się w szpitalu, że wprawiło w przerażenie tego miłego młodego człowieka.

Nie miał już zdezelowanego nissana. Porzucił ten prezent od brata i kupił coś, co bardziej odpowiadało jego gustom. Nowe BMW 325 miało parkować przy wejściu do hotelu, dzięki małemu datkowi dla portiera, ale nie znalazł tam auta. Podszedł do niego młody mężczyzna w uniformie parkingowego z kluczykami w ręku.

– Bardzo pana przepraszam, ale musiałem przestawić pański samochód. Jest tu, za rogiem. Mam go podstawić, czy pana zaprowadzić?

Zniecierpliwiony Ahmed machnął ręką.

– Prowadź.

Parkingowy kiwnął głową i ruszył przed Ahmedem. Skręcił za róg i zniknął. Ze węgłem Ahmed dostrzegł przód swojego bmw. Właśnie zastanawiał się, gdzie zniknął parkingowy, gdy dostrzegł ruch po swojej prawej stronie. Kiedy odwrócił głowę, zobaczył parkingowego z wyciągniętą ręką. Ale zamiast kluczyków, chłopak trzymał w niej coś dużego, metalowego i czarnego. Gdy do Ahmeda dotarło, że to broń, parkingowy nagle zatoczył się i upadł, najpierw na kolana, potem na twarz. Wtedy Ahmed zauważył Saifa, ciężko oddychającego, ze zwężonymi i pociemniałymi oczami.

Ahmed opuścił wzrok na parkingowego. Z podstawy czaszki wystawał mu nóż. Z rany na uniform i beton spływała krew. Przez myśl mu przemknęło, że Saif zna się na rzeczy: parkingowy, czy kimkolwiek był, już nie żył, kiedy padał na ziemię.

– Irańczyk – powiedział Saif. – Kods. Śledził pana od paru dni. Czekał na okazję.

A ty śledziłeś jego, pomyślał Ahmed. Albo mnie.

– Dziękuję – powiedział tylko Ahmed, mając nadzieję, że głos mu nie zadrżał.

Saif kiwnął głową.

– Niech pan jedzie, posprzątam tu i pójdę za panem.

Ahmed wsiadł do bmw i szybko włączył się do ruchu, próbując wyjść z szoku, który pogłębiały jeszcze okropne myśli. Co by było, gdyby nie Saif? Od jak dawna Irańczycy planowali go zabić? Czy spróbują jeszcze raz? Był taki głupi: szpieg-amator. Ahmed potrząsnął głową, nie poddając się przerażeniu. Nie miał na to czasu. Nie teraz. A więc to właśnie z czymś takim jego brat spotykał się na co dzień. Teraz przyszła kolej na niego.

Szybko przemykał ulicami Manamy, na których panował popołudniowy ruch, na południe, do Sitry, przemysłowej dzielnicy przy rafinerii. Piętnaście minut później ze schowka między przednimi siedzeniami wyjął inny telefon komórkowy i wybrał numer.

– Za dwie przecznice – powiedział i rozłączył się.

Gdy błękitne bmw znalazło się przed wyblakłym magazynem, metalowe drzwi podjechały do góry. Zamknęły się, gdy tylko Raszid znalazł się w środku. Wbiegł po schodach, skacząc po dwa stopnie i spoglądając co chwilę w dół.

– Użyłeś szyfru alarmowego, Fadl – powiedział Ahmed, gdy stanął w drzwiach. – Co cię do tego upoważniło?

– To urządzenie Saifa w biurze Sił Kods… zamontował im je w drukarce, odebraliśmy to… dwie godziny temu i… – Fadl dyszał ze zdenerwowania. Wręczył kartkę Ahmedowi bin Raszidowi.

Ahmed wziął papier i spojrzał na Fadla. Z pewnością niepokój młodego człowieka nie miał nic wspólnego z tym, co wydarzyło się w hotelu. Fadl o niczym nie wiedział. Ahmed postanowił, że tak ma zostać. Spojrzał na kartkę.

– Nic z tego nie rozumiem, Fadl. Co niby mam z tym… – powiedział Ahmed, studiując coś, co wyglądało na jakąś wiadomość. Fadl stał obok niego i wskazywał na punkt u dołu strony. Przeczytał na głos: „Grupa Karbala ruszy na miejsce do 16.00 dziś, załaduje się, nie podnosząc alarmu, i wypłynie nie później niż o 17.30. Jamal 2157 będzie operował normalnie do markera czerwona dwunastka, a potem skręci na północ z maksymalną prędkością, do ASU. Staranować niszczyciel, jeśli się da, albo wbić się w ląd, potem odpalić".

Lekarz patrzył wyczekująco na stojącego przed nim poważnego młodego człowieka.

– Co to niby ma znaczyć, Fadl? Kim jest Jamal 2157? Znasz go? A ta Karbala, dlaczego miałbym się przejmować, co stanie się w jakiejś szyickiej świątyni w Iraku?

Drzwi otworzyły się i stanął w nich Saif.

– Jamal to nie jest osoba, bracie Ahmedzie. To japoński okręt z wymalowanym na burcie numerem 2157. Dziś po południu Kods przyprowadziło na molo tu, w Sitrze, dwie ciężarówki. Taha, z naszej grupy, poszedł za nimi. Twierdzi, że z Kods byli Irakijczycy. Mówi, że godzinę temu wsiedli na dwie łódki służb portowych. Leży na dachu na nabrzeżu i obserwuje.

Ahmed przełknął ślinę.

– Daj mi to jeszcze raz. Jakiego typu jest ten okręt? Co szmuglują do Bahrajnu, materiały wybuchowe?

– Okręt? Taha mówi, że jest bardzo duży... – odpowiedział Saif.

Ahmed rozejrzał się z niepokojem po biurze, pełnym książek, pudeł i papierów.

– Ten komputer ma połączenie z Internetem?

Wpisał „www.google.com", a potem „Jamal 2157". Po dwudziestu sekundach otworzyła się lista stron. Ahmed kliknął na pierwszą z nich. Pojawiło się zdjęcie ogromnego okrętu z pięcioma okrągłymi zbiornikami sterczącymi z pokładu. Na burcie czerwonego okrętu widniały białe litery LNG[12] „Jamal".

– O Allahu, pomocy! – westchnął Ahmed. – Naturalny gaz płynny! Gdzie jest teraz ten okręt?

---

[12] LNG (*liquefied natural gas*) płynny gaz naturalny; również nazwa gazowca, statku do przewozu skroplonego gazu.

– Taha mówi, że przy brzegu, przycumowany do specjalnego pływającego doku, czy czegoś w tym rodzaju. Zadzwonię do niego. – Saif szybko zmienił kartę SIM w swoim telefonie i wystukał numer. Wymamrotał kilka słów, posłuchał przez minutę, potem szybko się rozłączył.

– Zaczął się jakiś ruch na statku, odwiązują liny. Nie wyładowali materiałów wybuchowych w Bahrajnie. Taha... Taha uważa, że zostawili materiały na okręcie. Ludzie Kods zeszli na ląd i zostawili na pokładzie Irakijczyków.

Fadl zdjął ze ściany mapę morską i rozłożył ją na stole przed Ahmedem.

– Teraz są tutaj – powiedział, wskazując kanał obok urządzeń naftowych i gazowych w Sitrze.

Ahmed spojrzał na mapę nawigacyjną i zobaczył czerwony trójkąt oznaczony „R-12", na wschód od położenia okrętu. Stąd kanał biegł na wschód do Zatoki Perskiej. Jednak dokładnie na północ od tej boi znajdowała się notatka: „NOMAR: Stale zamknięty obszar wojskowy". Nad „uwagami dla nawigatorów" znajdował się Dżuffajr i amerykańska baza morska, ASU.

– Znamy kogoś w kapitanacie? Policji portowej? – spytał Ahmed, idąc do drzwi.

– Mamy wtyczkę w drogówce... – odpowiedział Saif.

Ahmed bin Raszid stanął w drzwiach na szczycie schodów.

– Wyślij sygnał alarmowy do wszystkich swoich ludzi, niech znikną, żadnej łączności przez pięć dni. I wynośmy się stąd, w głąb lądu, na zachodnie wybrzeże. Ale już! – Zbiegł po schodach i rzucił się do schowka w bmw, żeby znaleźć wizytówkę Kate Delmarco.

Kiedy metalowe drzwi podjechały w górę i tyłem wyjechał bmw na ulicę, wybrał dubajski numer. Wydawało mu się, że klepanie w przyciski trwa całe wieki. Kate odebrała po piątym sygnale.

– Kate Delmarco.

– Kate, nic nie mów, tylko słuchaj. Godzinę temu piłem z tobą kawę. Nie wymawiaj mojego nazwiska. Masz teraz tę swoją randkę? Powiedz tylko tak lub nie.

– Tak, tak. Pijemy właśnie koktajl... – potwierdziła niepewnie.

– Posłuchaj. Musisz przekonać go, że w tej chwili w porcie irańscy komandosi przejęli gazowiec, LNG „Jamal". Zamierzają podpłynąć do amerykańskiej bazy i wysadzić go w powietrze. Wybuch będzie miał zasięg wielu mil. Taka mała Hiroszima. Nie czas na zadawanie pytań. Nie rozłączaj się, tylko odłóż telefon na stół, żebym mógł go słyszeć.

Nastąpiła chwila ciszy. Usłyszał muzykę i brzęk szkła, a potem głos Kate:

– To dobre źródło, Johnny... wywiad... właśnie teraz zagarnięty gazowiec może być, nie, jest, jest naprawdę... w tej chwili... w stronę bazy ASU... Mówię poważnie, naprawdę... Po prostu sprawdź to, zadzwoń, możesz zadzwonić... co masz do stracenia?

Jechał nierówno w stronę szpitala, jedną ręką trzymając telefon. Jeśli nie uda mu się ich przekonać, tysiące osób będzie potrzebowało natychmiastowej pomocy medycznej. Z telefonu dobiegała teraz tylko muzyka.

Przejechał na czerwonym świetle i wdarł się na rondo, prawie uderzając w autobus. Upuścił telefon. Za rondem zatrzymał się na pasie do parkowania i znalazł aparat. Przyłożył go do ucha i w tej samej chwili usłyszał męski głos z amerykańskim akcentem:

– ...coś nie tak... będziecie żałować... Threatcon Delta... moje słowo... ćwiczenia... SEAL... zostań w... zaraz będę...

A potem już wyraźnie usłyszał Kate; mówiła do niego.

– Właśnie wyszedł. Wkurwiony jak diabli, ale jego oficer dyżurny chyba zauważył, że coś jest nie tak. Coś mu rozkazał. Myśli, że go wrobiłam. Wrobiłam go?

– Nie. Ja też nie. Przekonasz się. Jeśli z miejsca, gdzie jesteś, widać port, to popatrz sobie. – Rozłączył się i tym razem już ostrożniej pojechał do szpitala.

Kate była w barze na Corniche. Rozejrzała się. Po drugiej stronie ulicy wznosił się biurowiec Bank Bahrain Tower. Podbiegła do niego. Weszła do holu i zobaczyła ekspresową windę na szczyt Corniche. Kilka minut później wybiegła z windy pięćdziesiąt trzy piętra wyżej. Weszła do baru i stanęła przy oknie, pilnie badając horyzont.

– Panienka pożyczyć to? – spytał barman w jakiejś wersji angielskiego, popychając w jej stronę lornetkę nokii. – Płynie pani statek, tak?

Jednostka Wsparcia Administracyjnego (ASU)
Marynarki Stanów Zjednoczonych
Azja Południowo-Zachodnia
Dżuffajr, Bahrajn

Klakson wreszcie umilkł.

– ...zwprowadzić wzmocnioną ochronę, poziom Threatcon Delta, powtarzam, Threatcon Delta... – W całej bazie rozbrzmiewał głos Pierwszego po Bogu. Z koszar wysypali się komandosi, zarzucający na siebie kurtki mundurowe, z M-16 w rękach. Migające błękitnymi światełkami humvee[13] jechały środkiem ulicy w stronę głównej bramy.

Na nabrzeżu porucznik SEAL Shane Buford rozmawiał przez czerwony telefon alarmowy z centrum operacyjnym COMNAVCENT, po drugiej stronie bazy.

– Trudno będzie przy takiej prędkości zsynchronizować działania z helikopterami komandosów... Tak jest, sir. – Buford popatrzył na swojego sierżanta, wytrawnego żołnierza, dwa razy od niego starszego. – Sierżancie, wodujemy wszystkie trzy łodzie. Mamy połączyć się z łodzią patrolową, ruszyć do kanału i... dostać się tu... na pokład gazowca LNG „Jamal", koło boi R-12. Przypuszczamy, że LNG mógł zostać opanowany przez uzbrojonych ludzi, którzy dysponują materiałami wybuchowymi. Komandosi, jeśli uda im się tu dostać, mają zejść z black hawków na pokład równocześnie z naszym szturmem. I – młody żołnierz potrząsnął głową – to nie są ćwiczenia.

Osiemnastu żołnierzy SEAL pobiegło w dół nabrzeża do zodiaków. Każda łódź uzbrojona była w trzy cekaemy. Liny zostały rozwiązane w ciągu kilku sekund. Trzy zodiaki opuściły bazę i wpłynęły do kanału. Buford odwrócił się i spojrzał na szare kadłuby okrętów cumujących przy głównym nabrzeżu. Zobaczył niszczyciela klasy Aegis, maszty dwóch trałowców, kolosa amunicyjnego i jednostkę zaopatrzeniową. Trzy statki patrolowe, przywiązane jeden do drugiego, cumowały na końcu mola.

---

[13] Humvee – szybki wielozadaniowy pojazd kołowy.

Była pora kolacji i wielu członków personelu bazy spędzało czas w pobliskich prywatnych kwaterach, ale w bazie i tak przebywało co najmniej cztery tysiące Amerykanów. Kolejne dwa tysiące znajdowało się zapewne w promieniu kilku kilometrów, w zasięgu wybuchu, jeśli do niego dojdzie.

Zodiaki pruły teraz głównym kanałem, a Buford sprawdzał częstotliwości w swojej słuchawce. Jego sygnał wywoławczy brzmiał Alfa-trzy-jeden.

– Alfa-trzy-jeden, kapitanat donosi o podejrzanych odpowiedziach na ich wywoływanie LNG „Jamal". Bahrajński statek patrolowy już wypłynął ze wschodniego Dżuffajr.

I inny głos:

– Centrum operacyjne ASU, tu Straż Wybrzeża D342. Jesteśmy trzy kilometry od R-12, obiekt w polu widzenia. Płynie na wschód z prędkością ośmiu węzłów.

Wiele lat temu Straż Wybrzeża wysłała jednostkę bezpieczeństwa morskiego na pomoc patrolowi marynarki portu w Bahrajnie. Pozostali tam do tej pory i dysponowali łodziami klasy Defender, o długości dwudziestu pięciu stóp, przeznaczonymi do działania w sytuacji zagrożenia portu.

Na wszystkich trzech zodiakach dowódcy przedstawili załogom zasady postępowania.

– Przypuszczalnie uzbrojeni ludzie, być może materiały wybuchowe, ale nie mamy pewności, więc nie stuknijcie jakichś japońskich handlowców, zanim nie rozpoznacie w nich wroga.

Czwarty zodiac SEAL patrolował wody na zachód od ASU i właśnie znalazł się w polu widzenia trzech jednostek, z którymi miał się spotkać. Buford złapał go na częstotliwości strategicznej.

– Alfa-trzy-cztery, dołączysz do Alfa-trzy-trzy i podpłyniecie do obiektu od strony portu. – Kiedy to powiedział, uświadomił sobie, że atakując statek, nie będą mogli liczyć na element zaskoczenia. Słońce właśnie zaszło, ale poświata pobliskiego miasta i rafinerii dawała dość światła, by nie znaleźli się w całkowitej ciemności, jaka zwykle zapewniała im ochronę. Zapiszczał ustawiony na pokładzie laptop, Buford spojrzał więc na plik pdf z planami LNG „Jamal". N-2 właśnie przysłał mu je z bazy.

– ASU, tu Straż Wybrzeża Delta 342, obiekt skręcił do kanału Dżuffajr i chyba coś zauważył. Zbliżymy się za trzy mile. Jakie macie dla nas rozkazy?

Po dłuższej chwili ciszy Centrum Operacyjne ASU odpowiedziało defenderowi Straży Wybrzeża:

– Roger 342, wywołasz okręt przez radio, ze światłami, flarami i głośnikami. Poinformuj ich, że wpływają na zakazany obszar i muszą zawrócić przy pełnej prędkości. Kiedy opuszczą zakazaną strefę, powiedz im, że chcesz wejść na pokład. Macie ze sobą bahrajńskiego oficera?

Defender, podobnie jak jednostki Straży Wybrzeża w tym regionie, zwykle woził ze sobą przedstawiciela goszczącego ich kraju. Z nim na pokładzie mogli egzekwować lokalne prawo i wchodzić na pokład każdej jednostki bez zgody jej kapitana.

Buford widział już dwa kilometry przed sobą pomarańczowego defendera Straży Wybrzeża, ale gazowiec nadal płynął na wprost, przy wygaszonych prawie wszystkich światłach. Nie mógł przyjrzeć się ogromnemu okrętowi przez lornetkę, więc odpiął od pasa noktowizor. W jego zielonkawym świetle widział wyraźnie wielki tankowiec LNG z kulistymi zbiornikami. Teraz kierował się do kanału Dżuffajr, wprost do bazy ASU. Nagle rozbłysło jasne światło i zmusiło go do pośpiesznego zerwania noktowizora z oczu.

– Straż Wybrzeża wali w nich flarami – powiedział sierżant. – Okręt przerwał łączność z kapitanatem i ignoruje wezwania.

Buford przeszedł na częstotliwość Straży Wybrzeża i usłyszał komunikat po angielsku:

– LNG „Jamal", LNG „Jamal", tu Straż Wybrzeża Stanów Zjednoczonych. Wpływasz do zakazanej strefy. Daj całą wstecz. Powtarzam...

Zobaczył, jak na dziobie gazowca coś błysnęło. Potem wystrzeliła z niego linia światła, a potem... w miejscu, gdzie był defender Straży Wybrzeża, pojawiła się kula ognia, a po wodzie przetoczył się huk eksplozji. Na „Jamalu" ktoś wypalił z ciężkiego przenośnego działka przeciwpancernego. Wybuch rozerwał łódź na płonące strzępy, które rozprysły się we wszystkie strony.

– Alfa-trzy-jeden do jednostek patrolowych Alfa, cel jest wrogiem, powtarzam, cel jest wrogiem – powiedział Buford do mikrofonu. – Zmiana planów. Wprowadzić Redskins Blue Two. Powtarzam, Redskins Blue Two. Alfa-trzy dołącz do mnie. Trzy i cztery wstrzymać się. – Buford nakazał ustalony manewr z podręcznika strategii SEAL, tak jak siedem lat wcześniej wydawał komendy jako rozgrywający drużyny liceum Springfield.

Zodiaki ruszyły pełną parą, bez świateł. Płynęły zygzakiem, żeby nie stać się kolejnym łatwym celem dla strzelca z noktowizorem na dziobie „Jamala".

Na innej częstotliwości Buford usłyszał dowódcę FAST – jednostki antyterrorystycznej marynarki.

– Gdzie te pieprzone black hawki? Moi ludzie są gotowi do akcji. – Prawdopodobnie trzydziestu sześciu komandosów w pełnym rynsztunku bojowym czekało w strefie lądowania ASU na przetransportowanie nad pokład okrętu. Plan zakładał, że kiedy helikoptery zawisną w ciemności, komandosi opuszczą się na linach na pokład. Było to tylko odrobinę większe szaleństwo od tego, co Buford zaplanował dla żołnierzy SEAL. Mieli oni wystrzelić liny z kotwiczkami, a potem wspiąć się po specjalnych drabinkach na pokład okrętu, znajdujący się dwieście stóp nad linią wody.

W hełmofonie rozległ się kolejny głos.

– Patrol bahrajńskiej marynarki do LNG „Jamal". Podchodzimy do was. Zatrzymajcie się i przygotujcie do przyjęcia nas na pokład. – Buford sprawdził na swoim laptopie strategiczny kurs. Bahrajńczycy mieli jeszcze dwanaście minut drogi do „Jamala". Buford miał wkroczyć do akcji za dwie minuty.

– *Grrr... grrrrrr...* – Buford usłyszał warkot broni i zobaczył błyski na dziobie „Jamala" i od strony portu, ale nie wystrzelono już kolejnego pocisku przeciwpancernego. Ci, którzy znajdowali się na „Jamalu", próbowali utrzymać na dystans płetwonurków. Rzeczywiście, we właściwym momencie żołnierze SEAL mieli podpłynąć do okrętu na ślizgaczach. Strzelcy najwyraźniej się tego domyślili.

Niebo rozświetliły flary, jedna wystrzelona w górę, druga nad sterburtą. Zodiaki były teraz doskonale widoczne bez noktowizorów. W każdej chwili z „Jamala" mógł wylecieć kolejny pocisk. Okręt wydawał się teraz ogromny, gdy całą parą pędził kanałem w stronę zodiaków.

– Alfa-trzy-trzy, zgoda na otwarcie ognia, powtarzam, zgoda na otwarcie ognia – powiedział Buford i dał znak swojemu sierżantowi. Sekundę później rozległ się trzask, świst powietrza i błysk światła. Zodiac wierzgnął jak koń, który usłyszał petardę. Pół kilometra dalej drugi zodiac także wystrzelił przeciwpancerny pocisk typu Javelin. Po oddaniu strzałów oba zodiaki rozpoczęły zygzakowanie, aby strzelec z dziobu nie mógł ich trafić. Javelin Buforda trafił w wieżę okrętu i rozświetlił ją jak bożonarodzeniową choinkę. Drugi javelin uderzył w kiosk, z którego płomienie strzeliły jeszcze wyżej. Jeśli ktoś sterował okrętem i kontrolował prędkość z wieży, spalił się żywcem. Gdyby pocisk wysłany przez SEAL chybił i trafił w jeden z pięciu zbiorników gazu, wystających z pokładu, cały port stanąłby w płomieniach. Gdyby ogień z wieży się rozprzestrzenił, stałoby się to samo. Ale podręcznik twierdził, że się nie rozprzestrzeni.

„Jamal" wciąż zbliżał się kanałem do bazy z maksymalną prędkością. Buford zobaczył kątem oka black hawka i złapał częstotliwość FAST.

– FAST jeden przesuwa się na pozycję do uderzenia od rufy. Gdzie pozostałe trzy ptaszki?

– Chryste! – Ryk silnika zagłuszył okrzyk Buforda.

– Co się stało? – zapytał na migi jego sierżant.

Buford musiał krzyczeć mu prosto do ucha.

– Dowódca komandosów FAST chyba się wkurzył czekaniem na transport i postanowił zaatakować tylko jednym oddziałem, który załapał się pierwszym helikopterem. Co gorsza, zamierza to zrobić od strony rufy, a dokładnie tam zaraz zacznie się ostrzał z Alfa-trzy-dwa i Alfa-trzy-cztery!

Buford był tylko porucznikiem, a dowódca komandosów FAST majorem, ale Buford zdecydował zakomunikować wyższemu stopniem oficerowi w black hawku, że żołnierze SEAL na zodiakach znajdują się na tyłach tankowca i zamierzają strzaskać pociskami jego śruby. Jeśli zrobią to poprawnie, nie będzie niebezpieczeństwa, że zapali się paliwo. Będzie to jednak niebezpieczne dla komandosów opuszczających się na linach na pokład tuż nad śrubami.

– FAST-jeden, tu Alfa-trzy... – zaczął Buford i wtedy zobaczył błysk na pokładzie okrętu. Black hawk eksplodował i stanął w pomarańczowo-żółtych płomieniach. Widział jego wygięty kadłub i wciąż obracające się śmigło. Ludzie z „Jamala" odpalili w helikopter i komandosów stingera albo rosyjskiego SA-14.

Teraz Buford usłyszał huk od strony dwóch zodiaków atakujących śruby. Jeśli im się powiedzie, okręt zwolni, ale siła rozpędu popchnie go jeszcze w górę kanału do bazy.

– Jeśli chcą wysadzić gazowiec, to spróbują to zrobić teraz! – wrzasnął do sierżanta. – Musimy natychmiast wejść na pokład i ich powstrzymać.

– Grupa desantowa, tak jest! – odkrzyknął sierżant.

Buford koordynował ruchy zodiaków, tak aby wszystkie cztery wysadziły ludzi w różnych punktach okrętu, a potem wycofały się i zabezpieczały wspinających się ogniem z karabinów maszynowych.

Gdy patrzył na olbrzyma z małej łodzi, te dwieście stóp do pokładu wydawało się milą poruszającej się stali.

– Wyjąć „łodygę"! – krzyknął Buford do swoich trzech ludzi w zodiaku.

Wyciągnęli tytanowe urządzenie, które na oko miało tylko sześć stóp wysokości, ale jego dwie grube tyczki można było przedłużyć. Buford nacisnął guzik i tyczki wystrzeliły na wysokość siedemdziesięciu pięciu stóp. Między tyczkami wąskie stopnie utworzyły drabinę. Przyssawki i magnesy po bokach tyczek przytwierdziły je do burty. Przysunęli swoją machinę do tankowca i zaczepili ją o szpigat[14]. Zaczęli się wspinać, Buford pierwszy.

Zodiac wycofał się na taką odległość, żeby mieć w zasięgu ognia ludzi znajdujących się na pokładzie. Zwykle SEAL wykorzystaliby własne helikoptery, little birds, z żołnierzami na podwoziu zapewniającymi ogień osłaniający. Niestety, little birds przebywały na ćwiczeniach na barkach z większością jednostki SEAL. Buford został na straży bazy, jak się okazało, w sensie dosłownym.

Gdy zodiaki odsunęły się od gazowca, Buforda zaskoczył hałas i ruch na górze. Spojrzał w górę i zobaczył pięćset stóp nad wodą smu-

---

[14] Szpigat – spływnik, odpływ pokładowy, otwór w poszyciu pokładu albo w nadburciu, służący do spływu wody.

gi wystrzałów z dwóch bahrajńskich F-16. Miał nadzieję, że wiedzą, iż nie powinni nic robić, tylko obserwować. A potem usłyszał kolejny znajomy dźwięk, łomot silników nadlatujących black hawków. Reszta grupy FAST przybywała na trzech czy czterech maszynach i, jak dotąd, nie zostały one ostrzelane stingerami.

Buford szybko przeszedł na częstotliwość FAST.

– Do dowódcy FAST, tu Alfa-trzy-jeden, mam tu tuzin ludzi wspinających się po burtach na pozycji jeden, dwa i sześć. Potrzebuję ognia osłaniającego z waszych helikopterów. Sugeruję, żeby wszyscy ludzie schodzący na pokład ustawili tę samą częstotliwość. Odbiór.

– Roger, Alfa, opuścimy się na pozycje trzy, cztery i pięć. Będziemy ostrzeliwać pokład nad waszymi pozycjami, dopóki nie wejdziecie na górę – odpowiedział komandos z głównego helikoptera, używając liczb, które SEAL i komandosi ustalili na oznaczenie pozycji dla szturmujących z powietrza i z powierzchni morza. – Alfa, niech twoi ludzie przejdą na częstotliwość taktyczną 198.22. Odbiór.

Buford i jego ludzie doszli do końca drabinki, zwinęli ją i wystrzelili na kolejne 75 stóp do góry. Kiedy osiągnęli szczyt, zarzucili liny na pokład. Gdy liny zaczepiły się mocno o jakiś element, zaczęli pokonywać ostatni etap wspinaczki po stalowym kolosie.

Buford słyszał teraz ostrzał z broni małokalibrowej. Wyobraził sobie przywódcę terrorystów na okręcie, jak odpala ładunki, podłożone pod pięcioma gigantycznymi zbiornikami z gazem. Nawet z tego miejsca eksplozja wywoła falę uderzeniową i kulę ognia, która zabije setki ludzi w ASU. Może się to stać w każdej chwili...

Nagle Buford usłyszał syrenę. Odwrócił się i zobaczył pędzącą z pełną prędkością kanałem bahrajńską łódź patrolową, z zapalonym na wieży niebieskim kogutem niczym radiowóz na autostradzie. Jednocześnie usłyszał głos w słuchawce:

– Krążę koło wraku defendera... Bez powodzenia... Bez powodzenia. – Nikt nie przeżył z łodzi Straży Wybrzeża.

Karabiny maszynowe z zodiaków i black hawków otworzyły ogień w tej części pokładu „Jamala", skąd terroryści mogli ostrzelać wspinających się żołnierzy SEAL i komandosów, którzy właśnie zjeżdżali na linach.

– Nie strzelajcie w zbiorniki – usłyszał Buford w słuchawce.

Nagle, kiedy już prawie weszli na pokład, ktoś rozkazał przez radio:

– Wstrzymać ogień, wstrzymać ogień, strzelać tylko do wrogów.

Wreszcie znalazł się na okręcie. Mięśnie ramion go paliły, bicepsy i plecy rwały. Podzieleni byli na cztery jednostki szturmowe po czterech ludzi, Czerwoną, Niebieską, Zieloną i Złotą. On wraz ze swoimi towarzyszami z zodiaka należał do Złotej.

– Tu Złota-jeden. Jesteśmy na pokładzie – powiedział Buford, zdejmując z ramienia broń. Szybko otrzymał potwierdzenie obecności pozostałych grup. Szesnastu członków SEAL znalazło się na pokładzie „Jamala". Nikt nie zginął podczas niebezpiecznej wspinaczki po burcie.

Szybko zajmowali pozycje, kryjąc się przed ewentualnym ogniem, podczas gdy komandosi FAST po kolei lądowali przy bakburcie i sterburcie. Buford wiedział, że jedna jednostka FAST była już zapewne na dziobie. Buford znajdował się na pokładzie rufowym. Widok na dziób zasłaniał mu dym z płonącej wieży. Javeliny wykonały dobrą robotę.

– Niebiescy, połączyć się ze Złotymi. Zejdziemy pod pokład i poszukamy pomocniczych urządzeń sterujących w maszynowni – powiedział do mikrofonu. – Zieloni, Czerwoni, dołączcie do FAST i zejdźcie na śródokręcie. Szukajcie min pułapkowych i zapalników, sprawdźcie, czy nikt nie próbuje wysadzić okrętu. – Następnie przekazał kontrolę taktyczną dowódcy FAST, kapitanowi komandosów. Kiedy znajdzie się na dole, jego radio prawie na pewno straci zasięg.

Otworzył właz i zorientował się, że wewnątrz okrętu wszystkie światła zostały wygaszone. Buford wyciągnął noktowizor i porozumiewając się gestami z grupą, wszedł do środka. Próbował przypomnieć sobie plany, które oglądał na laptopie. Ciemną zejściówką pokonali trzy pokłady, osłaniając się nawzajem, tak jak robili to wiele razy na ćwiczeniach.

Buford otworzył właz do korytarza. Jeśli dobrze pamiętał, drugie drzwi na lewo będą prowadziły do zapasowej sterowni, skąd można było sterować okrętem. Według danych, które przestudiował na zodiaku, ten okręt miał dwie awaryjne śruby na śródokręciu. Chciał je uruchomić i dać całą wstecz.

Buford i jego towarzysze znaleźli drzwi i zajęli pozycje, by wedrzeć się razem, osłaniając się nawzajem. Otworzył zasuwę i wszyscy wskoczyli do środka.

– Nie strzelać! Nie strzelać! – krzyknął Azjata w podkoszulku. Buford rozejrzał się i stwierdził, że nie było tu nikogo więcej.

– Jesteś z załogi „Jamala"? – krzyknął Buford, przystawiając broń do piersi mężczyzny. Przerażony Azjata kiwnął głową. – Gdzie są dodatkowe śruby i stery? – warknął Buford.

Ręka Azjaty powędrowała w stronę przełącznika.

– Nie! – wrzasnął Buford i odepchnął go. Chciał zrobić to sam. Urządzenia wyglądały na proste w obsłudze. Wszystko zostało opisane po japońsku i angielsku.

– To powinien być ten – powiedział do swoich towarzyszy i przycisnął guzik uruchamiający awaryjne śruby. Potem ustawił je na całą wstecz.

– Teraz okręt powinien się zatrzymać, a za kilka minut zacznie się cofać. A teraz poszukajmy ładunków wybuchowych.

Młody porucznik złapał drżącego Azjatę za podkoszulek i rzucił go na fotel przed konsolą, gdzie siedział, kiedy jednostka SEAL wtargnęła do pomieszczenia.

– Gdzie oni są? Gdzie są terroryści? – krzyczał Buford do przerażonego marynarza. – Powiedz mi natychmiast!

W odpowiedzi w ciemności coś się poruszyło. Zza szafki na akta w małej sterowni rozległ się huk wystrzału i okrzyk: *Allah akbar!*

Buford rzucił się w prawo i uniósł broń, wtedy dostał trzy razy w kamizelkę kuloodporną. Kolejny pocisk przeszył mu skórę nad nosem i rozwalił głowę; a ciałem rzuciło do tyłu na panel sterowania.

Ogień dwóch pozostałych SEAL w sterowni przeciął strzelca na dwoje. Trzeci komandos, pokonując ból w uszach od huku strzałów i dusząc się od gryzącego dymu, przycisnął do brody mikrofon.

– Złota-jeden zabity. Powtarzam, Złota-jeden zabity.

Na pokładzie nikt nie odebrał sygnału stłumionego przez stalowy kadłub.

Z lornetką barmana w jednej ręce i komórką w drugiej, Kate Delmarco, przyciśnięta do okna na szczycie wieżowca przy Corniche, relacjonowała wydarzenia dla CNN w Atlancie. Robiła to już od pół godziny, a jej raporty trafiały do biuletynów, które Associated Press rozpowszechniała w swojej światowej sieci.

– Helikoptery wciąż krążą nad pokładem i oświetlają go bardzo jaskrawym światłem. Żołnierze ze śmigłowców są już na pokładzie prawie dziesięć minut, ale ich nie widać. Strzały padają chyba z tej wieży. – Spojrzała zmrużonymi oczami. – Można odnieść wrażenie, że okręt jest całkowicie wymarły. Wokół niego pływa kilka małych statków, widzę też, że zbliżają się kolejne. Jeden z nich ma błękitnego koguta, jak policja... Wyżej nadal krążą myśliwce. Nie udało mi się potwierdzić informacji, że amerykańska baza została ewakuowana, ale ten ogromny okręt, pełen naturalnego gazu płynnego, z całą pewnością podąża w jej stronę, i jeśli eksploduje, zginą tysiące Amerykanów i Bahrajńczyków. Podkreślam, że nie znamy tożsamości terrorystów, pomimo plotek, które mogły się pojawić.

Barman, który nigdy nie dostał takiego napiwku, jak od tej Amerykanki, odwiesił słuchawkę telefonu za barem i szybko napisał coś na serwetce. Okrążył bar, podszedł do okna i położył serwetkę przed Delmarco. Napisał na niej: „Dzwonił człowiek ze szpitala. Powiedział: *szokran jazeelan*[15]. Po prostu powiedział *szokran*".

Nie, pomyślała Kate, do oczu napłynęły jej łzy. Dziękuję bardzo, doktorze, bardzo dziękuję.

Na drugim końcu miasta, w małym gabinecie na oddziale intensywnej opieki Centrum Medycznego w Salmanii, doktor Raszid pisał zaszyfrowanego maila do swego brata Abdullaha w Rijadzie.

„...chociaż Irańczycy mogą próbować spreparować dowody. Amerykanie na gazowcu schwytali irackich szyitów, dzięki temu powinni uwierzyć w udział irańskich Sił Kods.

Ta amerykańska dziennikarka, z którą spotkałem się dzięki Nakeelowi, przekazała Amerykanom informację o planowanym ataku na tyle wcześnie, że mogli mu zapobiec. Ona powie, że Islamija

---

[15] *Szokran jazeelan* (arab.) – dziękuję bardzo.

nie była zamieszana w zamach, wręcz przeciwnie, pomogła mu zapobiec.

Myślę, że jej uwierzą. Nakeel powiedział, że ona ma dobre wtyczki w wywiadzie wojskowym. Muszę spytać Nakeela, jak ją poznał. Czasem, Abdullahu, zastanawiam się nad naszym przyjacielem Nakeelem, skąd ma te wszystkie informacje, jeśli naprawdę zajmuje się nieruchomościami. Na razie powstrzymaliśmy Teheran od dokonania rzezi Amerykanów i odsunęliśmy od nas podejrzenia. Ale jestem pewny, że oni nie odpuszczą. Twój sługa, Ahmed".

5

5 LUTEGO

Vauxhall Cross, Londyn
Centrala Secret Intelligence Service (SIS)

– Na samą myśl o tym dostaję gęsiej skórki, Pammy. – Brian Douglas konferował z Pamelą Braithwaite, asystentką dyrektor SIS. – Bałbym się pracować w takim szklanym pałacu, to strasznie niebezpieczne.

– Racja, nie wiem, czy pamiętasz, Brianie, bo jak to się stało w 2000 roku, byłeś w Dhofarze z Omańczykami, prowadziłeś centrum operacyjne w Jemenie i ścigałeś Al-Kaidę. – Pamela zamknęła oczy i wywołała obraz tamtej sceny. – Kiedy rosyjski pocisk przeciwpancerny walnął tutaj w siódme piętro. Irlandczycy. Wyrządził wielkie szkody, musieliśmy usunąć wszystkich z piętra na trzy miesiące. Teraz mamy oczywiście kamery w całej okolicy i policyjne łodzie patrolowe na Tamizie...

Weszła Barbara Currier, dyrektor SIS, z plikiem dokumentów, a za nią szef wydziału bliskowschodniego, Roddy Touraine.

– No no, Brianie, opuściłeś Bahrajn na jeden dzień, a tam od razu zrobiło się piekiełko – powiedziała, wyciągając rękę do Douglasa.

– Zaskoczyło mnie, że stało się to teraz, pani dyrektor, ale ostrzegliśmy Amerykanów, że czeka ich coś takiego w najbliższym czasie – bronił się Brian.

– Siadajmy, siadajmy – ponagliła ich dyrektor. – Tak, jeszcze dziś rano sugerowałam to ich dyrektorowi wywiadu podczas wideokonferencji. Potwierdził, że mam rację, więc tym bardziej się dziwię.

– Moi ludzie intensywnie pracowali przez ostatnie dwadzieścia cztery godziny, próbując ustalić szczegóły, jeśli pani chce, mogę je przedstawić – zaproponował Brian i sięgnął do notatek. Currier energicznie pokiwała głową, nalewając sobie filiżankę earl greya.

– Ludzie schwytani przez Amerykanów na pokładzie to Irakijczycy, może sunnici, może szyici. Jeszcze nie wiadomo. Większość z nich zginęła od ognia komandosów, ale żołnierze z jednostki SEAL złapali jednego żywcem, a on twierdzi, że mieli rozkaz nie wysadzać okrętu, dopóki nie staranują amerykańskiego niszczyciela albo nie znajdą się na terenie bazy. Zaminowali dwa z pięciu zbiorników gazu dostateczną ilością keto-RDX, żeby wywołać falę ognia o zasięgu niemal trzech kilometrów.

– Nasze informacje na temat tego, w jaki sposób dostali się do Bahrajnu, gdzie się zatrzymali, i tym podobne, wskazują, że pomagała im firma-przykrywka, Medkefdar Trading, która przez Hezbollah ma powiązania z irańskimi służbami i Siłami Kods.

– Amerykanie zostali ostrzeżeni tuż przed atakiem przez amerykańską dziennikarkę, która z kolei dostała cynk od kogoś, kogo określiła swoją islamijską wtyczką. Sprawdzamy, kto to mógł być. To jednak potwierdza moje wcześniejsze raporty, że terroryzm w Bahrajnie ma źródła w Iranie, a nie w Islamii – powiedział, zamykając notes.

– Coś innego twierdzą za wielką wodą – wtrącił się Roddy Touraine. – Podstęp, jak mówią. Jankesi wciąż się upierają, że to reżim Al-Kaidy w Rijadzie. – Roddy Touraine już raz udawał księgowego i idealnie się do tego nadawał.

– To nie jest reżim Al-Kaidy, chociaż niektórzy z nich pewnie kiedyś w niej byli – odparował Douglas.

– Kiedyś byli? Można być byłym członkiem Al-Kaidy, pani dyrektor? – Roddy Touraine spytał retorycznie Barbary Currier. – Myślałem, że kto raz nim był, będzie nim zawsze.

– Czyli jak ktoś kiedyś współpracował z Pentagonem, współpracuje z nim do dziś? – odgryzł się Brian.

– Dzieci, dzieci, spokój – przerwała im dyrektor, klaszcząc w ręce. – Chciałam się jeszcze dowiedzieć kilku rzeczy. Jak powstrzymać te zamachy? Jak udowodnić, kto za nimi stoi?

– Jeśli mogę, pani dyrektor – zaczął Brian. – Jak pani wie, kilka lat temu stworzyłem małą, ale bardzo skuteczną siatkę w Teheranie. Spotykałem się z tymi ludźmi poza krajem, ale, od czasu do czasu, wykorzystywałem jako przykrywkę kontakty handlowe. Mój następca zlikwidował siatkę, gdyż jeden z członków grupy został schwytany i zabity przez VEVAK w Baku. Potem trzech innych wpadło w ręce Irańczyków w Teheranie. Nie chcąc narażać pozostałych, wycofaliśmy ich z czynnej służby. Jak do tej pory, ludzie ci nigdy nie ujawnili się i wciąż mogą wiele wiedzieć na interesujące nas teraz tematy. Chciałbym tam wrócić, uaktywnić jednego z nich i dowiedzieć się wszystkiego o działalności Irańczyków w Bahrajnie oraz ogólnie, co z Irakiem, bronią jądrową i całym tym bagnem.

W pokoju na chwilę zapadła cisza. Brian usłyszał dźwięk syreny dobiegający z pobliskiego nabrzeża.

– Osobiście? Chcesz go uaktywnić, jadąc tam osobiście? – niedowierzająco spytał Touraine. – Myślisz, że do tej pory o tobie nie wiedzą? Że VEVAK cię nie rozpracował?

– Gdybym zatrzymał się tam na dłużej, mieliby czas zrobić zdjęcia, ale to zajmie mi tylko kilka dni, tylko tyle mi potrzeba – nalegał Douglas. – Nie da się pogadać z tymi ludźmi przez komórkę, a tylko mnie tam teraz znają. Oczywiście, istnieje pewne ryzyko, ale jest niewielkie i jestem gotów je podjąć.

– Twoje ryzyko, fajnie, ryzykuj sobie – odezwał się Touraine. – Ale to uderzy także w panią dyrektor, całe służby i rząd, jeśli Irańczycy ogłoszą całemu światu, że złapali wyższego oficera SIS myszkującego po burdelach Teheranu z tajnymi irańskimi, rządowymi dokumentami!

Teraz słychać było tylko szum klimatyzacji. Dyrektor SIS Barbara Currier rysowała motylki w swoim notesie.

– Musimy ryzykować. Nie jesteśmy harcerzami – powiedziała wreszcie, wstała i uścisnęła dłoń Douglasa, dając w ten sposób znak, że to koniec spotkania. – Po prostu nie daj się złapać, Brianie, dobrze?

Pamela Braithwaite odprowadziła Briana do windy.

– Nie przeszła ci skłonność do brawury.

Spojrzał na nią.

– Myślałem, że jesteśmy przyjaciółmi.

– Jesteśmy. Myślisz, że dlaczego tak łatwo przełknęła tę twoją małą przygodę? Powiedziałam jej dziś rano, że można ci zaufać. – Pamela uśmiechnęła się. – Zrób tak, żeby się nie okazało, że ja się myliłam, a Roddy miał rację.

Brian odwzajemnił uśmiech.

– Dzięki. Bez ciebie Roddy na pewno storpedowałby wszystko. Nie ufam temu człowiekowi. Zawsze leci na Grosvenor Square, żeby powiedzieć wszystko Wujowi Samowi. Powiem ci jedno, nie będę uzgadniał operacyjnych szczegółów misji przez tego dupka.

Pamela zawróciła od drzwi gabinetu dyrektorskiego.

– Nie, ja załatwię wszystko, co potrzeba z operacyjnymi, twoją przykrywkę, zaplecze, plan ewentualnej ewakuacji... załatwię ci wszystko, czego będziesz potrzebował... No to na razie.

Biuro koordynatora i przewodniczącego
Połączony Komitet do spraw Wywiadu (JIC)
Siedziba rządu
Whitehall
Londyn

– Cieszę się, że przyjechałeś, Russellu. Zawsze chętnie przysłużę się Solowi, muszę spłacać swoje długi wobec niego. Zastanawialiśmy się, jak działa ta nowa agencja analityczna, mamy nadzieję, że powiesz nam to i owo. – Sir Dennis Penning-Smith zbliżał się do siedemdziesiątki. Miał gęstą czuprynę białych włosów, a w swoim trzyczęściowym garniturze i drucianych okularach wyglądał bardzo na miejscu w tym starym rządowym budynku w Whitehall. Miał haczykowaty nos, przez co wyglądał jak ptak. Rusty pomyślał, że mógłby być nauczycielem akademickim w Cambridge. Ale był wszystkim innym.

– Jako koordynator i przewodniczący Połączonego Komitetu do spraw Wywiadu, wie pan o wiele więcej o analizie, niż my moglibyśmy sobie wymarzyć. Pańskie osiągnięcia w JIC przerastają wszystko, co Waszyngton stworzył przez ostatnie dwadzieścia lat – odpowiedział Rusty.

– To bardzo miłe z twojej strony, Russellu. Chociaż i my nie uniknęliśmy wpadek. Nie załatwiliśmy właściwie sprawy irackiej broni masowego rażenia, chociaż przepowiedzieliśmy powstanie i wojnę domową. A Waszyngton nie zawsze zostawał w tyle. Czasem to INR, ta mała agencja do spraw analiz wywiadowczych Departamentu Stanu, działa bezbłędnie. Mała, to powszechne określenie. W tym biznesie małe jest lepsze. Mniej ludzi, wyższa jakość.

– Większość informacji opartych na wyszukanej technologii – ciągnął – z satelitów i takich tam, jest pochodzenia amerykańskiego, ale na szczęście prawie wszystko nam udostępniacie. My włączamy się w łamanie szyfrów i nasłuch, ale głównym wkładem z naszej strony jest to, co dostarczą chłopcy i dziewczęta z Vauxhall Cross, doskonała robota szpiegowska, i tym z kolei, prawie w całości, dzielimy się z wami. Nie wiem, dlaczego CIA nigdy nie była za dobra w szpiegostwie. Kiedy już kogoś mieli, to zwykle przypadkowych klientów, ochotników, nie zwerbowanych.

– Ale ktokolwiek coś zdobędzie, wszystko trafia tutaj i do ciebie, wszystkie raporty szpiegowskie, przejęte informacje, obrazy satelitarne i wiadomości dostępne publicznie. To otwarte źródło. Często najlepsze materiały pochodzą właśnie z otwartych źródeł, ale Waszyngton ich nie lubi, uważa, że wszystko, czego nie wykradł, nie kupił lub nie wychwycił w eterze, to dezinformacja.

– Mamy tu mały zespół, który przegląda wszystko, co przychodzi, a potem tworzy ocenę sytuacji, czy też analizę, jak wy to nazywacie. Czasem dzwonimy do kogoś z Ministerstwa Spraw Zagranicznych, żeby przygotował dla nas taki szkic. W zależności od tematu, prosimy też o pomoc profesorów z Oksfordu, wszystko oczywiście dokładnie sprawdzamy. Każdy ma swoją działkę, Ministerstwo Obrony, Spraw Zagranicznych i Wewnętrznych, SIS, i tak dalej. Wreszcie wszystko to trafia do JIC, my to wygładzamy, a potem przekazujemy za ścianę.

– Za ścianę? – Rusty zmarszczył brwi.

– O tak, dosłownie. – Sir Dennis wstał i przeszedł na tyły swojego długiego i wąskiego gabinetu. – Nie mam takiej władzy jak wasz szef wywiadu, ale kiedy noszę czapeczkę koordynatora do spraw wywiadu, moim klientem numer jeden jest premier. – Z kieszeni kamizelki wyjął klucz i odsunął regał z książkami na kółkach. Otworzył znajdujące się za nim drzwi.

– Ta-dam! – krzyknął sir Dennis. – Numer dziesięć.

Po czym zniknął za drzwiami. Rusty usłyszał zza nich jego głos.

– Tu Penning-Smith. Proszę znowu zamknąć. – Nie było żadnej instalacji alarmowej ani innej elektroniki.

Kiedy sir Dennis Penning-Smith pojawił się ponownie, MacIntyre wciąż się śmiał.

– Ma pan tajne przejście bezpośrednio na Downing Street? A co by było, gdyby premier paradował w jedwabnej piżamie?

– Nie martw się – zapewnił go sir Dennis, zamykając drzwi i ustawiając regał na miejsce. – Mieszkają na wyższych piętrach. A tę małą sztuczkę, Russellu, inni nazywają bezpośrednim dostępem do premiera o każdej porze dnia i nocy. Pokazuję ten numer wszystkim członkom JIC, ale tylko jeden raz. – Otrzepał ręce z kurzu i usiadł z powrotem w swoim fotelu w stylu królowej Anny.

– Ja też bawię się w sztuczki magiczne – uśmiechnął się Rusty – ale na bardziej amatorskim poziomie. Zgadzam się z panem w kwestii wykorzystywania do celów wywiadowczych otwartych źródeł – ciągnął, sprowadzając rozmowę na właściwy tor. – Jeśli chodzi o ścisłość, właśnie zawarliśmy duży kontrakt na automatyczny system selekcji, przeglądania sieci i katalogowania. Jeśli zadziała, oczywiście z przyjemnością podzielę się z panem wynikami.

– Automatyczne przeglądarki… hm, mamy różne poglądy na to, co jest otwartym źródłem, Russellu. A teraz opowiem ci o naszych wspólnych przyjaciołach, Izraelczykach. Mieli kiedyś problemy z Libią. A któż ich nie miał? Stary Muammar planował zakup pocisków, czy czegoś, z Korei, czy skądś tam, nie ma to większego znaczenia, a izraelski premier chciał się dowiedzieć, kiedy te przeklęte rzeczy przybędą – ciągnął swoją opowieść sir Dennis.

– Stworzyli więc izraelski odpowiednik JIC i zlecili wszystkim agencjom, żeby się tego dowiedziały. Tydzień później siły powietrzne doniosły, że zorganizowały zwiadowcze loty nad Trypolisem i nie zaobserwowały nic ciekawego. Wywiad morski zainstalował przy brzegu okręt podwodny, który prześlizgnął się do portu, i nic. Mossad przekupił krawcową Kaddafiego, jakąś królową z Via Veneto, i umieścił w jednej z jaskrawych szat Muammara nadajnik, ale usłyszeli tylko Beatlesów. *Biały album*, ściśle mówiąc.

– Wreszcie, Russellu, mały człowieczek z wywiadu Ministerstwa Spraw Zagranicznych, Avi jakiśtam, powiedział, że w zeszłą środę przypłynął okręt z Phenianu, wyładował towar przy nabrzeżu numer 12 i odpłynął w sobotę. Zaczęli go wypytywać, jak się tego dowiedział. „Zadzwoniłem do kapitanatu i się zapytałem", odpowiedział ten gnojek. To jest, jak widzisz, otwarte źródło, a nie jakieś węszenie po kątach.

MacIntyre chichotał jak głupi.

– To ma być pańska puenta? Do czego pan zmierza? Czego szukacie?

Przewodniczący JIC ponownie wstał i otworzył drzwi, za którymi znajdowała się tablica. Na niej on sam, albo ktoś inny, rozpisał plan czerwoną, zieloną i białą kredą.

– „Dokąd zmierza Islamija?" Kto wyłoni się z Szury, żeby rządzić tym miejscem, i co ten ktoś zamierza zrobić? Potem, pozostając w tym samym regionie, co nowego słychać na linii Iran–Irak? Czy możemy rozpracować punkty zapalne i elementy nacisku, żeby zerwać to *entente cordiale* między dwoma wielkimi narodami szyickimi?

– Teraz przesuńmy się na wschód. Wiecznie popularna „produkcja heroiny w Afganistanie", która teraz znowu odżywa. Jak możemy powstrzymać jej pojawianie się w Brixton?

– I jeszcze dalej na wschód. „Chińskie trendy ekonomiczne". Czy mogą nadal pakować pieniądze w militarną modernizację i zadowalać każdego małego bonzę nowoczesnymi gadżetami?

– Wreszcie, hmmm, tego nie powinieneś był zobaczyć. „Następne kroki Ameryki, nauka na własnych błędach?" Badanie, w jaki sposób polityczne problemy z Irakiem, Afganistanem, Pakistanem, Iranem i Arabią wpłyną na decyzje Waszyngtonu w połowie kadencji. O to, oczywiście, powinienem zapytać ciebie – powiedział Penning-Smith, zasłaniając tablicę.

– Poważnie? No nie wiem, czy uczymy się na błędach – rzekł MacIntyre, nie oponując przeciwko tezom. – Mieliśmy zły start w dwudziesty pierwszy wiek, fakt. Wojna w Iraku nie wzbudziła entuzjazmu i przyczyniła się do powstania sunnitów przeciwko szyickiemu rządowi, który coraz bardziej sprawia wrażenie, że jest sterowany z Teheranu. Przynajmniej teraz tam nas nie ma. Jeśli chodzi o Teheran, nigdy nie wiedzieliśmy, kiedy uzyskali broń jądrową i gdzie ją przechowują, ale teraz jesteśmy przekonani, że przemycili ją nam pod nosem, podczas gdy my uczepiliśmy się Bagdadu.

– Afganistan prawdopodobnie najlepiej można opisać jako państwo o niestabilnych granicach, zdecentralizowane, ale reżim w Kabulu jest najwyraźniej podporządkowany fundamentalistycznej koalicji w Pakistanie, która z kolei nie kryje się z posiadaniem broni jądrowej. To właśnie tej koalicji wojskowi i duchowni z Islamabadu boją się najbardziej. Przestali polować na Al-Kaidę, nie będą rozmawiać z Indiami i, jak się zdaje, są w dobrej komitywie z tą nową ekipą w Arabii Saudyjskiej.

– No i właśnie, Arabia Saudyjska. Za długo już ciągniemy ten wózek. Nie mieliśmy własnych wtyczek w tym kraju, które ostrzegłyby nas, że opozycja narasta, organizuje się i jednoczy. Teraz mamy tam więc Islamiję, o której przyszłości za wcześnie by mówić. Jestem przekonany, że jeśli nie będziemy się do nich wrogo odnosić, to nie muszą stać się zagrożeniem. Ich rewolucja jest wciąż młoda, elastyczna. Z przyjemnością zobaczyłbym wasze końcowe analizy na temat, kto z tej paczki dorwie się do władzy – zakończył MacIntyre, rozkładając dłonie. – Niektórzy z tych gości należeli kiedyś do Al-Kaidy, albo byli duchownymi, ale w większości to reformatorzy, demokraci lub przynajmniej sfrustrowani urzędnicy i wojskowi, mający dość stagnacji i chowu wsobnego dynastii saudyjskiej.

– Tak. – Sir Dennis sprawdził coś w swoim kalendarzu. – Tak, rzeczywiście, same problemy polityczne. Wiesz, Russellu, nie mam już dziś żadnych umówionych spotkań. Co ty na to, żeby przedyskutować to wszystko przy maleńkim kieliszeczku?

Travellers Club
Pall Mall, Londyn

Po krótkiej jeździe przez zakorkowany Trafalgar Square szofer wysadził ich przy cichej ślepej uliczce, przed budynkiem, który wyglądał jak florencki pałac.

Zdjęli palta i zaczęli wspinać się po imponujących schodach. MacIntyre próbował nie wyglądać na wieśniaka, kiedy gapił się na portrety, żyrandole i grecki fryz w bibliotece.

– Tak, buchnęliśmy go ze świątyni Apollona. Grecy chcą go z powrotem, gnojki jedne. – Zasiedli w dwóch skórzanych fotelach przy oknie, a sir Dennis dotknął czerwonego przycisku. – Poczęstujesz się balvenie, Russellu? – spytał, a regał z książkami odjechał, odsłaniając pokój kredensowy i kamerdynera, trzymającego tacę z sześcioma szklaneczkami. W trzech z nich znajdowała się woda. W żadnej nie było lodu.

Uśmiechnąwszy się na widok kolejnych drzwi udających regał, MacIntyre rzekł:

– Następnym razem, kiedy będzie pan w Stanach, zabiorę pana do zamku w Los Angeles. Tam też jest wiele fałszywych drzwi.

– Naprawdę? Zamek? Do kogo należy? – zapytał sir Dennis, rozkoszując się aromatem whisky.

– Powinien pan być magikiem – odpowiedział MacIntyre.

– Cóż, sir Dennis niewątpliwie ma ku temu kwalifikacje – odezwał się mężczyzna, którego wejścia MacIntyre nie zauważył.

– Russellu MacIntyre, chciałbym ci przedstawić Briana Douglasa, drania z innego klanu, SIS. Brian to nasz człowiek w Bahrajnie, na krótkiej przepustce w ojczyźnie – powiedział sir Dennis, ściskając rękę opalonego mężczyzny, który wyglądał o dwadzieścia lat młodziej od niego, i wręczając mu trzecią szklankę. – Poprosiłem Briana, żeby spotkał się z tobą, gdyż z tego, co mówił mi o tobie Sol Rubenstein, Russellu, ty i Brian interesujecie się tym samym, w tym trójcą trzech I: Iraku, Iranu i Islamii. A Brian właśnie ma zamiar odbyć interesującą wycieczkę. Mogę o tym powiedzieć Russellowi, Brianie, a on nie doniesie o tym ani w Langley, ani w Foggy Bottom, prawda?

– Dennis ma na myśli, że lecę incognito do Teheranu – rzekł cicho zaniepokojony Douglas znad swojej balvenie.

– Jako kto tym razem, w razie gdybym przeczytał o tobie w gazetach? – Sir Dennis naciskał na młodszego kolegę, by dla swobody dyskusji ujawnił jeszcze więcej faktów.

– Jako Ian Stuart z Afryki Południowej, sprzedawca dywaników z Durbanu. To zupełnie nowa legenda, ale dobrze spreparowana przez nasze tamtejsze biuro – improwizował Douglas, nie chcąc zdradzać Amerykaninowi istoty kamuflażu. – I mam nadzieję, że nie przeczytasz nic o mnie, a już na pewno nie w prasie.

– Russellu, dziś rano Brian mnie o coś zapytał. Nie potrafiłem mu odpowiedzieć, ale myślę, że ty mógłbyś – powiedział sir Dennis, zakładając nogę na nogę i obracając się w stronę Amerykanina. Zmienił teraz trochę sposób bycia, stał się bardziej energiczny. – Co podsekretarz Pentagonu Kashigian robił w Boże Narodzenie w Teheranie, spotykając się z Gwardią Rewolucyjną? To raczej nie leży na trasie oficjalnych wizyt urzędników Departamentu Obrony. Jego legenda była nieco bardziej wiarygodna, Brianie. Wystąpił jako ormiański dyplomata.

W tym momencie Russell MacIntyre zrozumiał sens tego spotkania. Był to test jednocześnie na kilku poziomach. Czy można mu zaufać i czy nie przekaże do Waszyngtonu, że wyższy urzędnik jeździ z tajną misją do Iranu? Czy udowodni swoją dobrą wolę, wyjaśniając, na czym polegała tajna misja wyższego amerykańskiego urzędnika, również w Teheranie? Z tym że MacIntyre nie wiedział nic na temat wycieczki Ronalda Kashigiana do Iranu. Teraz musi przekonać o tym swoich gospodarzy, nie wydając się jednocześnie niekonsekwentnym.

– Jeśli Kashigian był w Boże Narodzenie w Iranie, to, prawdę mówiąc, nie wiem po co. Myślę, że nie wie też Sol Rubenstein. Jesteście pewni, że to był Kashigian, a nie prawdziwy ormiański dyplomata? – powiedział MacIntyre, starając się, by jego głos brzmiał tak uczciwie, jak to możliwe.

Anglicy popatrzyli na siebie przez sekundę. Sir Dennis kiwnął głową.

– Leciał nieoznakowanym gulfstreamem Pentagonu – wyjaśnił Douglas. – Jego podróż zaaranżował i koordynował amerykański attaché obrony w Ankarze.

– Cholera. – MacIntyre zmarszczył brwi. – Dlaczego mieliby, dlaczego mielibyśmy to zrobić?

– Właśnie nad tym się zastanawiamy, Russellu. To dziwny moment, żeby wchodzić w układy z Persami, po tym jak kilka lat wcześniej zmusiło się Starą Europę, żeby przyłączyła się do sankcji antynuklearnych – wymamrotał sir Dennis, opadając głębiej w fotel.

Do MacIntyre'a wreszcie dotarło, co właśnie zostało powiedziane.

– Zaraz, zaraz. Mogliście się tego dowiedzieć wyłącznie nagrywając lub szpiegując amerykańskiego attaché obrony w Turcji. Myślałem, że mamy umowę o nieszpiegowaniu się nawzajem.

– Nie szpiegujemy Ameryki, Russellu – powiedział wolno sir Dennis. – Tak jak wy, podsłuchujemy innych, którzy czasem donoszą o amerykańskich posunięciach. Niektóre raporty NSA tego typu nie zawsze opuszczają Fort Meade – dodał, mając na myśli główną siedzibę amerykańskiej jednostki wywiadu łączności, National Security Agency. – Ale przekazali to kilku z nas poprzez naszą jednostkę wywiadu łączności, GCHQ, która wie wszystko, więc zna informacje NSA. Trwa to już od 1943 roku. – Russell zastanawiał się, kto miał kompetencje, żeby nakazać NSA przetrzymanie raportu. Ktoś najwyraźniej miał.

– Jesteśmy przekonani, że to Iran stoi za zamachami na hotele w Bahrajnie, a może też za porwaniem tego gazowca, chociaż na pokładzie schwytano Irakijczyków – powiedział szybko Brian do MacIntyre'a. – Przyjechałem tutaj, żeby szybko rozdmuchać ten żar, ponieważ każda kosteczka w moim ciele mówi mi, że Irańczycy coś kombinują.

– Problem leży w tym, MacIntyre, że ktoś z Waszyngtonu rozmawia z ludźmi z Teheranu. Znajdę się w niebezpieczeństwie, jeśli ktokolwiek w Waszyngtonie dowie się, że jadę tam potajemnie – powiedział Douglas z ustami częściowo przysłoniętymi dłonią.

– Dlaczego więc mi to mówicie? – spytał MacIntyre, kręcąc głową. – Nie chwytam.

– Mówimy ci to, Russellu – zaczął tłumaczyć sir Dennis – ponieważ od paru miesięcy ja i Sol Rubenstein wymieniamy poglądy, oczywiście bardzo dyskretnie, o naszych wzajemnych niepokojach w obliczu nadmiernej aktywności Irańczyków. Robią próby swoich jądrowych wyrzutni rakietowych, przeprowadzają wodno-lądowe manewry z czołgami, wywierają presję na Bagdad, a nawet umieszczają swoich ludzi w irackim rządzie pod bardzo marną przykrywką.

– A właśnie teraz sytuacja w Zatoce jest bardzo płynna. Sol powiedział, że uważasz, iż nie powinniśmy jeszcze spisywać na straty Islamii. Podobno jesteś jedynym człowiekiem w Waszyngtonie, który w to wierzy. I zmuszasz starego Sola, żeby cię bronił przed dyrektorem wywiadu narodowego, sekretarzem obrony i całym tym tłumem z Białego Domu. – Sir Dennis powiedział właśnie MacIntyre'owi rzeczy, jakich nigdy nie usłyszał od swojego szefa.

– Tak się składa, że my się z tobą zgadzamy, wbrew opinii niższych szczebli Vauxhall Cross i paru innych osób. Zatem to przypadkowe spotkanie z panem Douglasem w bibliotece Travellers Club to tak naprawdę pewnego rodzaju próba zwerbowania agenta. Ponieważ Sol pozbył się ciebie z miasta, żebyś ochłonął, pomyśleliśmy, że moglibyśmy obarczyć cię pewnym wywiadowczym zadaniem. Każdy dyplomata, szpieg, czy marynarz w Zatoce, powie ci więcej, niż nam udałoby się z nich wyciągnąć. Sprawdź, czy jacyś Bahrajńczycy ci czegoś nie powiedzą. W końcu teraz to wy im płacicie, a nie my.

Sir Dennis nie był już miłym, lekko roztargnionym profesorem. Właśnie przyznał się do osobistego, transoceanicznego sojuszu z szefem MacIntyre'a, Solem Rubensteinem, którego istnienia MacIntyre nawet nie podejrzewał. Przyznał również, że Rubenstein odpiera krytyki wobec MacIntyre'a bez wiedzy głównego zainteresowanego.

Sir Dennis Penning-Smith odsłonił teraz swoje drugie ja, urzędnika wysokiego szczebla, twardego, brytyjskiego inteligenta, mocno stojącego na ziemi.

– Co knują Irańczycy? Nie wątpię oczywiście, że Brian wyjaśni nam wszystko po powrocie z perskich targów dywanowych. Jak trwały okaże się Bahrajn, jeśli irańska Gwardia Rewolucyjna będzie chciała obalić ich króla? Jeśli macie rację w kwestii szansy Islamii, co my mamy z tym zrobić? Z kim mamy rozmawiać? Kto dokładnie jest doktorem Castro rewolucji w Islamii? Jak możemy powstrzymać tego Castro, żeby nie stał się komunistą, jak to już bywało, teraz, gdy rewolucja zwyciężyła? Nie mamy zbyt wiele czasu, zanim Islamija zamknie się przed nami. Jeśli Douglas ma rację, już nie zdążymy zapobiec temu, co Irańczycy kombinują w Bahrajnie. – Sir Dennis wstał i wyciągnął coś z półki oznaczonej napisem „Tylko dla członków".

– To *Piaski Arabii*, napisane przez podróżnika Thesigera ponad pół wieku temu. Przebrany za Beduina żył wśród nich i pokochał to miejsce. Opłakuje odkrycie ropy. Twierdzi, że to zniszczyło wszystko.

– Przewodniczący JIC wręczył książkę MacIntyre'owi i najwyraźniej przygotowywał się do wyjścia. – I ja się z tym zgadzam, chyba że ktoś lubi jeździć samochodem, latać samolotem i tak dalej. W ramach wieczorku zapoznawczego zjedzcie na dole coś dobrego. Ja muszę iść na okropną kolację z moim australijskim odpowiednikiem. Nie martw się o książkę. Załatwię drugi egzemplarz. – Uścisnął dłonie obu mężczyzn i zostawił ich sam na sam, Briana Douglasa, najlepszego brytyjskiego szpiega w Zatoce, i Russella MacIntyre'a, kontrowersyjnego wicedyrektora amerykańskiej świeżo opierzonej agencji analiz wywiadu, siedzących między książkami z pustymi szklankami w rękach.

Kiedy z pokoju kredensowego wyłonił się kelner z butelką, Douglas stracił swoją bojowość prezentowaną w obecności sir Dennisa.

– Takie wyprawy nie zawsze kończą się sukcesem. Był taki członek Travellers Club, Tomkinson. Pojechał na Wyspy Sokotra u wybrzeży Jemenu, żeby napisać traktat na temat dziwnego akcentu i starożytnej wersji języka arabskiego, której, jak się dowiedział, używają ludzie na tej pięknej wyspie.

– Co się stało? – spytał MacIntyre. – Obcięli mu głowę?

– Nie – uśmiechnął się Douglas, smakując szkocką. – Żaden z nich nie odezwał się ani jednym słowem, dopóki nie wyjechał.

– Coś mi mówi, że tobie pójdzie lepiej niż temu Tom-coś-tam – powiedział MacIntyre i wzniósł toast za powodzenie wycieczki nowego znajomego.

– To będzie krótki wypad. Musi być krótki. Nie mogę dać im czasu, żeby wygrzebali moje zdjęcie z zakurzonych segregatorów. A wtyczka albo się zgłosi, albo nie. Albo żyje, albo nie. Nie muszę tkwić tam przez tydzień, żeby się o tym przekonać – rzekł Douglas bardziej do siebie niż do MacIntyre'a. – Zamierzam wrócić przez Dubaj, rzekomo, żeby się przesiąść do samolotu do Durbanu. Możemy się tam spotkać i porównać wiadomości, dziesiątego o ósmej, na starym mieście? Jest tam taka mała knajpka curry – zaproponował Douglas, podając przez stół małą wizytówkę. – Przygotuję raport dla sir Dennisa i Sola na temat tego, czego się dowiem.

– Oczywiście. Stawię się. Jadę najpierw do Kuwejtu, ale potem będę już wracał do Bahrajnu, tak czy inaczej muszę zatrzymać się w Emiratach – odpowiedział MacIntyre i przerwał, gdyż właśnie dotarło do niego, co usłyszał. – Składasz raporty bezpośrednio sir Dennisowi? Jesteś szefem filii SIS, a on członkiem rządu. I twoje raporty idą nie tylko do sir Dennisa, ale też do mojego szefa? Co tu jest grane?

Brian Douglas wstał i wychylił swoją szklankę do dna.

– SIS ma swój schemat połączeń, a sir Dennis swój. Rozejrzyj się tutaj, a natychmiast się zorientujesz, że to jedna wielka siatka staruszków. Dennis i Sol to dwóch gości z luźnego klubu szpiegowskiego. Pomimo zrzędzenia, sir Dennis z zapałem pobiegł na spotkanie z ważnym członkiem tego klubu w domu ambasadora Australii. Ma dostać raport na temat planowanej aktywności chińskiej marynarki na Oceanie Indyjskim, perełka, którą Canberra wydobyła dla niego ze źródła tak pewnego, że chyba nie zaryzykowaliby podzieleniem się tą informacją z Londynem i Waszyngtonem. Ale dziś wieczorem przekażą ją sir Dennisowi – wyjaśnił Brian, odstawiając pustą szklankę na tacę. – Zejdziemy na kolację? Chciałbym jeszcze pogadać z tobą o kilku rzeczach.

Patrząc na popiersie Hermesa, Russell MacIntyre czuł się tak, jak w pierwszą noc, po złożeniu podania o członkostwo w Magic Castle[16]. Zdawało mu się, że wie coś niecoś o prestidigitatorstwie, dopóki nie zobaczył występów członków. A tutaj... Potrząsnął głową.

Gdy MacIntyre i Douglas wyszli z biblioteki, regał z książkami wjechał na miejsce. Balvenie i puste szklanki zniknęły.

---

[16] Magic Castle – Magiczny Zamek, światowej sławy klub dla magików.

6

8 LUTEGO

Na autostradzie do Islamii

– Doktor Ahmed bin Raszid – przeczytał oficer bahrajńskiej policji granicznej z nowego islamijskiego paszportu Ahmeda przy wyjeździe z Bahrajnu. Ahmed przypomniał sobie, że kiedyś na grobli nie załatwiało się żadnych formalności. Rewolucja, która usunęła dynastię saudyjską, wszystko zmieniła.

– Na jak długo pan wyjeżdża i jaki jest cel pańskiej podróży, doktorze? – zapytał strażnik po arabsku, zerkając jednocześnie na monitor komputera pokładowego w nowiutkim bmw.

– Wracam jutro. Pilna sprawa rodzinna, panie oficerze – grzecznie odpowiedział Ahmed. Oficer zeskanował paszport. Ahmed zauważył we wstecznym lusterku, że kamera telewizyjna rejestruje numery bmw. Kolejna kamera filmowała go przez przednią szybę. Oficer chwilę czekał. Zadźwięczał komputer w strażnicy i oficer nacisnął przycisk urządzenia, które trzymał w ręku. Podniosła się metalowa bramka, zapaliło zielone światło i Ahmed znalazł się na dwudziestosześciokilometrowej autostradzie na grobli.

Kontrola w punkcie po stronie Islamii była o wiele mniej dokładna. Tu mignął tylko specjalnym zielono-złotym paszportem, który otrzymał od brata, i został przepuszczony. Na stałym lądzie skręcił na wschód i po piętnastu minutach dotarł do al Chobar Corniche i „Golden Tulip", hotelu obok gmachu Aramco.

Aramco, największa kompania naftowa na świecie, teraz w całości własność rządu Islamii, nie zmieniła nazwy. Zauważył jednak, że wszystko inne ma nowe oznaczenia. Zniknęły, albo zostały zamalowane, tablice z nazwami autostrada króla Fahda, ulica króla Chalida, ulica księcia Turki. Od razu dało się dostrzec nowy schemat. Ulice nazywały się teraz imionami dawnych kalifów, którzy następowali po sobie jako przywódcy Ummy po śmierci Proroka. Teraz to były autostrada Abu Bakra, ulica Umara I, ulica Muawiji Abu Sufjana i ulica Jazida I. Pomyślał, że pewnie nie ma ulic nazwanych na cześć pierwszych kalifów szyickich, jak al Hasana i al Husajna, mimo że mieszkańcy prowincji wschodniej to w większości szyici.

W zaszyfrowanym e-mailu brat poinformował go, że będzie w Aramco przez większą część dnia, badając bezpieczeństwo ogromnej infrastruktury naftowej, ale zje z nim w „Golden Tulip" wczesną kolację. O szóstej do pokoju Ahmeda przyszedł jeden z ochroniarzy Abdullaha i zaprowadził go na prywatne patio przy basenie.

Kiedy kelnerzy przynieśli dwie porcje *meze*, wkroczył Abdullah.

– Mój bohaterski doktor – powiedział, ściskając młodszego brata. Ahmed lekko ucałował oba policzki brata, na znak przyjaźni i szacunku. Czterech ochroniarzy Abdullaha zajęło pozycje w różnych punktach patio, plecami do Abdullaha.

– Nawet największe zrzędy z Szury przyznały, że należą ci się gratulacje. Świetnie się spisałeś, ujawniając perski spisek, który miał na celu wysadzenie amerykańskiej bazy. Z pewnością zostalibyśmy o to oskarżeni. Teraz nawet politycy z Białego Domu przyznają, że na pokładzie byli Irakijczycy. – Abdullah nałożył sobie *baba ghanouj*. – Kim byli ci Irakijczycy, wiesz już?

– To, co myślę, a to, co mogę udowodnić, to dwie różne sprawy – zaczął Ahmed. – Instynkt mi mówi, że to fanatycy wyszkoleni przez Irańską Gwardię Rewolucyjną, ale nie mamy na to żadnych dowodów. Ci Irańczycy wypłynęli z Bahrajnu na kilku łódkach i nie zostawili żadnych śladów, że w ogóle tam byli. Abdullahu, ludzie z irańskich Sił Kods są naprawdę bardzo dobrzy w tym, co robią.

– Tak, z całą pewnością. A teraz w naszym interesie leży, żeby nie dopuścić, by im się powiodło. Musimy utrzymać króla na tronie w Bahrajnie – wyznał Abdullah. – Tak, tak, wiem, że pochodzi z dynastii królewskiej, ale zwalcza korupcję, zmuszając ludzi do podjęcia decyzji. Jeśli zostanie usunięty z tronu, kto go zastąpi, Ahmedzie? Kolejny irański marionetkowy rząd, jak ten w Bagdadzie, i na pewno nie będą to nasi przyjaciele – stwierdził szef służb bezpieczeństwa Islamii. – Dziś rano głosowaliśmy, czy wznowić potajemne przekazywanie pieniędzy dla rządu w Bahrajnie na projekty socjalne i miejsca pracy w najbiedniejszych społecznościach szyickich.

Słońce zaszło i od północy powiał chłodny wiatr. Dwaj kelnerzy zapalili lampy i wycofali się, zostawiając szejka sam na sam z jego gościem.

– Szura postępuje mądrzej od ostatniej naszej rozmowy? – spytał Ahmed.

– Rzadko. – Kelnerzy podali danie główne, *hammour*, granika z grilla. Abdullah powoli dziobał filet widelcem. – Istnieje silna frakcja Zubaira bin Tajera, który domaga się ścisłego egzekwowania prawa szariatu, żeby wszystkie kobiety siedziały w domu, zresztą wiesz to wszystko – powiedział Abdullah, rzucając widelec na stół. – Chcą też, żebyśmy eksportowali rewolucję, zaszczepiali wahhabizm wszystkim wyznawcom islamu i rośli w siłę, by stanąć do walki z niewiernymi. To właśnie oni naciskali na zakończenie chińskiego programu rakietowego. Teraz uważają, że nasze pociski powinny mieć głowice jądrowe. Z Chin, Korei, Pakistanu albo nasze własne.

Ahmed był przerażony. Położył obie ręce na stole, jakby się bronił przed upadkiem.

– Bracie, ależ to wszystko były błędy Saudów. Ta droga prowadzi do stagnacji, albo jeszcze czegoś gorszego. Ludzie z pewnością nie poprą tego podczas wyborów.

Abdullah nic nie powiedział, tylko spojrzał bratu głęboko w oczy.

– Oni w ogóle nie chcą wyborów, najwyżej raz, by usankcjonować swą władzę. Potem głosować będą mogli tylko uznani islamscy uczeni.

– Jeden mężczyzna, jeden głos, jeden raz – powiedział Ahmed cicho do siebie.

– Słucham? – zapytał jego brat.

– Tak mówili Amerykanie o wyborach w Algierii: tylko mężczyźni mieli prawo głosu i zagłosowali jeden jedyny raz, żeby zrezygnować z prawa do głosowania na zawsze. To nie może wydarzyć się tutaj! – powiedział Ahemd.

– Amerykanie! – splunął Abdullah. – Amerykanie myślą, że demokracja załatwi wszystko. Im zajęło ponad sto lat, żeby dopuścić wszystkich do głosu, biednych, kobiety, czarnych. Czy to rozwiązało ich problemy? Stracili tylko mnóstwo czasu i pieniędzy na wybory. To dla nich gra i nigdy nie przestaną pogrywać. I co, mają jakieś efekty? My znieśliśmy u nas władzę dziedziczną. Oni wciąż ją mają: za ojcami idą synowie, żony zastępują mężów. Mają trzysta dwadzieścia pięć milionów ludzi, a jak dużo rodzin panujących? – Abdullah machnął ręką. – Nie pozbyli się biedy, muszą płacić za lekarzy, za uniwersytety, w rzekomo najbogatszym kraju świata. A do tego myślą, że są najlepsi i muszą zmienić arabski świat na swoje koszmarne podobieństwo. Jak? Bombardując nasze miasta, zabijając kobiety i dzieci? Zamykając naszych ludzi na zawsze? Gwałcąc ich? – Abdullah wygłosił tyradę, którą Ahmed już kiedyś słyszał.

– Z całym szacunkiem, nie chodzi o to, żebyśmy stali się tacy jak Amerykanie – odpowiedział Ahmed. – Chodzi o to, co zostało obiecane naszemu narodowi: wolność, postęp, więcej możliwości, udziału, własności w ich kraju. – Ahmed powtórzył frazesy brata sprzed rewolucji. – Chodzi o to, żeby nie było jak za Saudów. W tajemnicy przed ludźmi wydawali zyski z ropy na szerzenie swoich wahhabistycznych poglądów, których większość z nas nie podziela. Wydawali pieniądze na kupno drogiej broni od Amerykanów, Brytyjczyków, Francuzów, Chińczyków. Odrzucili umiejętności naszych sióstr i zamknęli drzwi swoich tajnych posiedzeń rodzinnych. Czy walczyłeś i zabijałeś po to, żeby jacyś nowi Saudowie mogli zrobić z naszego narodu obywateli drugiej klasy?

Abdullah wpatrywał się w brata, ale Ahmed nie przerywał. Musiał wyrzucić z siebie wszystko, co trapiło go od dawna.

– Tak, mieszkałem w Ameryce Północnej, ale byłem też w Niemczech i Singapurze, na konferencjach medycznych w Chinach i Wielkiej Brytanii. Tam zostały wynalezione różne rzeczy. Technologie i leki. Co my wynaleźliśmy przez ostatnie tysiąc lat? Świat zostawił nas w tyle, gdyż mamy przywiązaną do kostek tę wahhabistyczną cegłę. Nasi naukowcy studiują tylko Koran, który jest dobry, ale nie potrzebujemy tylu uczonych w Koranie w jednym pokoleniu.

Ahmed wyciągnął spod szaty błękitną książkę.

– To jest raport ONZ napisany przez Arabów. Dotyczy tego, jak wyglądamy na tle świata. Nie za dobrze. Zwycięzcami w nowoczesnym świecie są wykształcone społeczeństwa, kraje, które kładą nacisk na naukę, wymianę informacji, badania naukowe.

– Spójrz na te liczby – dodał, przerzucając gwałtownie strony. – Dwa procent naszego narodu na dostęp do Internetu, dla porównania, w Korei dziewięćdziesiąt osiem. Rocznie na arabski jest tłumaczonych pięć książek na milion osób, a na hiszpański dziewięćset. Nawet w naszym własnym języku wydajemy tylko jeden procent wszystkich książek na świecie. Jedna na pięć wydawanych po arabsku książek dotyczy religii. Na badania wydajemy mniej niż jedną trzecią jednego procenta naszego produktu narodowego brutto. Może to wyjaśnia, dlaczego jeden na czterech naszych absolwentów uniwersytetu wyjeżdża z Arabii tak szybko, jak może. Nie tworzymy nauki. Nie importujemy nauki. Importujemy gotowe produkty. To nie jest sposób na istnienie w nowoczesnym świecie, zostajemy daleko w tyle. Można być wykształconym wyznawcą islamu. Islamscy naukowcy, których spotkałem w Kanadzie, Niemczech i Ameryce, są pobożnymi ludźmi. Islam to najszybciej rozwijająca się religia w Ameryce! Nikt tam nie przeszkadza muzułmanom postępować zgodnie z naukami Proroka. Poza tym, Prorok nigdy nie powiedział, że mamy nawracać albo zabijać chrześcijan i żydów. A jeśli spróbujemy, nawet jeśli zajmie nam to wieki, możemy tylko zniszczyć przy tym naszą małą planetę. Czy tego chce Allah? Broń jądrowa, jeśli uda nam się ją zdobyć, doprowadzi nasz kraj do ruiny. Jeśli pozwolimy, by rada dalej postępowała w ten sposób, nadal będziemy niewolnikami naszej ropy, którzy tylko patrzą, jak wypływa to, co Allah wlał w naszą ziemię. A zyskane z tego pieniądze wciąż będą tracone na tak zwane „religijne" szaleństwa. Nie jesteśmy państwem, jesteśmy naftowym despotą! A jeśli tylko tym jesteśmy, przyjdą inni, skorpiony przyjdą na żer po swój bezcenny czarny płyn. I będą trzymać nas w niewoli, zmuszać do kupowania wszystkiego od nich, w tym broni, której nie potrzebujemy. Zamiast tego możemy wykorzystać nasze bogactwo, żeby wejść w dwudziesty pierwszy wiek, przywrócić czasy świetności, kiedy to Arabowie tworzyli matematykę, astronomię, farmację i wiele innych dziedzin nauki. Ty możesz to zrobić, bracie. – Ahmed przerwał nagle, w obawie, że się zagalopował. Zwiesił głowę, odwrócił wzrok od milczącego spojrzenia Abdullaha.

Gdzieś w hotelu grał telewizor. Ahmed słyszał wiadomości i syk płomienia gazu w grzejniku.

– Czy ty myślisz, braciszku, że kiedy ty jeździłeś na nartach i tańczyłeś w klubach, ja ryzykowałem życiem, kryłem się w piwnicach i zabijałem obcych mi ludzi, żeby stworzyć społeczeństwo, w którym nasz naród będzie marnował życie? – Abdullah podniósł głos, zadając to pytanie, a potem zaczął szeptać. – Robiłem straszne rzeczy, modlę się do Allaha o wybaczenie. Ale kiedy czytam Koran, wiem, że On mi wybaczy. Właśnie tutaj, w Chobarze, w 1996 roku, kiedy ty byłeś jeszcze małym dzieckiem, działałem w grupie, która pomogła Hezbollahowi i irańskim Kods zaatakować tutejszą amerykańską bazę sił powietrznych.

Po raz pierwszy w życiu Ahmed usłyszał tę historię, po raz pierwszy brat uchylił rąbka tajemnicy swojej terrorystycznej przeszłości.

– Kods? – spytał Ahmed. – To przecież oni próbowali wysadzić w powietrze amerykańską bazę morską w Bahrajnie. Współpracowałeś z nimi?

– Nie, pracowałem dla szejka Chalida Mohammeda, który był agentem operacyjnym bin Ladena. Myślałem, że chciał wykopać obce wojska z naszego kraju – przyznał niechętnie Abdullah. – Ludzie z Kods poprosili Chalida, żeby część z nas pomogła im przy operacji w Chobarze, przeciwko cudzoziemskiej bazie. Pomogłem im więc założyć farmę niedaleko stąd. Chalid twierdził, że wiele zawdzięczamy tym z Kods, więc pomogłem.

Ahmed bał się powiedzieć cokolwiek, żeby brat nie przestał mówić. Ale musiał zapytać.

– Co takiego Al-Kaida zawdzięcza Kods?

Abdullah milczał, jakby przywoływał wspomnienia z najdalszego zakątka mózgu, którego ostatnio nie odwiedzał.

– Spotkałem bin Ladena, poznałem jego mózg, doktora Zawahiriego, i jego muskuły, szejka Chalida Mohammeda. Sam Osama nie był tak ważny w akcji, jak ci dwaj. Wykorzystywali go jako symbol. Pojechałem do Afganistanu, żeby się z nimi zobaczyć. Dlaczego? Ponieważ tylko oni tak naprawdę mogli przeciwstawić się saudyjskiej monarchii. Nikt inny nie robił nic, żeby strząsnąć te liszki. Nie byłem przeciwny monarchii. Wiem, że Anglia i małe państewka nad Zatoką mają dobre monarchie, ale nie my! Saudowie kradli, hamowali nasz naród. Pozwolili, żeby obcy zbudowali bazy wojskowe w ziemi Dwóch Świętych Meczetów. Nie chcieli nam pomóc, tylko chronić ropę dla siebie!

Ahmed wyczuł, że Abdullah ma poczucie winy w związku z przeszłością. Mówił takim samym tonem, jak wtedy, gdy tłumaczył się ojcu z wgniecenia w samochodzie. Ahmed próbował sprowadzić rozmowę z osoby brata na swój aktualny problem, Irańczyków.

– Spotkałeś tych z Kods w obozach bin Ladena?

– Nie, nie. Nigdy nie dawali się dostrzec. Jak ktoś był w czymś dobry i ufali mu, Chalid wysyłał go do Iranu na zaawansowane szkolenie z Kods lub Hezbollahem Mugnijaha. Doktor Zawahiri miał biuro w Teheranie i często tam jeździł, w czasach gdy dowodził Egipskim Islamskim Dżihadem. Wielu braci jechało do afgańskich obozów przez Teheran, gdzie ludzie z Kods przeprowadzali ich przez biuro imigracyjne i wysyłali autobusem do granicy – wspominał Abdullah. – Ale nigdy nie mówiło się, żeby Kods pomagało Al-Kaidzie finansowo, czy przy szkoleniach, ponieważ nie wiedział o tym nawet prezydent Iranu. I, oczywiście, Amerykanie.

Ahmed potrząsał głową ze zdumienia. Gwardia Rewolucyjna, Siły Kods, rzeczywiście były służbami w służbie, odpowiedzialnymi tylko przed wielkim ajatollachem, irańskim wodzem naczelnym.

– Co zaszło, Abdullahu, między tobą a Al-Kaidą? Dlaczego zerwałeś z nimi i założyłeś własną organizację w kraju?

Abdullah wzruszył ramionami, jakby odpowiedź na to pytanie była oczywista.

– Po jedenastym września zerwałem z bin Ladenem. Uznałem, że posunęli się za daleko, zabijając niewinnych ludzi. Potem, kiedy Amerykanie napadli na Irak, pojechałem tam i przez krótki czas pracowałem z tym szaleńcem Zarkawim. Dlaczego? Z tego samego powodu, dla którego nasz wuj walczył w Afganistanie. Z tego samego powodu, dla którego sprzeciwiłem się dynastii saudyjskiej. Żeby wyrzucić obce wojska. Walczyłem, uczyłem się, a potem doszedłem do wniosku, że my też możemy być państwem, wspaniałym państwem, a nie amerykańską bazą, nie maszynką do robienia pieniędzy dla jednej rodziny.

Ahmed był dumny z brata, który dostrzegł okrucieństwa innych i stworzył własny ruch, żeby oswobodzić swoją ojczyznę. Istniało jakieś podobieństwo między Al-Kaidą, a tym, co robił Abdullah, ponieważ Abdullah wykonał wielką robotę i sprawił, że teoretycy w rodzaju Zubaira bin Tajera mogli stać się publicznymi twarzami organizacji.

– I udało ci się – dodał Ahmed.

– Tak, ale wciąż jesteśmy słabi. Saudowie zabrali pieniądze. – Abdullah wrócił do jednego ze swoich aktualnych problemów.

– Amerykanie zamrozili im większość środków, prawdopodobnie, żeby położyć na nich łapę. Ale i z tego, co mają, Saudowie zafundują nam kłopoty. Chcą wrócić i znowu rządzić, zabić mnie i całą radę. Nie wiem, ile mamy czasu, zanim im się to uda. Codziennie dostaję raporty. – Ahmed podniósł wzrok i ich oczy się spotkały. Abdullah wskazał głową jednego z ochroniarzy.

– Zaakceptowałem wiele pomysłów Szury – ciągnął Abdullah – z którymi osobiście się nie zgadzam, które moim zdaniem nie wpłyną dobrze na przyszłość naszego narodu. Zaakceptowałem je, ponieważ teraz jesteśmy słabi i nie możemy sobie pozwolić na wewnętrzne podziały, które wykorzystają nasi wrogowie, jak ich nazywasz, skorpiony.

Ahmed pomyślał przez chwilę i pokornie odpowiedział:

– Wiem, że mam prawo wypowiadać się w tych sprawach tylko dlatego, że w obu nas płynie krew naszego ojca. Nie zapracowałem sobie jeszcze na prawo głosu, jak ty. Kocham ten kraj, kocham ciebie i nie chcę, żeby twoje wysiłki poszły na marne. Jeśli nie powstrzymasz swoich wrogów w radzie teraz, ukształtowana przez nich Islamija będzie szybko zastygać w ich formie. Potem dobiorą się do ciebie, bo nie jesteś częścią tego, co chcą wybudować. A to, co oni chcą wybudować, osłabi Islamiję i przyciągnie tłumy moich skorpionów, szczególnie, jeśli uda im się zdobyć broń jądrową. – Ahmed sięgnął nad stołem do ręki brata. – Jeśli godzisz się, by zginąć, giń za coś, w co ty wierzysz, a nie oni.

Abdullah przykrył drugą ręką dłoń brata.

– Takie są twoje zAlekenia, doktorze? Że muszę zginąć?

– Nie. Moje porady rzadko prowadzą do śmierci pacjentów. – Ahmed uśmiechnął się. – Moje zAlekenia mają jej zapobiegać. Nowa armia pójdzie za tobą, a cała policja już za tobą stoi. Użyj tej siły, póki ją masz. Użyj jej dla dobra naszych ludzi. Nie odzyskali jeszcze pełnej wolności. Jeśli lud będzie za tobą, tak naprawdę, nie wpuści tu skorpionów.

– *Inszallah* – powiedział Abdullah i objął brata. Wrócili do „Golden Tulip", trzymając się pod ręce. Za nimi i przed nimi szli ochroniarze. Na stole zostały tylko resztki *meze* i *hammour*. Abdullah ukrył niebieski raport pod szatą.

– Chodź ze mną na górę i spotkaj się z moim zespołem, który cały dzień wertuje księgi Aramco. Przekaż im swoje teorie. – Abdullah skierował się do windy. Poza główną salą restauracji, na dachu znajdował się prywatny pokój z podłogą pokrytą dywanem i poduszkami. Unosił się tu słodki zapach kadzidła. Kiedy wszedł Abdullah, ludzie, którzy siedzieli w koło na podłodze, paląc wodne fajki, poderwali się na równe nogi.

Abdullah wkroczył do okręgu utworzonego przez swych ludzi, ściskał ich dłonie i całował policzki, przedstawiając po kolei swojemu bratu, lekarzowi-szpiegowi.

– Badacie kwestie bezpieczeństwa naszej kompanii naftowej i przejrzeliście jej księgi – powiedział, siadając na podłodze wśród poduszek. – Co odkryliście? Czy dynastia wyssała całą ropę i zabrała ją do Kalifornii? – Służący zapalił Abdullahowi świeżą fajkę wodną.

– Nie, szejku, nawet Saudowie nie mogli ukraść jej całej – odpowiedział Mohammed bin Hassan. Był wspólnikiem dużej firmy rachunkowo-konsultacyjnej z Londynu, a po rewolucji wrócił na prośbę Abdullaha bin Raszida, z którym jako dziecko grywał w piłkę w Rijadzie. – Nasze rezerwy wynoszą dwieście dziewięćdziesiąt miliardów baryłek. Kolejne sto pięćdziesiąt, dwieście tysięcy spoczywa pod ugorami.

– To z pewnością bardzo dużo, ale co to oznacza? Jak to wygląda na tle innych? – spytał Abdullah i zaciągnął się jabłkowym tytoniem.

– To znaczy, że mamy jedną trzecią światowych zasobów ropy. Jedna trzecia zalega tu, w Zatoce, a jedna trzecia rozrzucona jest po Rosji, Wenezueli i Nigerii. Ale nasza jest najtańsza w produkcji. Wypływa po prostu spod piasku. Rosja i Ameryka muszą wydawać straszne pieniądze, żeby znaleźć ją w swoich krajach i wydobyć spod lodu czy z dna morskiego. To ich popyt i koszty wydobycia podniosły cenę do dziewięćdziesięciu euro za baryłkę. Nasza ropa jest również łatwa do obróbki, a ta z innych miejsc wymaga kosztownej rafinacji. Bieżące tempo konsumpcji również działa na naszą korzyść. Chiny i Ameryka importują po dziesięć miliardów baryłek rocznie, a popyt wciąż rośnie. I tutaj mamy klucz: prawie każdy inny producent ropy pompuje całą tanio oczyszczoną ropę i niedługo nastąpi dzień, kiedy wypompuje wszystko. Biorąc pod uwagę nasz obecny poziom produkcji, nasza ropa będzie płynąć jeszcze następne sto lat. Kiedy tamta się skończy, my wciąż będziemy mieli jej pod dostatkiem dla siebie, i pod dostatkiem na sprzedaż.

Wszyscy w pokoju uśmiechnęli się, wszyscy z wyjątkiem Ahmeda, który wzrokiem poprosił brata o zgodę na zabranie głosu.

– Ahmedzie, a co ty myślisz o tych dobrych wieściach? – spytał Abdullah.

– Z całym szacunkiem dla Mohammeda, nie jestem przekonany, że to faktycznie dobre wieści – powiedział niepewnie. Uśmiechy zamarły.

– Nie mówmy o chwili obecnej i jutrze – zaczął. – Cofnijmy się do czasów naszego dziadka. Dziadek, mój i Abdullaha, był sprzedawcą wielbłądów. Jeśli wielbłądy wszędzie dotknęła zaraza i wszystkie padły, a on ciągle miał zwierzęta w dobrym zdrowiu, czyż nie obawiał się, że przyjdą inne plemiona i mu je ukradną? – Słuchacze ze zrozumieniem pokiwali głowami.

– Nasz dziadek nie wiedział – ciągnął Ahmed – że są ludzie za granicą, którzy tylko czekają na okazję, żeby importować land rovery i nauczyć inne plemiona jeździć nimi zamiast na wielbłądach. I chociaż ciężko walczył i wydawał mnóstwo pieniędzy na obronę swoich wielbłądów, wkrótce nikt już ich nie chciał, bo wszyscy przesiedli się do land roverów i mercedesów. – Mężczyźni wybuchnęli śmiechem.

– Do czego zmierzasz, Ahmedzie? Podobno ostatnio przesiadłeś się do bmw? – spytał Mohammed, patrząc na Abdullaha.

– Twój lęk przed skorpionami, no dalej, bracie, wyjaśnij to nam – zachęcił go Abdullah.

– Moim zdaniem ropa, która została, przyciągnie różne gatunki skorpionów, Amerykę czy Chiny. Staniemy się celem i pionkiem w wielu grach. Tymczasem inne kraje wreszcie opracują alternatywy dla ropy i po wieloletnich wojnach na naszej ziemi, żeby dobrać się do ropy, nie będą potrzebować takich zasobów jak przez ostatnie pięćdziesiąt lat. Ropa stanie się bezwartościowa, jak wielbłądy.

– Wielbłądy nie są bezwartościowe! – krzyknął jeden z mężczyzn.

– Ahmedzie, szanuję cię jako lekarza, ale nie jako ekonomistę – odezwał się Mohammed. – Będą się wygłupiać z alternatywami przez wiele lat. Ich komórkowy napęd wodorowy do samochodów wymaga więcej energii, żeby uzyskać tę samą moc, co w silnikach spalinowych. Ich samoloty nie będą latać, a okręty nie będą pływać na wodór czy energię słoneczną. Napęd jądrowy wytwarza radioaktywne odpady, to jest niebezpieczne. Amerykański import ropy wzrasta o niemal dwa procent, a chiński o jeden procent rocznie.

– Być może, Mohammedzie, ale Ahmed ma rację, że jeżeli zostaniemy ostatnim państwem o ogromnych zasobach ropy, skorpiony po nią przyjdą – powiedział powoli Abdullah, strząsając popiół z fajki.

– Ale to właśnie zadanie dla ciebie – powiedział Chalid. – Zajmujesz się naszą obronnością, a ja w ciebie wierzę. Gdy byłeś obrońcą, nie dałeś mi strzelić żadnego gola – zażartował Chalid, czując, że rozmowa stała się zbyt poważna na tę chwilę i miejsce.

– Gdybyż nasi wrogowie byli tak łatwi do zablokowania jak ty, Mohammedzie – odgryzł się Abdullah. – Ale może powinniśmy poprosić lekarza, żeby zbudował nową pułapkę na skorpiony, jak ta amerykańska na karaluchy, jak jej tam?

– Pułapka wabiąca – podał angielską nazwę jeden z mężczyzn. – Wchodzą, ale nie mogą z niej wyjść.

– Tak, ale my nie chcemy, żeby wchodzili, Jassimie, tu leży problem – odpowiedział ze śmiechem Abdullah. – Ahmedzie, potrzebujemy bariery, która ich tu nie wpuści. Szlabanu na skorpiony. – Wszyscy wybuchnęli śmiechem, doceniając żart szejka, a Abdullah otoczył brata ramieniem i szepnął mu do ucha:

– Pomyśl o tym. A ja pomyślę o tym, co mi powiedziałeś, o raporcie ONZ. Przedstawisz mi plan.

Zapanowała cisza.

– A teraz, Jassimie, wysłuchamy twojego raportu dotyczącego bezpieczeństwa infrastruktury naftowej. Potem porozmawiamy o robotnikach, którzy zastąpią Amerykanów – stwierdził Abdullah, przedstawiając ostatnie punkty porządku zebrania.

Kwatera główna CENTCOM-u
Baza powietrzna MacDill
Tampa, Floryda

– Uwaga! – warknął sierżant, kiedy do ciemnego pokoju odpraw wszedł szef amerykańskiego CENTCOM-u. W małym amfiteatrze czterdziestu dwóch oficerów, w tym admirałowie i generałowie, wstało z miejsc. Na dwunastu ogromnych płaskich ekranach komputer wyświetlił aktualny układ sił na Oceanie Indyjskim, Morzu Czerwonym, Zatoce Perskiej, od dachu świata w Hindukuszu do jego dna w Morzu Martwym.

– Siadać – rozkazał czterogwiazdkowy generał Nathan Moore, kiedy opadł na wielki fotel zarezerwowany dla głównodowodzącego. Rozległo się szuranie krzeseł, gdy oficerowie siadali i przysuwali się do blatów ustawionych przed każdym rzędem. – Dziś zaszczycił nas swoją obecnością zastępca dowódcy sztabu egipskich sił zbrojnych, marszałek Fahmi. Witamy pana. Z niecierpliwością czekamy na mającą się odbyć w tym tygodniu wspólną konferencję, i, co ważniejsze, na wielkie manewry Bright Star. Zaczynamy, proszę.

Kwatera główna Głównego Centrum Dowodzenia Stanów Zjednoczonych mieściła się w niepozornym gmachu w bazie powietrznej, wbijającej się klinem w zatokę Tampa. Kiedy w 1981 roku założono CENTCOM, żeby koordynowało działania amerykańskich sił na Bliskim Wschodzie, żadne państwo w regionie nie zgodziło się, by Ameryka zbudowała siedzibę dla swojego dowództwa. Zdegustowany

Pentagon założył tymczasową kwaterę na Florydzie, w bazie F-16. Swoją siedzibę przeniosło tam również Dowództwo Operacji Specjalnych. Teraz, trzy czy cztery wojny później, w bazie MacDill nie było już ani F-16, ani innych samolotów, ale CENTCOM został. Miał teraz wyszukaną, „wysuniętą" kwaterę w Katarze i morską w Bahrajnie, w Zatoce Perskiej (lub, jak ją nazywał Pentagon, w Zatoce Arabskiej).

Gdy na mównicę wszedł młodszy oficer sił powietrznych, z głównego ekranu znikło logo CENTCOM-u (amerykański orzeł przelatujący nad Półwyspem Arabskim) i pojawiła się duża mapa pogodowa. Potem odczytano tekst niezwykle podobny do raportów pogodowych z międzynarodowego wydania CNN, w rodzaju: „W Bombaju nadal ulewne deszcze... Sześć cali śniegu w Kabulu... Osiemdziesiąt dwa stopnie i słońce w Dubaju..." Słuchacze opuścili głowy i studiowali swoje książki raportów.

Następnie wystąpił jednogwiazdkowy generał armii, J-2, szef wywiadu CENTCOM-u. Obecność Egipcjan spowodowała, że odprawa wywiadu była krótka, poświęcona zwykłym satelitarnym obrazom, nazywanym przez J-2 „szczęśliwymi ujęciami", i przejętym wiadomościom, którymi lubił szpikować swoje poranne raporty.

– A teraz przejdźmy do Bahrajnu – powiedział generał, a na ekranie pojawiło się zdjęcie ozdobnej bramy głównej kwatery Brada Adamsa. Adams mógłby przysiąc, że usłyszał mlaśnięcie gałek ocznych, kiedy wszyscy jednocześnie na niego spojrzeli. – Trwa śledztwo w celu zidentyfikowania terrorystów, którzy porwali gazowiec „Jamal" i próbowali wysadzić go na terenie Jednostki Wsparcia Administracyjnego CENTNAV, siedziby Piątej Floty. Wstępne raporty wskazują na Irakijczyków, jeśli to nie oni, sprawcy pozostają niezidentyfikowani. Wywiad obronny w Pentagonie spekuluje, że pracują dla reżimu w Rijadzie, zwanego Islamiją...

Głównodowodzący przerwał, wyczuwając napięcie na sali.

– Chciałbym powiedzieć kilka słów na temat tego, hm, epizodu: jednostka admirała Adamsa spisała się znakomicie, naprawdę wspaniale. SEAL i komandosi... no i oczywiście żołnierze ze Straży Wybrzeża, którzy zginęli, kapitan Barlow, gdzie on jest? – Generał poszukał w ciemności wzrokiem łącznika ze Strażą Wybrzeża. – Wspaniale.

Tysiące ocalonych. Oto jak się zapewnia zbrojną ochronę, admirale – powiedział, patrząc w dół między rzędy siedzeń, tam gdzie siedział Adams z egipskim oficerem marynarki. – Powinien pan być dumny, że tak wyszkolił swoich żołnierzy, że doczekał się takich efektów swojej pracy, nawet nie będąc na miejscu. Dobra robota.

Adams przełknął ślinę.

– Bardzo dziękuję, sir.

Kiedy na mównicę wszedł dyrektor operacyjny J-3, dwugwiazdkowy generał, żeby rozpocząć odprawę w sprawie manewrów Bright Star, oficer siedzący po prawej stronie Adamsa wsunął kartkę pod książkę raportów dowódcy Piątej Floty. Adams rozwinął ją i przeczytał: „To był komplement czy reprymenda?" Jej autor, generał major komandosów Bobby Doyle, był nowym szefem policji i planowania, J-5. Siedem lat wcześniej uczęszczał z Adamsem do Narodowego Kolegium Wojennego, gdzie współzawodniczyli o klasowe mistrzostwo w tenisie. Doyle wygrał.

– Jak panowie wiedzą, amerykańsko-egipskie manewry Bright Star rozpoczęły się na początku lat osiemdziesiątych... – J-3 z dumą wyświetlił krótki film dokumentalny o pierwszych ćwiczeniach. Wreszcie przeszedł do planów nadchodzącej operacji. – Jak do tej pory największe, obejmujące wodno-lądowe i powietrzne działania różnych amerykańskich jednostek wielkości brygady, ze wsparciem bombowców i samolotów z lotniskowców – powiedział, wskazując na symbole, które pojawiały się na dużej mapie Morza Czerwonego – które wraz z egipskimi dywizjami zbrojnymi wejdą w głąb lądu...

Adams naskrobał coś szybko na kartce od Doyle'a i oddał mu ją. „Wal się na ryj".

Doyle przeczytał odpowiedź i wyrwał jeszcze jedną kartkę z notesu CENTCOM-u. Pisał długo, jak wydawało się Adamsowi. Wystąpienie J-3 dotyczyło teraz szczegółów, których nikomu nie chciało się słuchać.

– ...operacje ciągłe na pustyni... dwieście czterdzieści tysięcy ton...

Wreszcie Adams dyskretnie rozwinął drugi liścik Doyle'a. „Ty/ja, kolacja 21.00, restauracja „Colombia", Ybor City, rezerw. dokonana, stroje cyw., spotkamy się na miejscu". Adams zachichotał, myśląc, co to będzie za noc i czy jego wątroba to wytrzyma.

– ...transportery opancerzone stryker zostaną wyładowane z rorowców... – drążył dalej generał.

Wiązka światła wpadła do sali centrum dowodzenia, kiedy ktoś otworzył drzwi z korytarza na tyłach kompleksu. Adams wykręcił szyję, żeby sprawdzić, kto się spóźnił. Kimkolwiek był, z pewnością naraził się na gniew głównodowodzącego.

– Tędy, panie sekretarzu... – odezwała się młoda protokolantka. Nieznany Adamsowi cywil zajął puste krzesło z lewej strony głównodowodzącego. Nikt nie wstał, a rozprawę przerwano dopiero wtedy, gdy gość się ukazał.

– Ach, pan sekretarz. Pozwoli pan, że przedstawię pana generałowi Fahmiemu, który... – J-3 przerwał, gdyż obecne VIP-y zaczęły szemrać.

Adams pochylił się do Doyle'a i wymamrotał:

– A ten tu czego?

Doyle szybko odpowiedział pisemnie: „Podsekretarz obrony Ronald Kashigan = Dr Zły".

– Dobrze, już dobrze – powiedział głównodowodzący, podsuwając sobie palcem wskazującym mikrofon. – Podsumujmy. Generale, wspomniał pan, że paliwo... – Adams poczuł, że ogarnia go jet lag i zastanawiał się, jak się z nim uporać przed zakrapianą kolacją z Doyle'em o dziewiątej. Żeby się rozbudzić, zaczął dźgać się w lewą dłoń ołówkiem z logo CENTCOM-u.

Restauracja „Colombia"
Ybor City, Tampa

Tuż przed dwudziestą pierwszą dowódca Piątej Floty wysiadł z taksówki przy Dwudziestej Pierwszej Ulicy. Można go było wziąć za wiceprezesa do spraw sprzedaży, który przyjechał na zjazd do śródmieścia. Był sam, a koszulka polo opinała mu brzuch. Zwykle podróżował z adiutantami i ochroniarzami. Teraz, w Stanach, w cywilnym ubraniu, absolutnie nie przypominał trzygwiazdkowego admirała.

W holu maître podszedł do Adamsa, gdy tylko pojawił się w drzwiach.

– Dziękujemy za przybycie, panie admirale. Tędy, proszę. Generał Doyle już czeka na patio.

Adams zastanawiał się, jakim cudem rozpoznał go ktoś, kto nigdy wcześniej nie widział go na oczy, ale gospodarz nie dał mu szansy, żeby mógł zadać mu to pytanie.

– Nie mamy zbyt wielkiego ruchu na początku tygodnia i wiele sal jest zamkniętych, ale panowie otrzymali prywatny stolik tuż za Delfinem. – Wyszli na jasny dziedziniec w stylu hiszpańskim ze świetlikami w dachu. – To kopia fontanny odkrytej w ruinach Pompejów. Jeśli nigdy wcześniej nie był pan u nas, gorąco polecam paellę walencką... – Adams zauważył Doyle'a kopcącego cygaro.

– Chyba łamie pan przepisy dotyczące palenia, doktorze Zły. – Adams zakpił ze szczupłego komandosa i wymierzył mu markowany cios.

– Żartujesz, chłopcze? Ybor City to ojczyzna cygar. Robią ich tutaj ćwierć miliarda rocznie. Zwijane na udach dziewic – powiedział Doyle, wyjmując dla Adamsa cohibę ze skórzanego pudełka. – To na deser. Przeszmuglowane z samej Kuby. Pamiętasz, jak ostatni raz naprawdę najechaliśmy Kubę, zebrała się tu cała amerykańska armia. Rough Riders, i cała reszta, tutaj, w Ybor City, gdzie kończy się linia kolejowa z północy.

– Nielegalne cygara. Teraz to już naprawdę napiszę na ciebie raport – odpowiedział Adams, biorąc cygaro. – Spróbujemy paellę? Podobno mają tu niezłą.

Czterdzieści minut później Adams poczuł się pełny, ale wino pozwoliło mu złapać drugi oddech. Nagle w trzech drzwiach na patio pojawili się muzycy i tancerki flamenco. Doyle przestawił swoje krzesło obok Adamsa, jakby chciał mieć lepszy widok na tancerki, ale kiedy muzyka zagłuszyła ich rozmowę, komandos spytał:

– Nie widzisz nic dziwnego w tym Bright Star?

– Hm, przepuszczą cały roczny budżet CENTCOM-u na ćwiczenia plus jeszcze jakieś dodatkowe pieniądze od Połączonych Sztabów – odpowiedział Adams, obserwując główną tancerkę. – Bo co?

– Bo co? Bo są jak mój ptak, cholernie wielkie. – Doyle zachichotał. – A tak poważnie, te manewry są zbyt duże, zbyt zbędne, zbyt prawdziwe.

Adams zdjął na chwilę oczy z tancerki i popatrzył na komandosa.

– Kiedy ty przysypiałeś podczas dzisiejszej odprawy, generał Obciągacz podawał bardzo interesujące dane. Zabierają ze sobą zbyt wiele gnoju, jak na dwa tygodnie operacji bojowych. Po cholerę zajmują się takim gównem? Wiesz, ile kasy pochłonie przetransportowanie tego wszystkiego?

Adams znowu przestał obserwować tancerki.

– Ty mi to powiedz.

– To ja zadałem pytanie, koleś. – Doyle pochylił się niżej do Adamsa. – Po co nam połączona operacja z Egipcjanami? Boimy się, że Libia przeskoczy przez Saharę, żeby ukraść pieprzonego Sfinksa? Dlaczego na mapie manewrów o podwójnej randze tajności, którą wczoraj widziałem, twoja grupa bojowa wcale nie jest na Morzu Czerwonym, tylko na szpicy, gdzieś na Oceanie Indyjskim, frajerze? Dlaczego doktor Zły jest tutaj na jakiejś konferencji, zamiast czyścić buty sekretarzowi obrony w Waszyngtonie? Powiem ci: bo doktor Zły i jego kolesie ze sztabu ekspertów uważają, że armia amerykańska to kawałki sera, które można rozrzucić dookoła, żeby wprowadzić w życie swoje globalne teorie. Nie rozumieją, że te kawałki sera będą krwawić, kiedy oni będą brylować w jakimś talk-show w telewizji. A teraz pomyśl nad tym, dlaczego moi koledzy z Szóstego Oddziału SEAL robią za zwiad w tych manewrach i dlaczego ich dowódca w swoim gabinecie ma szczegółowe mapy wybrzeża w okolicy Dżeddah i Janbu. Chwytasz, Einsteinie?

Adams próbował nadążyć za tokiem myślowym generała Doyle'a.

– SEAL to siły narodowe. Nie powinny uczestniczyć w takich regionalnych manewrach. – Admirał spojrzał przez zmrużone oczy na przyjaciela. – Dżeddah i Janbu leżą nad Morzem Czerwonym, tylko po niewłaściwej stronie... – Teraz dotarło do niego, co komandos chciał mu powiedzieć. Tancerki flamenco z rozmachem zakończyły swój numer. – O mój Boże! – syknął Adams i w tym samym momencie muzyka ucichła.

– Tak, tak. Są naprawdę dobre – przytaknął kelner.

Oficerowie zapłacili rachunek i poszli spacerkiem Siódmą Aleją, popalając swoje cohiby.

– Myślisz, że naprawdę chcą zaatakować Arabię Saudyjską? Ojczyznę Dwóch Świętych Meczetów? – zapytał Adams. – Islamski świat dostanie szału!

– Tak myślę. Moim zdaniem sekretarz Conrad naprawdę chce dokonać restauracji dynastii saudyjskiej. Pomogli nam przyswoić lekcję z okupacji Iraku. I co? Mamy ich znowu przywrócić, kiedy zajmiemy Islamiję? – spytał generał Doyle, ssąc cygaro.

– Bobby, okupacja Iraku niemal unicestwiła armię i komandosów. Wycisnęła z nich wszystko, do tego zupełnie wyczerpała Gwardię Narodową i rezerwy. Rekrutacja już nigdy nie wróciła do poprzedniego poziomu. Mamy pięć tysięcy dzieciaków, które teraz są weteranami bez nóg i bez oczu, a nic nam z tego nie przyszło – powiedział Adams, czując narastający gniew. – Służyłem tam. Ty zresztą też. Zginęli moi kumple, i dlaczego? Bo mieliśmy sekretarza obrony, który nie przemyślał tego, nie zaplanował, zaangażował za mało wojska. Myślisz, że Amerykanie zgodzą się na to jeszcze raz? Mowy nie ma.

Doyle zszedł z chodnika i stanął w drzwiach zamkniętego sklepu.

– Dlaczego myślisz, że zrobią to w ten sam sposób? Uważasz, że jeśli Conrad albo prezydent przyjdą do Kongresu i powiedzą: najedźmy i okupujmy kolejny arabski kraj, ktoś za tym zagłosuje? Cholera, prędzej ich postawią w stan oskarżenia. – Komandos wypluł kawałek cygara. – Stąd ta cała maskarada, jak z filmu płaszcza i szpady. Po prostu przypadkiem będziemy mieli całe siły u wybrzeża saudyjskiego, kiedy coś tam się wydarzy. Może Egipcjańcy też coś do tego mają. Może wejdą z nami, jak w latach dziewięćdziesiątych. Łapiesz?

– Zbyt dobrze wiem, o co chodzi. W 2004 wkroczyłem do Falludży z moją brygadą i zobaczyłem, co zrobiliśmy. Pamiętasz tego trzygwiazdkowego komandosa dowodzącego nami, komandosami, w Iraku, upierającego się przy szturmie na miasto? Nie mieli tam żadnej broni masowego rażenia. Nie ukrywali Saddama ani Osamy. Kiedy drugi raz wparowaliśmy do Falludży, zrównaliśmy miasto z ziemią. Ćwierćmilionowe miasto poszło się jebać. Czy takie kurewstwo przysporzyło nam popularności? Nic dziwnego, że Irakijczycy próbują wysadzić waszą kwaterę w Bahrajnie.

– Za cenę całej tej małej wycieczki zyskamy trochę ich ropy. A co oni na to? Wysadzą własne rurociągi, zapasy, całą infrastrukturę. My wejdziemy do Arabii, a oni wszystko poświęcą. Wtedy nikt nie będzie miał tej pieprzonej ropy. Przeprowadźmy się na Florydę. Teraz, zimą, jest tu bardzo przyjemnie.

Doyle przysunął się do Adamsa i wbił mu pAlek w pierś.

– Pamiętam Doriana Dale'a, mojego G-3. Jego mama zaharowała się prawie na śmierć, żeby przepchnąć go przez Howard i korpus szkolenia oficerów rezerwy. Mógłby być drugim Colinem Powellem, gdyby nie to, że w Falludży zerwało mu głowę z karku. Krew tryskała naokoło. I po co to? Żeby paru szaleńców ze sztabu ekspertów mogło usadzić dupy w Pentagonie. – Doyle wypuścił powietrze. – Nie możemy dopuścić, żeby to się powtórzyło. Musimy ich powstrzymać, Adams. To nasz obowiązek. Nasz obowiązek wobec naszych żołnierzy. Wobec naszego kraju.

Adams popatrzył przed siebie, a potem na przyjaciela.

– Bobby, odkąd skończyłem siedemnaście lat, salutuję i wypełniam rozkazy. Czasem zupełnie głupie, pierdolone rozkazy – westchnął. – Mamy w naszym kraju system. Wojsko podpada pod kontrolę cywilną. Może oni się czasem mylą, ale biorą kasę za to, że patrzą na całokształt, a większość z nich pochodzi z wyboru. Nas nikt nie wybierał. Prezydent, sekretarz Conrad, to niegłupi goście, mają o wiele więcej informacji od nas. Wielkie manewry koło Islamii, żeby odstraszyć ich od mieszania się w nasze sprawy, dla mnie ma to sens. Poza tym, Bobby, to, o czym mówisz, pachnie mi złamaniem wojskowego kodeksu karnego. Tu nie chodzi o utratę awansu, tu chodzi o wszystko, i nie tylko o nas, ale o nasze dzieci, rodziny. Mam oba dzieciaki w college'ach dzięki naszej firmie. To setki tysięcy stypendiów i pożyczek rocznie.

Wrócili na chodnik. Adams szedł ze zwieszoną głową. Doszli do Siódmej Ulicy. Czuł, że Doyle się zdołował.

– No dobra, Bobby, załóżmy, że masz rację – powiedział admirał ostrożnie. – Czy głównodowodzący o tym wie? Jak możemy ich powstrzymać, skoro nie możesz nawet udowodnić, co próbują zrobić?

– Głównodowodzący? Nathan Bedford Moore? – drwiąco spytał Doyle. – Nie wiem, co wie, a czego nie wie. Ale dla niego priorytetem jest własna kariera. Myśli, że sekretarz Conrad zrobi z niego następnego szefa Połączonych Sztabów. Nie weźmie na siebie odpowiedzialności. Do diabła, on zaprosił Conrada, żeby obserwował te tak zwane manewry z pokładu USS „George H.W. Bush", żeby się pohuśtał na Morzu Czerwonym razem z wojskiem.

– Nie wiem, co robić, Adams, zupełnie nie wiem. – Komandos spojrzał na admirała. – Dlatego o tym z tobą rozmawiam. Tylko tobie mogę zaufać. Myślałem, że znajdziesz jakieś wyjście.

Admirał patrzył się na Doyle'a i nie wiedział, co powiedzieć. Potem wyciągnął z ust resztkę cohiby, rzucił na chodnik i przydeptał obcasem. Spojrzał na Doyle'a.

– Na bramie college'u widniało motto. To chyba słowa Hannibala, wodza, który dzięki słoniom niemal pokonał Rzymian. *Inveniemus viam aut faciemus.* Albo znajdziemy drogę, albo ją sobie utorujemy.

Doyle położył rękę na ramieniu przyjaciela.

– No, stary, to lepiej faciemuj.

Po drugiej stronie ulicy na chodniku całowała się para. Byli to sierżanci przydzieleni do mało znanej jednostki z Fort Belvoir w północnej Wirginii, 504. Batalionu Kontrwywiadu.

Upper Pepper Street
Kapsztad, Afryka Południowa

– Już teraz wiem, dlaczego to nazywa się Góra Stołowa. Jest bardziej płaska niż płaszczka – myślał na głos Brian Douglas, wyglądając przez okno na najwyższym piętrze i rozciągając mięśnie po długim locie z Londynu. – Przepiękne miasto.

– To dlatego lubię to miejsce, przez ten cudowny widok – przyznała Jeannie Enbemeena, wchodząc do pokoju z plikiem dokumentów. Miała trzydzieści parę lat, była niską, bardzo atrakcyjną czarnoskórą kobietą z Natalu. W SIS pracowała od sześciu lat. Przez dwa lata prowadziła mały lokalny oddział w Republice Południowej Afryki i biuro brytyjskiego wywiadu, z rezydencją w Kapsztadzie, które oficjalnie nie miały żadnych powiązań z ambasadą w Johannesburgu. – Nigdy pan tu nie był?

– Nie, to pierwszy raz. Jestem arabistą, jak pani wie – odpowiedział, biorąc od Jeannie fałszywe dokumenty. – Czym się pani zajmuje, panno Enbemeena, jeśli mogę zapytać, kiedy nie tworzy pani legend i nie przyjmuje wałęsających się arabistów?

– Mam na oku malajski meczet przy tej ulicy. Uważamy, że część z jego bywalców to członkowie Al-Kaidy, którzy planują wysadzić obiekty w Kuala Lumpur i Singapurze. Dwa lata temu tutejszy odłam zrobił małe bum w American Express i Barclays – uśmiechnęła się. – Ale ja poszłam do szkoły w Durbanie i nasi chłopcy stamtąd przygotowali panu doskonałe papiery i obmyślili świetną legendę. Sama bym w nią uwierzyła. Teraz nazywa się pan Simon Manley, ostatnio siedzi pan w handlu owocami i orzechami i szuka pewnego i taniego źródła orzeszków pistacjowych. A jak orzeszki pistacjowe, to tylko w światowej stolicy pistacji, w Iranie.

– A jak mam się tam dostać? – zainteresował się Brian.

– Odleci pan pod Durban taksówką powietrzną, która należy do nas. Żadnych pytań. Potem pojedzie pan na główne lotnisko Durbanu i złapie cotygodniowy samolot do Dubaju. Tam dwugodzinna przerwa w podróży w strefie wolnocłowej, a potem przesiadka na Iran Air do Teheranu, gdzie po odprawie celnej spotka się pan z Martym Bowersem – odczytała z notatek Jeannie.

– Z jakim znowu Martym? Działam sam, nikt z teherańskiego oddziału nawet nie wie, że przylatuję! – naskoczył na nią Brian

– Przerwać ogień! Matko, człowieku, nie zabijaj kelnerki za wpadkę kucharza. Londyn kazał nam posłać kogoś z Durbanu, by uzupełnił pańską legendę. Żeby był na wszelki wypadek, ponieważ nie może pan się kontaktować ani z ambasadą, ani z żadnym pracownikiem tamtejszej filii. Marty Bowers od dawna udaje tam właściciela składu importowego. Zrobiliśmy z niego jednego z inwestorów i partnerów Szalonego Świata Owoców i Orzeszków Manleya. Nie będzie się do pana wcale wtrącał. Prawdopodobnie większość czasu spędza jako turysta. Na rozkaz Londynu. – Uśmiech wrócił na jej twarz.

– Londyn. – Brian Douglas westchnął. – Tylko Londyn mógł wymyślić tę głupią nazwę. Czy paszport i zdjęcie Simona Manleya figurują w bazie rządu południowoafrykańskiego?

– Oczywiście, włamaliśmy się do ich baz i umieściliśmy tam pański życiorys. Teraz, Simonie Manleyu, jest pan łysy, ma pan brązowe oczy i okulary. – Jeannie przeszła do drugiego pokoju. – Proszę za mną, panie Manley...

Dwie godziny później gęsta piaskowa czupryna zniknęła, świeżo powstała łysina została przerobiona na opaloną, błękitne oczy stały się brązowe i zostały schowane za okularami w szylkretowych oprawkach, uszy i nos zmieniły kształt, dzięki kawałkom cielistego tworzywa przylepionego bardzo mocną żywicą epoksydową. Kiedy Brian Douglas wyłonił się w przebraniu, Jeannie Enbemeena osłupiała.

– Wielkie nieba! – powiedziała. – Nie powinnam tego wiedzieć, ale, jeśli mogę spytać, dlaczego to wszystko robimy? Śmiem twierdzić, że wcześniej był pan raczej przystojnym mężczyzną.

– Co racja, to racja. Faktycznie nie powinna pani wiedzieć – odpowiedział Brian, głaszcząc się po nagle wyłysiałej głowie. – Istnieje szansa, że Teheran ma moją twarz w bazie danych, a wykorzystując nowoczesne programy komputerowe, powszechnie dostępne na rynku, mogą odtworzyć, jak wyglądałem przed przylotem. To bardzo by nam zaszkodziło, na wiele sposobów.

7

11 LUTEGO

Amerykańska baza marynarki
ASU - Bahrajn

- Chodzi o ten gazowiec, panie MacIntyre. Japończycy już wysłali nową załogę i wynajęli ciężkie holowniki, żeby go ściągnąć z mielizny. - Kapitan John Hardy, NAVACENT J-2, powiedział to do mikrofonu w hełmofonie i wskazał na LNG „Jamal", gdy należący do marynarki osprey, tiltrotor V-22, startował z lądowiska. Dwa olbrzymie śmigła sprawiały, że maszyna działała jak helikopter. Przesuwała się nad wodą, dygocąc, kiedy zmieniała się ze śmigłowca w samolot, a wielkie śmigła obróciły się o 90 stopni do pozycji pionowej.

- Pentagon próbuje zakończyć program ospreya tak często, że powinni zmienić jego nazwę na Feniks - zażartował Hardy - ale niech się pan nie martwi, mamy za sobą tysiące godzin pomyślnych operacji i tylko sześć czy osiem wypadków.

- To była cholernie ostra jazda, kapitanie. Wielkie dzięki.

- Ma pan świetne rekomendacje od naszego generała, panie MacIntyre. Prosił, żeby panu przekazać, że niezmiernie mu przykro, że nie mógł tu być, kiedy pan przyjechał. Zostawił panu liścik. Myślę, że prosi w nim pana, żeby pan zaczekał na niego kilka dni, aż wróci ze Stanów, jeśli pan może.

Osprey krążył nad LNG.

- Chyba jest dobrze strzeżony - powiedział Rusty MacIntyre, naciskając przycisk interkomu, który dyndał na kablu przy jego hełmofonie.

- Na pewno. Dwie bahrajńskie łodzie patrolowe i trzy nasze, plus nurkowie, plus helikoptery, plus oddział specjalny armii Bahrajnu na brzegu. Nie chcemy ryzykować. Okręt wciąż wyładowany jest zmrożonym gazem. – Hardy wzdrygnął się, wspominając o gazie. – Gdyby go wysadzili, fala ognia zabiłaby większość ludzi w bazie.

– Kto to był, kapitanie? Słyszałem kilka różnych teorii – powiedział Rusty, gdy osprey przelatywał nad szeregiem amerykańskich statków przycumowanych do nabrzeża.

– SEAL schwytało kilku terrorystów żywcem. To Irakijczycy, którzy chyba chcieli się zemścić za amerykańską okupację. Przynajmniej tak uważa Pentagon – ostrożnie odpowiedział Hardy.

– A ja słyszałem, że to byli szyici, więc to mało prawdopodobne, żeby chcieli wziąć odwet za Falludżę. Może współpracują z tajną policją, nowym irackim Muhabaratem? – zasugerował Rusty.

– Może i tak. – Kapitan spojrzał znad okularów przeciwsłonecznych, które zsunęły mu się na czubek nosa. – Tak twierdzi moja agentka, ta, która ostrzegła mnie przed terrorystami. Uważa, że to na pewno nie Islamija. Ściśle mówiąc, ona twierdzi, że to Islamija poinformowała ją o zamachu. Wiem tylko, że złapani przez nas goście są Irakijczykami.

– Iracki Muhabarat, który znajduje się pod opieką Irańskiej Gwardii Rewolucyjnej i Sił Kods… – MacIntyre zamyślił się, patrząc w dół na gazowiec, znajdujący się teraz bezpośrednio pod nimi.

– Jak powiedziałem, panie MacIntyre, to możliwe, ale Pentagon sądzi, że to Irakijczycy powiązani z Al-Kaidą, powiązani z Islamiją, nawet jeśli pan i ja wiemy, że w Al-Kaidzie z Iraku nie ma szyitów. – Hardy poprawił okulary.

MacIntyre spojrzał na swojego przewodnika.

– Kimkolwiek byli, spodziewam się, że spróbują jeszcze raz. Planujecie zaostrzenie środków bezpieczeństwa?

– Oczywiście – uśmiechnął się Hardy. – Planujemy również wielkie manewry na morzu. Kiedy baza będzie stała pusta, może terroryści wstrzymają się przez chwilę.

– Taa, Bright Star w tym miesiącu – powiedział MacIntyre, dając do zrozumienia oficerowi wywiadu marynarki, że ten plan nie jest mu obcy. – Czy to nie wygląda nieco dziwnie, odesłanie z Zatoki całych sił na Morze Czerwone, szczególnie teraz, gdy Irańczycy coś tu kombinują?

– To już wykracza poza moje kompetencje. Albo przynajmniej poza obszar mojej specjalizacji – odpowiedział kapitan Hardy. Osprey nabrał szybkości i skierował się nad Zatokę. Hardy wyglądał przez okno V-22. – Z drugiej strony, ten okręt, tu na dole, znajduje się w obszarze mojej specjalizacji. To „Zagros", wielki niszczyciel irańskiej marynarki, klasy Sowriemennyj II, zbudowany w Petersburgu. Wyposażony w rakiety przeciwokrętowe i przeciwlotnicze oraz wszelkiego rodzaju urządzenia nasłuchowe. – Hardy wręczył MacIntyre'owi lornetkę 7x35.

– Wielka kobyła – powiedział MacIntyre, regulując ostrość. – Co on tu robi, tak blisko Bahrajnu?

– Przeczucie zawodowe mówi mi, że monitoruje nasze systemy łączności i sprawdza ruch naszych okrętów wchodzących i wychodzących. Być może wysyła nurków na podwodnych ścigaczach, żeby obserwowali wybrzeże. SEAL pogoniła kilku w zeszłym tygodniu.

– Obserwują bahrajńskie wybrzeże, kapitanie? Pod wodą? Dlaczego mieliby to robić? – spytał MacIntyre i oddał lornetkę.

– Słyszałem, że Szósty Oddział SEAL robi to samo na Morzu Czerwonym w ramach Bright Star. To standardowe działanie w przypadku planowanego lądowania z wody. Upewnienie się, że pod wodą nie ma nic, co przeszkodzi jednostkom desantowym.

– Irańczycy mają jakieś statki desantowe? – spytał MacIntyre, gdy osprey przeleciał nisko nad „Zagrosem" i irański marynarz pomachał śmiesznemu amerykańskiemu samolotowi.

– Pełno. Własne desantowce do przewozu czołgów klasy Karbala. Poduszkowce. Kanonierki. Czego dusza zapragnie. – Hardy uśmiechnął się do MacIntyre'a. – Kilka miesięcy temu wypróbowali je wszystkie, z powodzeniem atakując samych siebie. Ich lądowanie w Iranie nie spotkało się z żadnym oporem.

– Sugeruje pan, że planują lądowanie w Bahrajnie? Jakieś sugestie, kiedy? – zapytał MacIntyre.

– Zajmuję się wywiadem, panie MacIntyre. To znaczy, że oceniam możliwości, nie zamiary. Każdy chciałby, żeby wywiad bawił się w przepowiadanie przyszłości, a to nie należy do nas. Ale oceniając ich potencjał, za tydzień lub dwa osiągną pełną gotowość bojową. – Hardy zamilkł na minutę, a potem dodał: – Tyle że nie mam pojęcia, co mają na celowniku. – V-22 przechylił się i skręcił w stronę Kataru. – Po lewej stronie ma pan teraz największe światowe źródło naturalnego gazu płynnego, Katar, również siedzibę amerykańskiego CENTCOM-u. Jest o wiele cenniejszy niż Bahrajn, ale kto wie, może Irańczycy szykują się do ćwiczeń, tak jak my.

Restauracja na dachu hotelu „Ritz-Carlton”
Manama, Bahrajn

– Panna Delmarco? Rusty MacIntyre. Przepraszam za spóźnienie – powiedział, wyciągając rękę. – Miałem małą wizję lokalną z powietrza i straciłem poczucie czasu.

Kate czekała w barze.

– Nic się nie stało – zapewniła go i zamknęła książkę. – Dzięki temu skończyłam powieść. Proszę, może pan będzie chciał poczytać, *Świat nocą* Alana Fursta. Wszystkie jego książki są o Europie lat trzydziestych dwudziestego wieku, o tym, jak przeciętni, zwykli ludzie wiedzą, że nadchodzi wojna, ale nie mogą nic z tym zrobić. Zostają przez nią ogarnięci. Bardzo przekonujące.

– Może powinienem to przeczytać – powiedział Rusty, przyjmując książkę. Próbował zgadnąć, ile Kate ma lat i ocenił ją na mniej więcej swoją rówieśniczkę. Miała prezencję i styl.

– A więc to pan wylądował przed chwilą tą machiną w bazie? Całkiem jak w książkach Juliusza Verne'a. Podziwiam pańską odwagę. Tak, stąd naprawdę dużo widać. – Delmarco zsunęła się ze stołka. – Umieram z głodu. Chodźmy do stolika.

Kelner, który najwyraźniej znał dziennikarkę, usadził ich w rogu sali, skąd mieli widok na Zatokę.

– Domyślam się, że to stąd ostatnio obserwowała pani różne ciekawe rzeczy? – spytał Rusty, gdy kelner przyniósł menu.

– Tak. Chyba miałam kupę szczęścia. – Kate uśmiechnęła się niewinnie.

– To był cholernie dobry materiał. Nadawała pani na żywo dla CNN przez ponad godzinę. Ale to nie przez szczęśliwy przypadek znalazła się pani w tym barze. To właśnie pani zadzwoniła do kapitana Hardy'ego z ostrzeżeniem o zamachu. – Rusty odłożył menu i spojrzał na Kate.

– Johnnie ma długi jęzor. Przez takie gadki mogłabym zginąć, panie MacIntyre. – Opuściła głos o oktawę.

– Proszę nie obwiniać kapitana Hardy'ego, po prostu zgadywałem i przypadkiem miałem rację. – Rusty prawie szeptał. – Kiedy Brian Douglas zasugerował mi, że jest pani osobą, którą powinienem poznać, domyśliłem się, że jest pani kimś więcej niż zwykłym amerykańskim korespondentem zagranicznym. I w tym także się nie myliłem.

Kelner przyniósł przekąski: *tabbouli*, *hummus*, oliwki, fetę i *baba ghannouj* na początek. Na dole amerykański trałowiec wypuścił kłąb dymu i odbił od brzegu.

– A ja domyślam się, że Brian Douglas jest kimś więcej niż zwykłym czymś tam od ropy naftowej w ambasadzie brytyjskiej, szczególnie jeśli osobiście zna wicedyrektora… jak to tam leci?

– Ośrodka Analiz Wywiadu. Dużo piszemy, segregujemy, ale niewiele mówimy. Poznaliśmy się z Brianem w zeszłym roku w Houston na konferencji dotyczącej zasobów ropy naftowej. – MacIntyre nieudolnie próbował się wykręcić.

– Jasne – powiedziała sarkastycznie. – A przy okazji, gdzie on teraz jest? Nie odbiera ostatnio moich telefonów. Mam coś dla niego. – Kate wyjęła mały reporterski notatnik z torby i położyła na stole.

– Skoro już przejrzała pani celowo cienką przykrywkę Briana, pojechał na tydzień do Londynu. A cóż takiego chciałaby pani powiedzieć komuś z zachodniej agencji wywiadu? – MacIntyre nie widział sensu kontynuowania gry i miał nadzieję, że swoją szczerością zjedna sobie nieco zaufania dziennikarki, która okazała się bardzo dobrym źródłem informacji.

– O, szczerość, to rozumiem. Czyli więcej, niż mogę powiedzieć o Brianie, kiedy chodzi o jego pracę. Dziękuję panu, Rusty. – Zastanowiła się, czy nie wyjawiła za dużo na temat swojej przyjaźni z Brianem. I ile może powiedzieć Amerykaninowi.

– O zamachu dowiedziałam się wcześniej dzięki komuś związanemu z wywiadem Islamii. A tego kogoś poznałam przez dubajskiego magnata nieruchomości, z którym spotkałam się, bo zasugerował mi to Brian Douglas. Krótko mówiąc, nasz wspólny przyjaciel Brian musiał wiedzieć, że doktor Ahmed bin Raszid z Centrum Medycznego w Salmanii jest bratem szefa islamijskiego wywiadu. Dlaczego więc nie powiedział mi tego wprost?

MacIntyre milczał, próbując nadążyć za koneksjami.

– Jak już powiedziałem, nie jestem z operacyjnego. Piszę analizy, czy raczej mam grupkę bystrych ludzi, którzy piszą analizy na podstawie wiadomości zebranych przez osoby w rodzaju Briana. Mogę więc tylko przypuszczać... Ale dostrzegam tu pewne niejasności. Co by zrobił doktor Raszid, gdyby pani do niego zadzwoniła i powiedziała: „Czy może udzielić mi pan wywiadu? Brytyjczycy właśnie pana rozszyfrowali".

– Zgłupiałby. – Kate roześmiała się. – Ma pan rację. Z tym facetem z Dubaju, a naszym wspólnym przyjacielem; został po prostu moim informatorem. Od porwania gazowca widziałam się z nim kilka razy. Martwi się. Właśnie to powiedziałabym tajemniczemu Brianowi Douglasowi, gdyby nie był w Londynie.

– Czym się martwi? Że Brytyjczycy i Bahrajńczycy wiedzą, kim jest i co tu robi? – spytał Rusty.

– Wieloma rzeczami. – Delmarco zerknęła w notatki. – Że Rada Konsultacyjna Islamii może w najbliższym czasie zrobić coś głupiego, co sprowokuje Amerykanów. Że zdominowana jest przez fundamentalistów, którzy kontynuują błędy zapoczątkowane przez dynastię saudyjską. Że jego agenci, którzy mają na oku Irańczyków, uważają, że szykuje się coś wielkiego. Ten nasz doktorek jest bardzo nerwowym człowiekiem. Nie chciałabym, żeby się mną zajmował na tym swoim OIOM-ie.

– Chciałbym się z nim spotkać – stwierdził MacIntyre.

– Nie ma mowy. Zaraz by mnie zabili. „Ahmedzie, poznaj proszę, to mój kumpel, szpieg z Waszyngtonu". Więcej nie zobaczyłabym go na oczy. – Kate zamknęła notes i położyła na stole swoją serwetkę.

Rusty MacIntyre chwycił serwetkę.

– To zdumiewające, że w tak eleganckim miejscu używają papierowych serwetek – powiedział i porwał ją na cztery kawałki.

– Co pan robi? – zająknęła się Kate.

MacIntyre wziął kawałki serwetki prawą ręką, położył na niej lewą rękę, a potem powiedział, patrząc Kate prosto w oczy:

– Muszę spotkać się z Ahmedem. – Wyjął serwetkę z prawej ręki i oddał ją Kate w jednym kawałku. Westchnęła. Zabrał jej znowu serwetkę, przeciągnął przez rękę i powtórzył:

– Muszę spotkać się z Ahmedem. – W jego prawej ręce pojawiła się serwetka w kształcie róży.

– Niewiarygodne – powiedziała dziennikarka, przyjmując papierową różę.

– Proszę mi wybaczyć salonowe sztuczki – rzekł MacIntyre. – Chciałem tylko zwrócić na siebie pani uwagę. Kate, jeśli Ahmed ma rację i coś ma się wydarzyć w Islamii i Iranie, może już nie być czasu na subtelności. Poza tym, Briana nie będzie przez kilka dni. Muszę wiedzieć to teraz. Proszę powiedzieć Raszidowi, że jestem pani wydawcą z Nowego Jorku. Proszę mu powiedzieć, że jestem pani starszym bratem...

– Niezłe. Starszy brat. Podoba mi się. Jestem od pana starsza przynajmniej o pięć lat. – Kate zastanowiła się przez chwilę. – Jeśli to zrobię i stracę dobrego informatora, zrobi pan kolejną magiczną sztuczkę, żeby zdobyć dla mnie materiał co najmniej równie dobry. Zgoda?

– Zgoda. Proszę spróbować umówić nas na dziś wieczór – naciskał MacIntyre.

– Spróbuję, ale on pracuje do późna w szpitalu. – Wyjęła komórkę. – Zatrzymał się pan tutaj, w „Ritzu"?

– Nie. Mieszkam w domku gościnnym amerykańskiej ambasady. Tak jest... bezpieczniej – przyznał Rusty i nieznacznie się zarumienił.

Kiedy Kate Delmarco zostawiała w poczcie głosowej doktora Raszida informację, że muszą się spotkać dziś wieczorem, Rusty MacIntyre sprawdził swoją pocztę na BlackBerry. Miał trzy wiadomości, a tylko cztery osoby znały jego adres. Jedna była od Sarah. Wyjechała do Somalii w sprawie swoich uchodźców, miała wrócić za dziesięć dni. Chłopak sąsiadów miał doglądać kota. Druga była od Briana Douglasa, proponującego spotkanie w Dżajpurze, „w knajpie curry" przy Dubai Creek, za trzy dni, kiedy będzie wracał ze swoich

„handlowych wakacji", czyli wycieczki do Teheranu. Nawet w zaszyfrowanym mailu Brian był ostrożny.

Trzecia wiadomość przykuła jego uwagę.

Rusty, fajnie, że mogę napisać to ręcznie i dać pannie Connor, żeby ci wysłała. Ta klawiaturka jest za mała. W każdym razie, oto wiadomość: Agent DIA sekretarza Conrada z Chin twierdzi, że chińskie wojsko odlatuje do Islamii dwudziestego ósmego, dzień po tym, jak chińska flota zawinie do kilku islamijskich portów. Nadal nie potwierdzają tego żadne inne źródła, więc Conrad być może to wymyślił. Niezależnie od tego, jeden z naszych wojskowych dowiedział się od kolegi z CENTCOM-u, że datę manewrów Bright Star z Egipcjanami nagle przesunięto z 15 marca na 25 lutego. Nie mam pojęcia dlaczego. Uważaj tam na siebie, ale dowiedz się, czego możesz, a potem bierze dupę w troki i wracaj. Nie mamy za wiele czasu. R.

– Halo? Przepraszam, że przeszkadzam… – mówiła do niego Kate. Rusty oderwał oczy od BlackBerry. – Zostawiłam wiadomość. Jeśli oddzwoni i zgodzi się spotkać z moim wydawcą, zawiadomię pana.

– Który dzisiaj jest? – spytał nieprzytomnie Rusty.

– Jedenasty lutego, na Boga. – Delmarco pokiwała głową.

– Tak. Przepraszam. Zatem… dziś wieczorem. Naprawdę muszę się z nim spotkać dziś wieczorem. – Nisko nad portem przeleciał klucz trzech bahrajńskich F-16. Skierowały się nad wody Zatoki, w stronę „Zagrosa".

Międzynarodowe Lotnisko
im. Imama Chomeiniego
Teheran, Iran

– Simon, chłopie! Jak lot? Cholernie tu zimno w porównaniu z ojczyzną, nie? – Wysoki, barczysty mężczyzna w grubym palcie wykrzykiwał głośno na widok Briana w migoczącej, wysokiej, przeszklonej hali przylotów. – Naprawdę ci z Limpopo dali nam łupnia? Rany, wyjeżdża człowiek na chwilę z Durbanu, a tu nasi przegrywają z jakimiś gnojkami z Limpopo. Następnym razem podłożymy się tym z Mpumalangi. Daj, wezmę to – gadał na cały głos. Był to najwyraźniej Martin Bowers z durbańskiej bazy SIS, odgrywający importera orzechów z Afryki Południowej i partnera Simona Manleya.

Brian Douglas pozwolił, by jego nowo poznany przyjaciel wziął bagaż. Ze zdumieniem oglądał nowoczesne lotnisko.

– Tak, fajne jest, nie, Simonie? Mówili mi, że stare lotnisko to była prawdziwa nora. Wielkie szczęście, że nie musieliśmy z niego korzystać – ciągnął Bowers, przeciskając się przez tłum do drzwi odprawy celnej. – To leży tylko czterdzieści pięć kilometrów na południe od miasta, o tej porze dnia niecałe dwie godziny jazdy. Po tych korkach tutaj już nigdy więcej nie powiem złego słowa na Durban. Dlatego zaszalałem i wziąłem kierowcę. Nie potrafię bezpiecznie jechać między tymi wariatami.

Rany, pomyślał Brian, wynajęty kierowca wiozący dwóch obcokrajowców z międzynarodowego lotniska, to aż się prosiło o raport do służb bezpieczeństwa. Niech wiedzą, że dwóch białych południowych Afrykańczyków nie boi się wynająć kierowcy i że rozmawiają o korkach, futbolu, rugby i pistacjach. Ktoś, kto chce uniknąć uwagi bezpieki, pojechałby do miasta zatłoczonym autobusem. Simon Manley i Marty Bowers nie muszą martwić się o agentów. Może Bowers to ktoś więcej niż przerośnięty chwalipięta, którego odgrywał.

W samochodzie Bowers zaczął znowu.

– Zatrzymamy się w hotelu „Homa", podobno kiedyś był tam „Sheraton". Bardzo przyjemny, przy głównej ulicy, czy tym, co tu za nią uchodzi, Valiasr, czy jak tam ją nazywają. A teraz opowiem ci trochę o Teheranie... – Brian Douglas, teraz Simon Manley, wyłączył się na objaśnienia przeznaczone wyłącznie dla uszu kierowcy. Pomyślał o Teheranie, który znał tak dobrze, o tylnych uliczkach za bazarem, ubogich zaułkach na południu miasta, skrzynkach kontaktowych w górzystych parkach, godzinę na północ od brudnej dżungli, która była teraz stolicą Persji, czyli Islamskiej Republiki Iranu.

Pomyślał o siatce irańskich agentów, którą z powodzeniem prowadził, zanim wyjechał do Bahrajnu objąć stanowisko szefa filii, o swoim najlepszym irańskim informatorze zastrzelonym na ulicy przez służbę bezpieczeństwa. Zastrzelonym dwa dni po tym, jak w skrzynce kontaktowej w Baku zostawił plany nowego irańskiego systemu obrony powietrznej. Do tamtej chwili wszystko działało jak w zegarku, głównie dlatego, że pracowali z pominięciem ambasady brytyjskiej w Teheranie. Bezpieka uważnie obserwowała cały personel ambasady. Jego siatka irańskich szpiegów przetrwała, gdyż tylko Brian i kilka osób w Vauxhall znało ich tożsamość i miejsca spotkań, które prawie zawsze odbywały się poza krajem: w Ankarze, Stambule, Dubaju i, oczywiście, w Baku.

Po wpadce Londyn zarządził zerwanie wszelkich kontaktów, dopóki nie zostanie ustalone, w jaki sposób informator się zdradził. Nigdy się tego nie dowiedzieli. Minęło kilka miesięcy i Brian trafił do Bahrajnu jako szef filii dla dolnej Zatoki, w tym placówek w Doha, Dubaju i Muskacie. Oszczędność zmusiła SIS, żeby nad wszystkimi czterema oddziałami czuwał jeden starszy oficer. Teraz, po trzech latach, nie wiedział nawet, czy agenci jeszcze żyją, czy mieszkają pod starymi adresami i pracują tam, gdzie kiedyś, co sprawiało, że byli tacy cenni. Co ważniejsze, nie wiedział, czy rozpoznają sygnał do spotkania. Pomyślał o kamerach na lotnisku i bezwiednie poprawił swój sztuczny nos.

– No to jesteśmy w „Homa" – powiedział Bowers, wyrywając Briana z zamyślenia. – Należy do linii powietrznych. Może nie zasługuje na pięć gwiazdek, ale pięć gwiazdek w Iranie to najlepsze, co mają. U nas dostałby góra dwie.

Pokój był prosty i stosunkowo czysty. Okno wychodziło na plac Vanak i nie wygłuszało nieustającego ruchu ulicznego Teheranu. Szybko sprawdził, czy nie ma kamer i podsłuchu, starając się nie robić tego w zbyt oczywisty sposób. Gdyby już wiedzieli, kim jest, urządzenia podsłuchowe byłyby za dobre, by je wykryć. Jeśli uważają go za południowoafrykańskiego handlarza orzechami, mogli przez czysty przypadek umieścić urządzenia niższej jakości. Ponieważ nic nie znalazł, albo był czysty, albo bardzo dyskretnie obserwowany.

Wieczorem zjadł kolację z Bowersem na placu Vanak. Restaurację, pełną tubylców i zagranicznych przedsiębiorców, polecił im portier hotelowy. Kiedy wrócili do „Homa", Douglas podszedł do recepcji.

– Można zamówić budzenie na ósmą? – spytał Brian po angielsku. Odwrócił się do Bowersa. – Spotkajmy się na dole o dziewiątej na śniadaniu. Pierwsze spotkanie mamy dopiero o jedenastej. – Bowers zorganizował koło bazaru spotkanie z eksporterem pistacji.

Przed pójściem do łóżka Brian Douglas ustawił budzik w swoim zegarku na wpół do szóstej.

„Gulf Café"
Corniche
Manama, Bahrajn

Russel MacIntyre znowu zerknął niecierpliwie na zegarek.

– Miał się zjawić około jedenastej. Jest już jedenasta trzydzieści.

Kate Delmarco sączyła tanqueray z tonikiem.

– Powiedziałam, że o jedenastej kończy dyżur, pod warunkiem że nikt nie umiera. Zimno. Tutaj ludzie pracują w innym rytmie. To nie Waszyngton.

– Panna Delmarco? Mam na imię Fadl. – Młody człowiek wyrósł, nie wiadomo skąd. Był ubrany w dżinsy i podkoszulek z napisem „Texas University" oraz mapą Teksasu pod spodem. – Doktor Raszid chciałby, żeby pani gość poszedł ze mną. Zaprowadzę pana do niego.

– Ale my oboje... – zaczął Rusty.

– Tylko pan. Doktor Raszid ma specyficzny charakter – uciął Fadl. – Żadnych kobiet.

– No dobrze. Kate, zobaczymy się później w „Ritzu". Zadzwonię do pani do pokoju i spotkamy się w barze na dachu. – Rusty chciał, żeby osoba, która widzi go ostatnia, przekonała się później, że nic mu się nie stało. Miał nadzieję, że Kate zrozumie, o co mu chodzi.

– A jeśli nie otrzymam od pana żadnej wiadomości? – spytała Kate z uśmiechem. Z przyjemnością patrzyła, jak MacIntyre się skręca. Tak naprawdę, była bardzo zaskoczona, że zgodził się iść z tym młodym człowiekiem, którego widział na oczy po raz pierwszy.

– Proszę zadzwonić do miejsca, gdzie się zatrzymałem. Niech zostawią dla mnie zapalone światło.

MacIntyre poszedł za Fadlem i wsiadł do minivana, który czekał przy krawężniku. W środku było jeszcze dwóch mężczyzn. Fadl przedstawił ich:

– To jest Jassim. Przeszuka pana. Żadnej broni, aparatów, urządzeń nagrywających. Rozumie pan.

Jassim obejrzał dokładnie BlackBerry i wyjął baterię.

– Dostanie ją pan z powrotem, kiedy odwieziemy pana do pańskiego mieszkania w ambasadzie, panie MacIntyre. – To tyle, jeśli chodzi o wydawcę Delmarco z „New York Journal", pomyślał MacIntyre.

Jego wysiłki, żeby wciągnąć trzech młodych mężczyzn w rozmowę, spełzły na niczym, chociaż najwyraźniej dwóch z nich mówiło płynnie po angielsku. Przynajmniej nie zawiązano mu oczu, pomyślał. Mimo to Rusty nie zdołałby odtworzyć trasy bez tablic informacyjnych. Wreszcie minivan zatrzymał się w ciemnym zaułku, wzdłuż którego wyrastały bloki.

– Doktor czeka na pana – powiedział Fadl i otworzył drzwi.

– Gdzie? – spytał MacIntyre, spoglądając w ciemne przejście między budynkami na wprost drzwi samochodu.

– Tam, w „Mustafa Café". – Fadl skierował go w przeciwnym kierunku, gdzie znajdowała się oświetlona witryna i niewielkie logo pepsi z nazwą sklepu wypisaną poniżej. MacIntyre przeszedł przez małe skrzyżowanie trzech ulic. Jedna uliczka była brudna, bez chodnika. Przy pozostałych dwóch widniały smętne resztki krawężnika. Parkowały tu stare i zniszczone samochody. Latarnie świeciły tylko tu i ówdzie. Nie była to reprezentacyjna dzielnica. Pchnął drzwi, a mały dzwonek obwieścił sprzedawcy, że ktoś wszedł. W środku znajdowało się coś w rodzaju sklepu połączonego z kawiarnią. Nie wyglądało to na lokal czynny o północy.

– Panie MacIntyre, zapraszam tutaj – powiedział mężczyzna, siedzący przy najdalszym z czterech stolików przy ścianie. Wstał i wyszedł naprzeciw Amerykaninowi z wyciągniętą ręką. – Dziękuję za przybycie. Mam nadzieję, że nie przeszkadza panu otoczenie. Jestem doktor Ahmed bin Raszid. Chciał się pan ze mną spotkać.

Mężczyźni uścisnęli sobie ręce i usiedli przy małym stoliku. Raszid pił pepsi. Na gościa czekała druga butelka i szklanka. MacIntyre zauważył, że w sklepie nie było nikogo oprócz nich.

– Doktorze Raszid, w Ameryce mamy wiele organizacji wywiadowczych. Jestem przedstawicielem jednej z nich – zaczął MacIntyre i położył swoją wizytówkę na stoliku. Podejrzewał, że rzadko werbowano ludzi w ten sposób. – Nie zajmujemy się działalnością operacyjną, ale interpretowaniem danych, które zbierają dla nas inni. Jednak czasem brakuje ważnych informacji i wtedy ruszamy w teren osobiście, żeby je zdobyć. Właśnie po to tu jestem.

Ahmed obejrzał wizytówkę i wyjął własną. Napis na niej głosił: „Lekarz prowadzący, Oddział Intensywnej Opieki Medycznej, Centrum Medyczne w Salmanii". Widząc uśmieszek na twarzy Rusty'ego, Ahmed dodał:

– I, jak pan wie, moim bratem jest Abdullah bin Raszid, członek Rady Konsultacyjnej Islamii, Szury. Czego chciałby się pan dowiedzieć, panie MacIntyre?

– O planach Szury i o tym, w jaki sposób Ameryka może utrzymywać z nią stosunki, tak aby nie doszło do długiego okresu wrogości. Osobiście, podkreślam, że to tylko moje zdanie, osobiście uważam, że nasze kraje mogą się pogodzić. Chyba, że Szura przyjmie linię polityki, która to nam uniemożliwi.

– Jaka to mogłaby być polityka, panie MacIntyre? – spytał sztywno Ahmed.

– Polityka, która narzuca wahhabizm, odmawia ludzkich praw, szerzy terroryzm. Polityka, która wiąże się z produkcją broni masowej zagłady lub ogranicza eksport ropy do jednego rynku. Ale nie jestem tutaj jako polityk ani negocjator. Jestem tu, by zdobyć wiedzę, doktorze Raszid.

– Przyjechał pan do kawiarenki przy brudnej ulicy w Manamie, żeby dowiedzieć się czegoś o Islamii, ponieważ nie może się pan tego dowiedzieć od swojej ambasady w Rijadzie. Zamknęliście ją, ze strachu i z braku zrozumienia. – Ahmed poprawił się na krześle. – Bardzo dobrze. Oto, co musi pan wiedzieć. Oświadczenia pańskiego rządu, a szczególnie Pentagonu, brzmią tak, jakbyście nie akceptowali tego, co wydarzyło się w moim kraju. Dynastia saudyjska została odsunięta od władzy, panie MacIntyre, zabrali ze sobą pieniądze ludu. A wasi ministrowie kombinują, żeby przywrócić ich na tron. Przez to część członków Szury szuka sposobu, by ochronić nasz kraj przed Ameryką. To wzmacnia pozycję frakcji pragnącej przyjąć linię wahhabicką, której wy się sprzeciwiacie.

– Doktorze Raszid – MacIntyre mówił wolno i cicho. – Nie jestem pewny, czy znam wszystkie odłamy w Szurze, ale wiem, że pański brat Abdullah należał do Al-Kaidy. Nie wiem, czy osobiście zabił kogoś z moich rodaków, ale powiem panu, że obecność w rządzie ludzi, którzy są, lub byli, terrorystami, utrudnia normalne relacje między naszymi państwami.

Ahmed gwałtownie wstał. Stanął przy pustej lodówce na mięso z uboju rytualnego, skrzyżował ramiona na swojej wątłej klatce piersiowej i spojrzał z góry na Amerykanina.

– Układaliście się z izraelskimi premierami, którzy byli bojownikami terrorystycznymi zabijającymi Brytyjczyków. Układaliście się z przywódcami Palestyny, których wcześniej nazywaliście terrorystami. Rozmawialiście z irlandzkimi terrorystami w Białym Domu. Czy Samuel Adams, od którego nazwiska nazwali piwo, nie był przypadkiem terrorystą? Mój brat walczył, by uwolnić swój kraj spod ucisku bezprawnego reżimu, który okradał naród. Tak, współpracował wówczas z podejrzanymi ludźmi. Czy nigdy nie współpracował pan z podejrzanymi ludźmi, panie MacIntyre?

– Z całą pewnością rząd amerykański podczas swej trzystuletniej historii popełnił wiele błędów. Ale zrobił więcej w imię szerzenia demokracji i obrony praw ludzkich niż jakiekolwiek inne mocarstwo świata od zarania dziejów – powiedział Rusty refleksyjnie. – A Sam Adams był patriotą.

– Mój brat jest patriotą – stwierdził Ahmed. – Abdullah poznał amerykańskie wojsko po waszej pierwszej wojnie z Saddamem, gdy żołnierze stacjonowali w naszym kraju i Kuwejcie. Widział, jak Ameryka popierała Saudów, żeby uzyskać dostęp do ropy. Marnujecie ropę bardziej niż ktokolwiek inny. Z waszą technologią możecie zrobić wiele rzeczy, ale tak naprawdę wcale nie próbujecie, tylko dużo gadacie na temat innych źródeł pozyskiwania energii. Bo wydaje się wam, że macie specjalny dostęp do największych zasobów ropy na świecie. Pozwólcie innym działać skutecznie. Kogo obchodzi, co Saudowie zrobią z pieniędzmi? Kogo obchodzi, że źle rządzą państwem?

MacIntyre obrócił się twarzą do Raszida, założył nogę na nogę, żeby wyglądać na odprężonego i trochę rozładować napięcie.

– Bywało tak, że terroryści wyrzekali się terroryzmu, szczególnie kiedy dochodzili do władzy lub rozpoczynali negocjacje pokojowe. Oczekiwalibyśmy tego samego od przywódców Islamii. Ja całkiem poważnie twierdzę, że nic nie wiemy o frakcjach, a szczególnie o tym, kto jest kim i co się dzieje w Szurze. Spotkań rady nie transmituje C-Span ani Al-Dżazira. Może jeśli uda nam się porozmawiać, będziemy lepiej poinformowani.

Raszid opuścił ręce i podszedł do stolika.

– W porządku, Russellu. Porozmawiajmy. – Usiadł i napił się pepsi. – Ponieważ Ameryka postępuje tak, jakby chciała obalić obecny reżim i doprowadzić do restauracji dynastii saudyjskiej, przeciwnicy mojego brata zaczęli rozmowy z Chińczykami. Tydzień temu przeczytałem w „Washington Post", że odkryliście nowe chińskie rakiety w moim kraju. Nie mają one głowic jądrowych. Ale są w Szurze osoby, które, gdy zostaną do tego zmuszone, mogą się o nie postarać. Ponieważ Amerykanie zablokowali środki Saudów, ale nie oddali ich nam, mojemu bratu trudniej jest argumentować, że wprowadzenie szariatu i innych wahhabickich regulacji spowoduje, że współczesny świat się od nas odwróci. Jego przeciwnicy podkreślają, że już właściwie zostaliśmy odrzuceni i nie możemy w pełni korzystać z dobrodziejstw rewolucji technologicznej. Amerykanie naciskają na Europejczyków, żeby utrzymywali nałożone na nas sankcje ekonomiczne.

Rusty pomyślał, że młody lekarz stanowi dziwną mieszaninę, lekarza z Zachodu, a jednocześnie rzecznika radykalnego islamskiego rządu, który doszedł do władzy po trupach. Chciał dowiedzieć się o nim czegoś więcej.

– Twierdzi pan więc, doktorze Raszid, że pański brat przeciwstawia się wykorzystaniu prawa szariatu jako podstawy systemu prawnego Islamii? Że oponuje przeciwko eksportowaniu wahhabickiej filozofii nienawiści do niemuzułmanów?

Doktor Raszid znowu wstał, skrzyżował ramiona i zaczął chodzić w kółko. Intensywnie myślał albo próbował się uspokoić, zanim zaczął mówić:

– Nie chcecie więc, żebyśmy eksportowali wahhabizm? Tak jak robili wasi przyjaciele, Saudowie? A co wy w ogóle wiecie o wahhabizmie? Tyle, że wam nierozerwalnie kojarzy się z Al-Kaidą? Wie pan, że wasi, tak zwani, wahhabici nawet nie używają takiej nazwy?

– Nie, nie wiedziałem – przyznał Rusty. – Ale wiem, że Saudowie płacili na budowę oraz działalność meczetów i medres, szkół, w sześćdziesięciu krajach, pilnując, żeby wpajano w nich nienawiść dla niemuzułmanów i hasła: „Śmierć Izraelowi, śmierć Ameryce".

Ahmed wybuchnął śmiechem.

– Nie, nie nienawiści do niemuzułmanów. Oni uczyli nienawiści do szyitów i nawet do głównych szkół sunnickich, ponieważ Saudowie uważali je za politeistyczne.

Rusty był zdezorientowany i miał to wypisane na twarzy.

– Muzułmańscy politeiści? Co pan ma na myśli? Myślałem, że główną zasadą islamu jest monoteizm.

Doktor Raszid nie odpowiedział. Z niesmakiem potrząsnął głową. Wreszcie odpowiedział Rusty'emu.

– Nie ma pan pojęcia, o co chodzi. Przyjechał pan do nas, żąda wiedzy na temat tego, jak żyjemy, jak postępuje nasz rząd, a nie wie pan nic o naszej kulturze, religii, historii.

– Niech pan posłucha, doktorze – odparował Rusty. – Nie muszę być historykiem, studiować toczących się przez tysiąclecia dysput religijnych, żeby wiedzieć, że tu zabijanie Amerykanów uważa się za szlachetny uczynek. Robisz samobójczy zamach i w niebie czekają na ciebie siedemdziesiąt dwie dziewice. To nie religia, to gówno! – Usłyszał własne słowa, zbyt głośne, zbyt napastliwe. – No dobrze, czego jeszcze nie wiem o waszym sposobie myślenia, a powinienem?

Ahmed uśmiechnął się.

– Zacznijmy od relacji Saudów z wahhabizmem. To nie tak, że jacyś ich królowie go przyjęli. Bez Wahhaba pewnie w ogóle nie byłoby Arabii Saudyjskiej.

– Ma pan rację. Chciałbym poznać tę historię – przyznał Rusty. – I tak. Powinienem ją znać.

Doktor Raszid zaczął opowiadać powoli, jakby nauczał dziecko.

– Prawie trzysta lat temu Saudowie byli największym rodem w okolicy małego miasta Dirijah, w regionie Nadżd, niedaleko od Mekki. Z pobliskiego miasteczka pochodził Mohammed ibn Abdul

Wahhab. Szerzył nauki Ahmeda ibn Tajmijjaha, radykała żyjącego pięćset lat wcześniej. Obaj uważali, że przedstawiają czystą interpretację koraniczną, odrzucaną przez wszystkie cztery szkoły myśli muzułmańskiej. Wahhab przekonał Saudów do swojego wyznania i do tego, by zabili wszystkich jego przeciwników. Oni tak zrobili i skupili w swoich rękach władzę nad całym regionem. Potem zajęli Rijad, mordując wiele osób. Następnie syn Saudów poślubił córkę Wahhaba. W królewskiej saudyjskiej pieczęci skrzyżowali miecze należące do Saudów i Wahhabów. Od tej pory Saudowie finansowali misję wahhabicką.

Rusty'emu nagle wszystko zaczęło się układać w głowie. Dlaczego w Waszyngtonie nikt mu tego nie opowiedział? Wahhabizm był dla Saudyjczyków tym samym, co dla Amerykanów Deklaracja Niepodległości lub Konstytucja. Nie chodziło o dysputy sprzed tysiąca lat.

– A teraz, Russellu, największa ironia losu. Ibn Tajmijjah i Salafi[17], także Wahhab, nauczali, że obowiązkiem muzułmanina jest zwalczać korupcję i niewierne rządy. Bin Laden wykorzystał więc zasadę salafich, czy też wahhabicką, żeby usprawiedliwić obalenie Saudów, którzy promowali wahhabizm. Teraz wszystko jasne? – spytał Ahmed.

– Chyba zaczynam rozumieć – ostrożnie odpowiedział Rusty. – Ale pański brat i jego towarzysze, którzy obalili Saudów i którzy działali w Al-Kaidzie, czy oni byli salafi lub wahhabitami?

– Tak, niektórzy z członków ruchu antysaudyjskiego na pewno. Niektórzy są osobami świeckimi. Niektórych uznalibyście za członków głównego nurtu sunnickiego.

Do Rusty'ego zaczęło docierać, że w Radzie Konsultacyjnej Islamii działo się gorzej, niż wydawało się Waszyngtonowi. Podziały w antysaudyjskiej koalicji były bardzo głębokie.

Doktor Raszid skończył swój wykład i znowu usiadł koło Rusty'ego.

– W porządku, Ahmedzie. Mogę tak mówić? – spytał MacIntyre. Uznał, że lody zostały przełamane. Raszid kiwnął głową. – Masz rację, Ahmedzie. Nie wiemy tego, co powinniśmy. Ale rozumiemy zasady

---

[17] Salafi – ruch w islamie polegający na powrocie do wczesnych źródeł tej religii.

bezpieczeństwa międzynarodowego, a wy macie w rządzie ludzi, którzy mogą doprowadzić kraj do ruiny. Tak, być może nasz rząd też to robi. I dlatego ludzie tacy jak my muszą pomóc naszym rządom postępować właściwie. Musimy naprawić wiele szkód, ale przede wszystkim nie wolno nam dopuścić do dalszych. Jeśli w Islamii pojawią się głowice jądrowe, będzie koniec. I ty też o tym wiesz. Jeśli więc uważasz, że może się to stać lada moment, musimy szybko wymyślić, jak temu zapobiec.

Nastąpiła dłuższa cisza. Raszid nie wydawał się zakłopotany faktem, że tyle czasu rozważa swoją odpowiedź. MacIntyre usłyszał pomruk starej chłodziarki. Wreszcie młody lekarz podniósł wzrok.

– Jeśli Szura uwierzy, że Iran planuje jakąś akcję wymierzoną w nasz kraj, mogą dostać głowice jądrowe do rakiet od Pakistanu, Korei Północnej lub Chin. Zrobią to tylko po to, by trzymać w szachu irańską broń jądrową. Czy Iran coś planuje, Russellu?

Teraz to MacIntyre musiał dokładnie rozważyć swoją odpowiedź.

– Widzimy pewne oznaki, że irańska armia sprawdza swoje możliwości operacyjne, ale nie wiemy, czy zamierzają je wykorzystać. My także cały czas ćwiczymy nasze wojsko. Nie wiemy też, gdzie Iran zamierzałby je wykorzystać. Niektórzy nasi analitycy uważają, że Irańczycy kombinują coś w Bahrajnie. Prawda jest taka, że nic nie wiemy. – Gdy to powiedział, przyszedł mu na myśl Kashigian. Jeśli Brytyjczycy wiedzą, że Kashigian był w Teheranie, być może wiedzą o tym również w Islamii. Może Ahmed też o tym wie. Dodał więc:

– A przynajmniej ja nic nie wiem.

– Przez te wszystkie lata pakujecie się w cały ten burdel, bo wciąż potrzebujecie naszej ropy. – Ahmed z niedowierzaniem pokręcił głową. – I ponieważ nie szukacie alternatywnych rozwiązań, narażacie mój kraj na ryzyko, bo każdy walczy o ropę dla siebie. To przez was to wszystko, i doskonale o tym wiecie.

– Może – odpowiedział MacIntyre.

– Przypuszczam, że panna Delmarco powiedziała ci, że to moi ludzie odkryli tutaj Irańczyków. W ten sposób dowiedzieliśmy się o ich planie porwania LNG – ciągnął Raszid. – Z naszych dalszych obserwacji wynika, że pod koniec miesiąca planują uderzenie przez

Zatokę. Mamy prawo podejrzewać, że ma to być uderzenie w nas, gdyż otwarty szturm na Bahrajn byłby atakiem na Marynarkę Stanów Zjednoczonych.

– I jeśli Szura w to uwierzy, spróbują zdobyć broń jądrową? – zapytał MacIntyre.

– Może część z nich. A jeśli Amerykanie dowiedzą się, że Islamija zamierza uzyskać broń jądrową, uderzą na nas?

– Może część z nich – jak echo powtórzył Rusty.

Dwaj mężczyźni w obskurnej kawiarni mierzyli się wzrokiem.

– W takim razie musimy pozostać w kontakcie i obmyślić sposób, żeby zapobiec temu, co być może wydarzy się pod koniec tego miesiąca – stwierdził Ahmed.

– Tak. My również mieliśmy sygnały, że coś się może wydarzyć w tym miesiącu. A w naszym kalendarzu mamy teraz luty. To bardzo krótki miesiąc, a prawie połowa już upłynęła.

Niemal ciepło uścisnęli sobie ręce. Rusty wyszedł ze sklepu i zauważył, że zamiast minivana czeka na niego mercedes-taksówka. Wsiadł.

– Do „Ritza" czy do ambasady? – zapytał kierowca po angielsku.

Kiedy Ahmed bin Raszid pojawił się w mdłym świetle na placyku, został sfilmowany przez dwóch mężczyzn leżących w bagażniku starego chevroleta impala, zaparkowanego po drugiej stronie ulicy. Byli to agenci amerykańskiego kontrwywiadu.

8

12 LUTEGO

Hotel „Homa"
Teheran, Iran

Alarm w zegarku obudził Briana Douglasa o piątej trzydzieści. Ubrał się szybko w stare ubranie kupione wieki temu w Teheranie. Usunął metki, na wypadek gdyby ktoś zapytał, skąd ma te ciuchy, skoro jest w kraju pierwszy raz. Na końcu włożył znoszony płaszcz i kapelusz typowy dla teherańskich ulic w zimie. Zszedł po schodach ze swego pokoju na trzecim piętrze i wyszedł przez drzwi koło kuchni, unikając ewentualnych obserwatorów w holu.

Ruch już się zaczął, mimo iż było przed szóstą, a słońce jeszcze nie wzeszło. Zielone autobusy i pomarańczowe taksówki sporo dokładały do dziennego smogu. Chmury wisiały nisko, ciężkie i szare. Śnieg, który spadł przed trzema dniami, zmienił się w brązową breję lub niskie białawe wały w miejscach, gdzie pługi zepchnęły go na boki. Powietrze pachniało wilgocią i dieslowskimi spalinami.

Przeszedł szybko koło ambasady brazylijskiej, sprawdzając dyskretnie, czy ma ogon. Potem skręcił i skierował się w stronę parku Mellat i metra. Park w stylu angielskim założono w latach sześćdziesiątych dwudziestego wieku, a teraz jego zimozielone drzewa stanowiły rzadką, miłą dla oczu oznakę życia w środku zimy.

Stacja metra wyglądała z zewnątrz jak betonowy bunkier, wewnątrz jednak była jasna, czysta i kolorowa. W hali biletowej na ścianach wisiały dzieła sztuki współczesnej. Winda na peron została zamknięta w tubie z matowej stali, a sam peron był szeroki i dobrze oświetlony. Kilka osób czekało na pociąg; szybko nadjechał. Douglas uśmiechnął się na widok znajomych składów metra, malowanych w Teheranie na czerwono, biało i niebiesko.

Podjechał tylko jeden przystanek i dotarł do dużej stacji przesiadkowej trzech linii, im. Imama Chomeiniego. Jej ogrom nasunął mu na myśl przypominające pałace stacje metra moskiewskiego. Wspaniałe nowe lotnisko i błyszczące metro z pewnością nie należały do oblężonego Teheranu z lat osiemdziesiątych i dziewięćdziesiątych. Naftowy potentat dwudziestego pierwszego wieku zaczął inwestować w nowoczesną infrastrukturę.

Teraz poranny ruch zaczął się już na dobre. Ludzie poruszali się szybko i w coraz większych grupach. Douglas wspiął się po schodach na główny poziom. Stoiska wokół holu sprzedawały kwiaty, słodycze, papierosy i gazety. Podszedł do ostatniego. Gdy kupował gazetę, dyskretnie zerknął na mężczyznę prowadzącego kiosk. Ojciec tu był. Nadal.

Brian odczekał, by zapłacić starszemu z dwóch mężczyzn za ladą. Z opuszczoną głową, spoglądając na czasopisma, Brian Douglas zapytał w farsi:

– Ma pan pismo medyczne „Baghiatollah Azam"?

Po chwili starszy pan zza lady odpowiedział cicho, wydając resztę:

– Nie. Po to musi pan pójść do księgarni uniwersyteckiej. Wie pan, gdzie to jest?

– Tak, dziękuję, to przy Mollasadra – odparł Douglas z teherańskim akcentem i szybko odszedł korytarzem, wtapiając się w zbity tłum wypełniający teraz główny hol dworca. Kolejna niepozorna postać wśród innych podobnych.

O ósmej Brian Douglas po trzecim sygnale odebrał telefon z budzeniem i zaspanym głosem zapytał po angielsku, jaka jest pogoda. O dziewiątej dołączył do Bowersa, siedzącego już przy śniadaniu.

Biuro sekretarza obrony
Pentagon, pokój E-389
Arlington, Wirginia

– Był pan tu już wcześniej, panie admirale? – zapytał sierżant.

Adams przecząco pokręcił głową.

– Największe biurko w Waszyngtonie, może na świecie. Jeszcze z czasów pierwszego sekretarza z lat czterdziestych. Praca mu zaszkodziła. Ponoć zwariował. Zameldował się w „Bethesda", ale już się nie wymeldował. Wyskoczył przez okno swojego pokoju na ostatnim piętrze wieży. Przynajmniej tak słyszałem.

Adams tak naprawdę nie słuchał recepcjonisty w zewnętrznym biurze sekretarza. Zastanawiał się, po co tu jest. Po konferencji w sprawie Bright Star w Tampie, poleciał do Waszyngtonu, żeby stawić się z przyjaciółmi w kwaterze głównej marynarki. Zawsze dobrze jest tam wpadać od czasu do czasu, posłuchać biurowych plotek, kto awansuje, kto jaki przydział dostanie. Teraz był trzygwiazdkowym admirałem, a jego możliwości awansu zawęziły się. Istniała szansa, że dostanie czwartą gwiazdkę, stanie na czele któregoś ze zjednoczonych dowództw, na przykład dowództwa Pacyfiku, PACOM. Głównodowodzący na Pacyfiku, CinCPAC, miał przydomek wicekróla, ponieważ był przedstawicielem Waszyngtonu na Pacyfiku. Żeby jednak mieć szansę ustrzelić to stanowisko, trzeba się częściej niż on pokazywać w Waszyngtonie. Należało spędzać więcej czasu w Połączonych Sztabach, w...

– Admirał Adams? – zapytał oficer sił powietrznych, przerywając zadumę Adamsa. – Major Chun, sir. Przepraszam, że kazałem panu czekać. Proszę za mną.

Adams podążał za młodym oficerem do małego, pozbawionego okien pokoju w wewnętrznym pierścieniu gigantycznego biura, zajmowanego przez sekretarza obrony Henry'ego Conrada i jego bezpośrednich współpracowników. Adams wiedział, że całe biuro sekretarza było miniagencją, zatrudniającą ponad dwa tysiące urzędników. Znajdowali się oni na czubku piramidy złożonej z ponad miliona cywilów i niemal dwóch milionów wojskowych w ministerstwie. Podstawę piramidy stanowiło ponad pięć milionów zatrudnionych w sektorze prywatnym, pracujących dla potrzeb obrony. Człowiek urzędujący w tych ścianach podejmował decyzje, które wpływały na każdą z tych ośmiu milionów osób i jeszcze wielu ludzi spoza systemu.

– Panie admirale, bardzo mi przykro, ale sekretarz nie będzie mógł przyjąć pana dziś po południu. W ostatniej chwili nastąpiła zmiana w jego kalendarzu, to zdarza się ciągle, musiał pojechać do Białego Domu, a potem przesunęło się jego przesłuchanie przed Komisją

Budżetową... – Major Chun trajkotał zza małego biurka zawalonego teczkami i stosami papierów.

– Zaraz, majorze – powiedział spokojnie Adams, unosząc prawą rękę. – Chwileczkę. Przede wszystkim, po co mnie tu poproszono? Podekscytowany adiutant ze sztabu wyciągnął mnie telefonicznie z kwatery głównej marynarki w Bupers. Powiedział, że mam wziąć tyłek w troki i natychmiast się tu stawić. Majorze, nigdy nie poznałem osobiście sekretarza, nie byłem nawet na trzecim piętrze w pierścieniu E.

Major Chun wywrócił oczami i roześmiał się.

– Panie admirale, ja tu tylko sprzątam. Wypełniam polecenia pułkownika. A on robi to, co każe mu adiutant, generał Patterson. A generał podlega sekretarzowi obrony lub sekretarzowi Kashigianowi. Wszystko płynie z góry, jeśli mogę się tak wyrazić.

– Majorze, nie zawsze byłem admirałem. W innym życiu, kiedy byłem młodszy od pana, byłem adiutantem w CinCPAC w Honolulu. Zero słońca. Zero plaży. Równie dobrze mogłem pracować w Kansas. – Adams uśmiechnął się, przypominając sobie, dlaczego potem zawsze starał się o przydział na okręcie.

– Tak jest, panie admirale. Wiem, tylko że znalazł się pan w rozkładzie na dziś. Miał mieć pan audiencję, to znaczy spotkanie z sekretarzem obrony. Tylko panów dwóch i pan Kashigian. Teraz nie ma już czasu, gdyż sekretarz wylatuje wieczorem na spotkanie ministrów NATO do Turcji. Mam zabrać pana na dół na odprawę, a potem zapakować do samolotu. Chyba będziecie rozmawiać podczas lotu.

Mózg Adamsa pracował intensywnie. Prywatne spotkanie z sekretarzem obrony mogło oznaczać wywiad przed otrzymaniem czwartej gwiazdki, ale marynarka nie przedstawiła jeszcze swoich nominacji. Było jeszcze za wcześnie.

– Do Turcji? Wieczorem miałem wracać do Bahrajnu, więc Turcję mam mniej więcej po drodze. Co to za odprawa?

– Nie wiem, sir, ale ma się odbyć w sali łączności, we flakach – powiedział major, sprawdzając maila. Specjalne pomieszczenia łączności były kryptami chronionymi przed fizycznymi i elektronicznymi intruzami. Przechowywano tutaj bardzo delikatne informacje oraz przeprowadzano odprawy typu „nigdy o tym nie słyszałeś".

– Zaprowadzę tam pana, admirale. Poniżej parteru robi się nieco obskurnie.

Major Chun poprowadził Adamsa do wind i zjechali trzy piętra niżej. Tutaj widok kontradmirała na nikim nie robił żadnego wrażenia. W Bahrajnie był bogiem w bazie i na pokładzie okrętów. Tutaj jednym z wielu trzygwiazdkowych. Zeszli jeszcze dwa piętra w dół słabo oświetlonymi schodami, co przypomniało Adamsowi, że bez względu na to, co przedstawiały krzykliwe gablotki na korytarzach, nadal był to gmach, który został pośpiesznie wzniesiony na początku drugiej wojny światowej.

Na dole Chun szybko przeprowadził go przez labirynt wąskich korytarzy. Pięć koncentrycznych pierścieni, które nadawały nieco sensu numeracji pokoi Pentagonu na poziomach nadziemnych, zmieniło się w obskurny, podziemny labirynt.

– Już wiem, czemu nazwał pan to flakami, majorze. Proszę mi powiedzieć, jak to jest pracować dla ważnej osobistości? Mnóstwo facetów dałoby sobie rękę uciąć za taką szansę – zapytał admirał, próbując nawiązać mniej oficjalne stosunki z młodszym oficerem.

– No cóż, tak między nami mówiąc, to chętnie bym się z nimi zamienił. Ostatnio widuję szefa po jedenastej wieczorem, kiedy odsyła innych adiutantów do domów, a ja muszę mu towarzyszyć. Czasem pracuje aż do pierwszej w nocy, wydzwaniając po całym kraju, a nawet po całym świecie. Przez ostatnie kilka miesięcy panuje tu prawdziwe szaleństwo. Coś go opętało, tylko nie wiem co. To widać w jego oczach. Ten ogień. Nigdy nie odpoczywa. Nawet kiedy pojechał do Houston na golfa z szychami z kompanii naftowych, musiałem mu zapewniać bezpieczną łączność satelitarną przy każdym dołku.

Stanęli przed metalowymi drzwiami. Znad drzwi spojrzało na nich oko kamery. Z lewej strony wisiał telefon i przytwierdzona do ściany mała aluminiowa skrzynka. Skrzynka nie miała wieczka; major Chun wsunął rękę do środka i wystukał numer na klawiaturze ukrytej przed wzrokiem przechodniów. Drzwi otworzyły się.

– Zostawię tu pana, admirale, z doktorem Wallace'em, on przeprowadzi odprawę. Gdyby zechciał pan wrócić do mnie, jak skończycie, to przygotuję rozkazy i rozkład, żeby mógł pan wieczorem dostać się do samolotu i jutro zakwaterować w Turcji – wyjaśnił major, przekazując Adamsa cywilowi pod sześćdziesiątkę, z kręconymi siwymi włosami, okularami bez oprawek i w źle dopasowanym brązowym garniturze. Adams zastanowił się, czy zdoła kiedykolwiek odnaleźć drogę do biura sekretarza kilka pięter powyżej.

Wallace poprosił Adamsa o podpisanie dokumentu w teczce z napisem: „Specjalny program dostępu". Na dokumencie umieszczono nazwisko, stopień, numer służbowy i datę urodzenia Adamsa.

– Udzielę teraz panu niezbędnych informacji – oznajmił Wallace, przechodząc do małego, amfiteatralnego pomieszczenia przy holu. Stały tam trzy rzędy kinowych foteli, ale nikogo nie było w środku. Adams wybrał miejsce przy przejściu w drugim rzędzie.

Doktor Wallace wszedł na podwyższenie i nacisnął przycisk. Na wielkim ekranie ożył wizerunek żółtego smoka na pokładzie chińskiej dżonki. Smoka i łódź umieszczono na jaskrawoczerwonym tle. Pojawiły się słowa: „Specjalny program dostępu" oraz „Ściśle tajne". Cywil też się ożywił, przeszedł na przód podium i złączył palce w piramidę.

– Powiemy teraz panu wszystko, co wiemy o chińskiej flocie, a jest tego całkiem sporo.

Na ekranie wyświetlił się obraz wideo wielkiego lotniskowca powoli poruszającego się bodajże po Zatoce Sydney. Film najwyraźniej kręcono z helikoptera.

– „Czou Man" podczas przyjacielskiej wizyty w Australii w ubiegłym roku. Kompletnie ogołocony. Na pokładzie tylko kilka samolotów. Żadnej broni jądrowej. Zdjęto kilka anten. Większość elektroniki zniknęła. A mimo to robi wrażenie, czyż nie, admirale?

– Według mnie jest wielkości „Stennisa", „Reagana" lub „Busha". Tylko nowszy. Bardziej lśniący – stwierdził Adams, który zaczynał rozumieć, co tu robi. – Jako dowódca Piątej Floty nie jestem na bieżąco z modernizacją chińskiej floty, doktorze Wallace, ale widzę, że potrafi nas zaskoczyć.

Wallace usiadł w fotelu przed Adamsem i obrócił się do niego bokiem.

– I zaskoczyła parę osób w naszej flocie, admirale. Mnie nie. Ja mówiłem, że do tego dojdzie. Sam pan widzi. Chińczycy odkupili od

Australijców HMAS „Melbourne", lotniskowiec z katapultą parową. Powiedzieli, że jako eksponat do morskiego parku tematycznego. Potem dostali „Warjag", ukraiński lotniskowiec o wyporności 67 000 ton, i przekształcili go w kasyno. – W oczach cywila błysnęło. – Nasi eksperci mówili, że Rosja nigdy nie sprzeda technologii lotniskowców konkurencyjnej flocie pacyficznej. Nie musiała. Zrobili to Ukraińcy.

– Ukraina wie wszystko o lotniskowcach i o rozwoju lotnictwa myśliwskiego. No i Ukraina nie musiała się martwić flotą pacyficzną! Tak czy nie?

– Tak więc w ciągu czterech lat flota Ludowej Armii Wyzwoleńczej wypuściła na morze ze stoczni Delian trzy pełnowymiarowe lotniskowce o napędzie konwencjonalnym, nie z maszynami pionowego startu, jak przypuszczali nasi eksperci, ale z myśliwcami wystrzeliwanymi przez katapulty, su i jakami z Ukrainy.

Adams miał wrażenie, jakby zamknięto go w ciemnym pokoju z szalonym naukowcem. Odchylił się do tyłu w fotelu.

– Ale lotniskowiec to tylko supertankowiec z płaskim pokładem. Sedno tkwi w elektronice, elektronice samolotów i eskorcie.

– Eskorta „Czou Mana" odwiedziła Brisbane, Melbourne i Perth w tym samym czasie, gdy on był Sydney – rzekł Wallace, podskakując i pukając w przycisk, by wyświetlić kolejny obraz. – To „Ping Juen", wygląda jak niszczyciel rakietowy klasy Burke-Aegis, prawda? Pionowe wyrzutnie dla rakiet ponaddźwiękowych, zintegrowany system dowodzenia i kierowania ogniem. Do tej pory stocznia Jiangnan wybudowała sześć takich.

Adams był pod wrażeniem.

Wallace jeszcze nie skończył.

– Do portu Brisbane wchodzi „Fu Po", ofensywny okręt podwodny o wyporności 8000 ton z napędem jądrowym, równie dobry jak rosyjskie Wiktory III. Rakiety samosterujące dalekiego zasięgu, zdolne zatopić lotniskowiec. Mają już dwa gotowe do akcji.

Adams pomyślał, że tego wszystkiego mógłby się dowiedzieć ze swojego *Jane's Intelligence Report*. Po co więc siedzi tutaj z doktorem Wiedzą i rezygnuje ze swojego życia, żeby wstąpić do jakiegoś tajnego klubu?

– W porządku, zrobili olbrzymie postępy, większe niż można się spodziewać w tak krótkim czasie, ale co w tym jest takiego tajnego? – spytał Adams.

– Zastanawiałem się, kiedy pan się o to spyta – odpowiedział Wallace i ponownie zajął swoje miejsce na podium. Na ekranie pojawiło się zdjęcie oficera armii chińskiej, pozującego na tle opery w Sydney.

– Oficjalnie twierdzimy, że DIA ma świetnych informatorów w Chinach. To nie do końca prawda. To admirał Fei Tianbao, komandor grupy bojowej „Czou Mana". Pokochał Australię podczas tej kurtuazyjnej wizyty dyplomatycznej. Wspaniale spędził czas. Spotkał daleką rodzinę. Australijczycy również go polubili.

Zdjęcia ukazywały Tianbao na bankietach, w barach, na imprezach sportowych.

– Miałem nie zdradzać panu jego nazwiska, ale może pan go kiedyś spotkać, więc uznałem, że powinienem. – Adams zauważył, że w prawym dolnym rogu każdego zdjęcia znajduje się oznaczenie ASIS-C-0091N. Australijskie tajne służby wywiadowcze. Przekabacili chińskiego admirała.

– DIA dopuściło do tych wiadomości tylko tuzin osób w tym budynku, plus kilka z Białego Domu i z wywiadu. Nikogo na Wzgórzu. Polecono mi powiedzieć panu tylko, że mamy wysoko postawionego agenta w armii chińskiej, o udowodnionym dostępie do wiarygodnych materiałów, który doniósł nam, co następuje. – Nowy obraz przedstawiał południowe Chiny w górnym prawym rogu, Iran w dolnym lewym i Ocean Indyjski u dołu.

– W stoczni Huang Hai nie powstają okręty wojenne. Buduje się tam rorowce do transportu samochodów i ciężarówek. Oto jeden z nich. – Na ekranie pojawił się długi, niebiesko-biały statek w kształcie pudełka. – Mają prawie pięćset stóp długości, miejsce na dwa tysiące samochodów i koje dla tysiąca trzystu osób. Chińska Kompania Żeglugowa ma osiem takich jednostek. Wszystkie mają wypłynąć w tym miesiącu z Czanciang w południowych Chinach do Karaczi w Pakistanie i Port Sudan. Z chińskimi samochodami na eksport. Tylko że nasz przyjaciel admirał Tianbao twierdzi, że będą wyładowane lekkimi czołgami, ciężarówkami i żołnierzami armii chińskiej, zmierzającymi do Dżizanu i Dżubajlu w Islamii. – Na mapie rozbłysły czerwone strzałki przez Ocean Indyjski do portów na Morzu Czerwonym i w Zatoce Perskiej.

– Tam połączą się z innymi wojskami przewiezionymi przez chińskie lotnictwo. A to jeszcze nie wszystko. – Wallace prawie podskakiwał na czubkach palców. – Na przełomie tego i następnego miesiąca mają się odbyć jednocześnie dwie przyjacielskie wizyty chińskiej armii, grupy bojowej lotniskowca „Czou Man" w Karaczi i grupy bojowej lotniskowca „Czeng He" w Durbanie i Kapsztadzie. Zdaniem naszego Tianbao prawdziwymi portami docelowymi mają być Damman i Dżeddah. – Na mapie pojawiły się niebieskie strzałki, które szybko przesunęły się do Zatoki Perskiej i Morza Czerwonego do portów Islamii. – Admirał Tianbao nie wie dlaczego, ale wie, że dwie grupy bojowe wypływają z samolotami i rakietami na pokładzie, w pełnej gotowości bojowej. Eskortowane przez dwa okręty podwodne o napędzie jądrowym.

Hotel „Ritz"
Manama, Bahrajn

Wysiadł z taksówki przy „Ritzu". W barze na dachu nie było nikogo oprócz barmana, który już zamykał.

– Pan Rusty? – spytał. – Panna Delmarco powiedziała, żeby to panu dać, gdy pan wróci.

Wiadomość na kartce z notesu brzmiała: „Jeśli odebrałeś list, jesteś bezpieczny. To dobrze. Nie zapomnij o książce, którą ci dałam. Wpadnij po nią. Będę siedziała do drugiej nad artykułem do «New York Journal». Przyjdź i opowiedz wszystko. #1922. KD".

Po przeczytaniu wiadomości Rusty z zaskoczeniem odczuł dreszczyk, po raz pierwszy od bardzo dawna dreszczyk tego rodzaju. Czyżby między nim a Sarah było aż tak źle? Czyżby już tak wiele czasu minęło, odkąd było miło? Kiedy ostatnio odczuwał taką niecierpliwość jak teraz?

– Widzę, że już pan zamyka – powiedział do barmana – ale może jest jakaś szansa na szklaneczkę balvenie?

Wypił alkohol duszkiem, zbyt szybko, żeby docenić smak szkockiej. Ale i tak mu smakowało.

– Mogę skorzystać z telefonu? – spytał, starając się, żeby jego głos zabrzmiał obojętnie.

Czuł się jak idiota.

Kate odebrała telefon.

Skrępowany Rusty chrząknął.

– Tu Rusty. Rusty MacIntyre.

– Tak – odpowiedziała Kate. Rozgorączkowany Rusty mógłby przysiąc, że Kate się uśmiechała. – Wieczór się udał?

– Dosyć. Był interesujący.

– Może przyjdziesz i wszystko mi opowiesz? – zaproponowała. – Albo przyjdziesz i nie opowiesz?

Rusty milczał przez moment.

– Dlaczego nie.

Był wykończony. To jet lag, osłabienie, tak sobie tłumaczył. Siedział na balkonie w pokoju Delmarco i jadł z nią śniadanie. Czuł się trochę winny, ale przede wszystkim oszołomiony.

– Czasem czuję, że zbyt wiele dzieje się w mojej pracy, w moim życiu, Kate. Czasem nie potrafię tego wszystkiego zorganizować. Nie wiem, co jest ważne. Popełniam błędy. – Rusty zająknął się.

– Mówisz o tej nocy? To był ten błąd? – spytała Delmarco, opuszczając okulary przeciwsłoneczne na czubek nosa.

– Nie. Może. Kto wie? W każdym razie nie o tym mówiłem. Miałem na myśli, że może wszystko inne to pomyłka. Są ludzie w Waszyngtonie, którzy chcą się do mnie dobrać. Czym sobie, do cholery, na to zasłużyłem? Robię to, czego wymaga ode mnie moja praca. Wciąż mogę wrócić do Beltway i zarabiać trzy razy tyle za połowę mniej zaangażowania – powiedział Rusty, przeczesując palcami rozczochrane kasztanowe włosy.

– To dlaczego tam nie wrócisz? – spytała Kate, patrząc na port.

– Bo chcę, żeby było lepiej po tym całym szaleństwie, po jedenastym września, po irackiej broni masowego rażenia, po przewrocie w Islamii. Musimy robić lepsze analizy wywiadu albo nadal popełniać żałosne, kosztowne błędy. Po prostu zastanawiam się, czy jestem na właściwym tropie. Czy to arogancja?

Delmarco pokręciła głową.

– A dlaczego ty nie wrócisz? – Rusty powtórzył pytanie Kate. – Do Stanów? Dlaczego siedzisz w Dubaju, zamiast pisać reportaże z Nowego Jorku?

Kate roześmiała się.

– Mówisz zupełnie jak mój brat. Co taka dziewczyna jak ty robi na tym arabskim zadupiu, kiedy powinna być już dyrektorem? Po pierwsze, w Dubaju kapitalnie się mieszka. Po drugie, mam tu, i w całej Zatoce, wielu przyjaciół. Ale przede wszystkim, ponieważ tu tworzy się historia. Ameryka i świat arabski to najważniejsza część historii tego wieku, Rusty, jeśli jeszcze tego nie zauważyłeś. I nie zrozumiesz, co naprawdę się tu dzieje, czytając telegramy na Manhattanie. Jestem dziennikarzem. Nie chcę być kierownikiem. Poza tym, jak wiele kobiet widziałeś ostatnio wśród międzynarodowych korespondentów? W wielu miejscach dziennikarstwo to nadal ekskluzywny klub dla chłopców. A musisz zrozumieć, kotku, że jestem usatysfakcjonowana osobiście i zawodowo. Komu zależy na koszmarach sennych o uzależnionych od narkotyków dzieciakach i zapijaczonych, rozczarowanych mężach w średnim wieku? To arogancja czy egoizm?

Rusty zastanowił się.

– Nie. To wolny wybór, uzasadniony wybór. Tylko pamiętaj, nie daj się ogłupić wiarą w usprawiedliwienia, które stosujesz wobec innych. Szczerze mówiąc, nie wygląda na to, żebyś się dawała. To nie arogancja, ani egoizm.

Kate uniosła szklankę.

– Za dwoje niearoganckich przemądrzalców.

Rusty wypił, a potem dodał:

– Ale według mnie to arogancja myśleć, że jeden facet może zmienić trasę lokomotywy, która toczy się tym torem. Czuję, że to zmierza do wojny, Kate, i nie wyniknie z niej nic dobrego, ani dla czerwonych, ani białych, ani niebieskich. Tymczasem, ja jestem tutaj, Sarah Bóg wie gdzie…

– Rusty jesteśmy tylko ludźmi, nikt nie jest święty. – Kate przechyliła się nad stołem i pogłaskała jego rękę.

– Na razie przestałem już martwić się o siebie, Kate. Próbuję dojść, co tu się dzieje. Pomijając ostatnią noc, nie jestem na wakacjach. Moi szefowie i parę innych osób oczekują, że dzięki przyjazdowi tutaj wypełnię wszystkie luki i trochę powęszę, zanim coś się stanie. Ale odnoszę wrażenie, że różne rzeczy wydarzą się lada moment, i nie złożę tej układanki, nie mówiąc już o tym, żeby to powstrzymać.

Kate Delmarco sięgnęła do swojej dużej torby i wyjęła żółty notes. Wypełniały go notatki, kółka i strzałki łączące poszczególne zapiski.

– Też to robię: swobodnie dryfujące fakty. Potem, jak to mówią, trzeba połączyć kropki.

– I co, udało ci się je połączyć w jakiś sensowny obrazek?

– Jeszcze nie. Ale to, co powiedział Ahmed, bardzo rozjaśnia sytuację. W Rijadzie wszystko dopiero się rodzi. Żadna frakcja nie przejęła jeszcze kontroli.

– Może i tak, ale sytuacja zmusi ich do ujawnienia zamiarów. – Rusty wstał i podszedł do barierki, spoglądając na wodę.

– Dziś lecę do Dubaju. Mam tam się z kimś spotkać.

– Co za zbieg okoliczności. Ja też dziś wracam. Biuro się za mną stęskniło. Lecimy tym samym Gulf Air o drugiej? – Kate sprawdziła godzinę na bilecie.

– Nie. Marynarka wysyła mnie w małą delegację. Nie możesz ze mną lecieć, nie będziemy im dostarczać amunicji. – Stanął za nią i pocałował lekko jej włosy pachnące szamponem cytrusowym. – Jutro zadzwonię do ciebie do biura.

Wyszedł z hotelu, przeszedł przez postój taksówek na drugą stronę Corniche. Minął dwóch facetów siedzących na betonowej ławce o wysokim, łagodnie wygiętym oparciu. Z kieszeni marynarki wyjął BlackBerry, przestawił na szyfrowanie i szybko kciukami wbił tekst na małej klawiaturce.

Do Rubensteina
Temat: Aktualizacja

1. Tutejsze amerykańskie wojsko niepokoi się, że Iran ćwiczy siły interwencyjne i być może planuje wtargnięcie do Bahrajnu lub zasobnego w gaz Kataru. Ale ja wciąż nie mogę uwierzyć, że Iran porwałby się na walkę z na-

mi. Muszą wiedzieć, że ruszymy z odsieczą, nawet jeśli Iran ma teraz broń jądrową.

2. Większym problemem mogą być powiązania Islamii z Chinami. Kierownictwo w Rijadzie jeszcze toczy spory, ale jeśli zauważą, że Iran robi się agresywny, wygrają ci członkowie Szury, którzy chcą uzbroić ich nowe chińskie rakiety w głowice jądrowe. Nawet jeśli do tego nie dojdzie, DIA donosi, że chińskie plany wysłania dodatkowych doradców wojskowych, czy kim tam oni są, do Islamii, zwiększają szanse na wyłączną umowę na dostawy ropy z Pekinem. Jeśli ropa odpłynie z rynku, ceny wzrosną nawet o osiemdziesiąt pięć dolarów za baryłkę. Pomysł Conrada, żeby przestraszyć ich manewrami Bright Star, może wywołać zgoła odmienne reakcje. Może sprawić, że w Szurze zapadnie zgoda w kwestii zwiększenia chińskiej obecności, w celu ochrony przed nami.

3. W sprawie sekretarza Conrada: jeśli to prawda, jak dowiedziałem się w Londynie, że jego poplecznik Kashigian potajemnie odwiedził Teheran, przypuszczalnie próbując postraszyć ich bezpośrednio, mamy problem w naszym własnym rządzie w kwestii, kto ma co robić i za czyją aprobatą.

4. Wciąż odnoszę wrażenie, że wcale nie składamy do kupy wszystkich kawałków, i mam straszliwe przeczucie, że coś się święci. Przepraszam za chaos, to wszystko ten jet lag. Jadę dziś do Dubaju. Mam nadzieję, że dowiem się czegoś więcej od Podróżnika, który przyjedzie prosto z Teheranu. A przy okazji, dzięki, że nie powiedziałeś mi nic o twoim starym kumplu, sir Dennisie. Czy jest coś jeszcze, o czym nie wiem?

Rusty

Wysłał list i sprawdził swoją skrzynkę. Miał jedną wiadomość, od Sarah. „Jestem w Berbera. Strasznie potrzebują tu pomocy. Kierownik lokalnego projektu właśnie mnie poprosił, żebym została przynajmniej na miesiąc. Dam ci jeszcze znać".

Rusty nie musiał czekać na tę informację. Nie miał wątpliwości, że Sarah zostanie tak długo, jak będzie chciała. Jego żonę bardziej interesowało zbawianie świata niż ratowanie ich małżeństwa. Rusty uznał tę myśl za nieuczciwą. To samo można by powiedzieć o nim, ale tak po prostu czuł.

Bolała go głowa. Bolały go plecy. Zatrzymał taksówkę.

9

13 LUTEGO

Wielki Bazar
Teheran, Iran

– Nigdy nie czułem tylu zapachów na raz – powiedział Bowers, gdy wraz z Brianem Douglasem przebijał się przez tłoczne, wąskie przejście między dwoma rzędami straganów. – Jaśmin, kminek, pieczone orzechy, kadzidło, kawa, aż obezwładnia.

– Racja – odparł Douglas, oddychając pełną piersią. – Powinniśmy nawiązać dobre kontakty handlowe z kimś stąd. Spójrz na te pistacje. W Joburgu je pokochają. – Douglas nie zauważył ogona, kiedy wychodzili z hotelu ani w metrze, ale Ministerstwo Wywiadu i Bezpieczeństwa, czyli VEVAK, jak nazywano je po persku, było bardzo dobre i to, że nie widzieli nikogo, nie oznaczało, że nikt ich nie śledził.

Chodzili wzdłuż kramów, zadając pytania po angielsku, próbując towarów, sprawdzając rekomendacje. Pod koniec jednej z alejek zauważyli znak kierujący do toalet.

– Pochodź sam – Douglas polecił Bowersowi. – Za chwilę rozsadzi mi jelita. Musieliśmy zjeść coś wczoraj wieczorem. A może to woda. Znajdę cię. – Wchodząc w boczną alejkę w stronę toalet, Douglas szedł szybko, wskoczył za stos skrzynek i otworzył tylne drzwi do kramu z dywanami. Na stosie dywanów, sącząc herbatę, siedział starszy mężczyzna ze stoiska z gazetami w metrze. Obok leżała fajka. Pokój słabo oświetlała samotna naga żarówka, zwisająca z brezentowego sufitu. Głośno grało radio. Douglas zamknął za sobą drzwi.

– A więc wróciłeś – powitał go starszy mężczyzna. Nie ruszył się z dywanów.

– Dziękuję, że chciałeś się ze mną spotkać, Hejdarze. Minęło wiele czasu – mówił Douglas, sadowiąc się na niższym stosie dywanów naprzeciwko gospodarza.

– Długi czas, podczas którego wielu zginęło. Po strasznych torturach. Chwała Allahowi, że nie podali imienia mego syna. A gdyby to uczynili, to jak zamierzałeś nam pomóc, skoro zerwałeś wszystkie kontakty? – Hejdar Chodadad się postarzał. Na jego twarzy pojawiły się zmarszczki. Oczy zapadły się w twarzy.

– Nie wydali cię, Hejdarze, bo nie znali twojego imienia ani twojego syna. – Douglas mówił w farsi, szybko i płynnie. – Specjalnie tak wszystko zorganizowałem, że gdyby doszło do czegoś takiego, gdyby kogoś z was odkryto, inni pozostaliby bezpieczni. Byłeś bezpieczniejszy tutaj, udając niewinnego, niż gdybyśmy próbowali was wydostać. Zerwałem wszystkie kontakty, żeby VEVAK nie mogło powiązać ciebie ze mną, z siatką. Ale dostałeś pieniądze, prawda?

Gospodarz skinął potakująco głową.

– *Moteszakkeram*. Dziękuję.

– Jak się ma Soheil? – zapytał Brian, nalewając sobie herbaty z imbryka na elektrycznej kuchence.

– Mój syn jest bezpieczny. Nienawidzi tego, co robi, i ludzi, dla których pracuje, ale czy ma inny wybór? Gdyby odszedł, zaczęliby go podejrzewać, uważać za nielojalnego. – Hejdar się otwierał. Brian napełnił jego szklankę i słuchał. – Oni są tacy cyniczni, ci ludzie. Popuścili nieco pary, upozorowali nieco wolności, udają, że będą wybory. I tak nadal wszystkim sterują ci, których nie widać, i ich mułłowie. Nadstawiają kieszenie. Urządzają swoje gierki w Libanie, w Iraku. Budują swoje bomby, podczas gdy ludzie płacą łapówki za życie, za mieszkanie, za szpital. Bez twoich pieniędzy moja żona mogłaby umrzeć. Publiczna opieka medyczna to kpina.

Douglas z zadowoleniem dowiedział się, że stosunek Hejdara do irańskiego rządu nie zmienił się. Miał nadzieję, że to samo dotyczyło jego syna.

– Soheil. Więc to jego chcesz znowu zobaczyć, a nie starego sprzedawcę gazet? Znowu chcesz narazić go na niebezpieczeństwo? A jeśli oni pójdą za tobą albo za Soheilem, to czy zrobisz dla nas więcej, by nas uratować, niż zrobiłeś dla Ebrahima, Jaghouba czy Cirrusa? – Heydar wymienił imiona brytyjskich współpracowników, którzy zniknęli w lochach VEVAK, ludzi, którzy bez wątpienia zginęli bardzo bolesną śmiercią.

– Hejdarze, VEVAK mnie nie odkryło. Przeniknęli do nas, ponieważ ktoś z kręgu był nieostrożny, ale nie ja. Robiłem to przez dwadzieścia lat w Libanie, Iraku, Bośni. Przeżyłem nie dlatego, że byłem beztroski. Przeżyłem, bo jestem w tym dobry. Soheil może wybrać miejsce, które uważa za najbezpieczniejsze. – Brian nie był tu uprzejmym dyplomatą ani nieśmiałym południowym Afrykańczykiem. Był człowiekiem, który rekrutował agentów w niebezpiecznych miejscach i kazał im podejmować ryzyko.

– Dziś w nocy – powiedział stanowczo gazeciarz. – Powiedziałem mu, że tu byłeś, że podałeś mi hasło. Prosiłem go, żeby się z tobą nie spotykał. Nie wyniknie z tego nic dobrego. Ale on się uparł. Tu masz adres. Dziś o dziesiątej. – Wręczył Brianowi kawałek papieru. – Teraz idź.

Brian przeczytał adres, potem wyjął zapałkę z pudełka leżącego obok fajki starego. Podpalił kartkę i rzucił ją na betonową podłogę.

– *Moteszakkeram* – powiedział i wyszedł.

Nie jutro wieczorem. Do tej pory chciał już odjechać. Pomyślał znów o kamerach na lotnisku i przejechał rękoma po łysej głowie. Potem sprawdził charakteryzację nosa. Na bazarze było ciepło.

Na pokładzie samolotu nr 3676 Amerykańskich Sił Powietrznych
Narodowy Punkt Dowodzenia Lotniczego (E-4B)
38 000 stóp nad północnym Atlantykiem

– Brad Adams, cieszę się, że cię widzę, stary. Właśnie usłyszałem, że jesteś na pokładzie. – Jednogwiazdkowy generał miał na sobie obcisły zielony kombinezon. – Gratuluję kariery. U mnie mały zastój. Powinienem mieć już więcej gwiazdek, ale chyba mnie to ominie. Ale to mój samolot, więc chciałem cię oprowadzić. Przykro mi, że nie mamy lepszych warunków dla kontradmirałów, ale szef zajął przedni apartament.

Adams szybko zerknął na tabliczkę identyfikacyjną, przyczepioną do kombinezonu i przypomniał sobie George'a Duke'a z roku spędzonego na Uniwersytecie Lotniczym w Alabamie. Obaj zaczynali wtedy karierę, on jako kapitan marynarki, a Duke jako pułkownik lotnictwa. Mieszkali w sąsiednich domkach.

– Dobrze pamiętam twoją córeczkę, Shawndrę? Moja Jackie ją uwielbiała – powiedział Adams, podnosząc się z brzegu kanapy, na której siedział w tyle samolotu.

– Taa, moja żona nie była zadowolona z tych międzyrasowych randek. Jest staroświecka. Dzięki małej Shawndrze w zeszłym roku zostałem dziadkiem. Rany, poczułem się stary. Oprowadzić cię? – spytał generał Duke, ruszając w stronę drzwi w przegrodzie.

– Ta dziecinka przeszła kompletną renowację. To nadal 747-2000, ale odnowiony. Odnowiony kadłub. Nowe silniki, nowa łączność, nowe komputery. W czasie zimnej wojny nazywała się „Rzepka", zaprojektowano ją do prowadzenia wojny jądrowej. Z tej kabiny mogliśmy odpalić bezpośrednio balistyczne rakiety międzykontynentalne. Nadal możemy, ale to nie jest nasze podstawowe zadanie. Jesteśmy „ruchomym centrum zarządzania kryzysowego". Wciąż nazywamy tę kabinę sztabem wojennym, a ja jestem jej dyrektorem, ale zwykle latamy w zespole Federalnej Agencji Zagrożeń na obszary nawiedzane przez huragany i zapewniamy im warunki pracy i łączność, dopóki nie uporają się z problemem.

Kabina sztabu wojennego pełna była biurek z rozmaitymi konsolami komputerowymi, słuchawkami i mikrofonami. Zwisające z sufitu siedzenia przypominały siatkowe kokony. Światło ledwo się ćmiło, w kabinie panowała cisza, oprócz szumu wentylacji i buczenia samolotu lecącego na dużej wysokości. Tylko kilka miejsc było zajętych. Adams widział większość personelu drzemiącego w kabinie w ogonie.

– Zaraz powinniśmy natknąć się na KC-10, żeby zatankować. Jeśli nie widziałeś nigdy spotkania dwóch odrzutowców w powietrzu, zabiorę cię na górę, żebyś sobie obejrzał uzupełnianie paliwa – zaproponował Duke, gdy przechodzili wzdłuż kadłuba. Przeszli przez kolejne drzwi do mniejszego pokoju, który służył zapewne do odpraw i konferencji.

– Nazywamy to Pokojem Siedzenia, bo tylko tyle tu można robić. A tak w ogóle to jest wzorowany na Pokoju Sytuacyjnym Białego Domu. – Pokój był pusty.

– Bardzo ładny, George – odparł Adams i poszedł śladem generała, siadając w wielkim skórzanym fotelu przy drewnianym stole na wysoki połysk. – Powiedz mi, czemu sekretarz obrony leci tym do Turcji?

– My i tak mieliśmy lecieć. Gdyby nie on, to zataczalibyśmy ósemki nad Oklahomą przez czterdzieści godzin. W końcu to dla sekretarza zbudowano ten samolot. Mało prawdopodobne, żeby używał go prezydent. Nawet w przypadku kryzysu pewnie zostałby w Air Force One albo w jakiejś jaskini. Sekretarz obrony może wydawać rozkazy, nawet odpalić broń jądrową. Gdyby coś się miało stać podczas jego podróży, to lepiej mieć go tutaj niż w jakimś wychuchanym 757 z dwoma kanałami łączności satelitarnej. Poza tym, Brad, powinieneś widzieć, jak ludzie reagują na ten samolot. Do Turcji wszyscy ministrowie przybędą gulfstreamami albo innymi rządowymi odrzutowcami. A nasz człowiek wysiądzie z wielkiego biało-niebieskiego 747 z napisem Stany Zjednoczone na boku. To nie Air Force One, ale bardzo go przypomina.

– To ma sens. A pewnie z przodu jest wygodniej niż w tym samolocie, który kupiliśmy dla kongresmenów – zaśmiał się Brad.

– Sekretarz Conrad go uwielbia – stwierdził Duke. – Zarezerwował sobie tego ptaszka na następne cztery tygodnie. Z Turcji lecimy do Egiptu. Potem nie znamy celu. Kazał wziąć mapy lotnicze i plany lotnisk z Półwyspu Arabskiego.

– Jeśli będziesz w Bahrajnie, wpadnij do mnie – powiedział Adams, myśląc o miejscach na Półwyspie Arabskim. – Oprowadzę cię po moim punkcie dowodzenia. Jest nieco dłuższy, nie taki ładny, ale lepiej pływa.

Do kabiny wszedł major Chun.

– Admirale Adams, sekretarz chce się z panem zobaczyć.

Chun zaprowadził Adamsa do kolejnej sali konferencyjnej, a potem przez drzwi z napisem NCD.

– To Narodowe Centrum Dowodzenia. Za rogiem jest biuro sekretarza.

– Brad, Brad Adams, prawda? – spytał sekretarz obrony Henry Conrad, gdy admirał wszedł do wąskiego korytarza. Wyciągnął rękę. Dłoń miał silną, stwardniałą. Sekretarz nosił skórzaną kurtkę lotniczą, niebieską koszulę i spodnie khaki. Wyglądał, jakby wybierał się na pięćdziesiątą rocznicę ukończenia podstawówki. – Niech pan wchodzi. Jadł już pan? Właśnie miałem coś przegryźć, przyłączy się pan?

Kabina sekretarza była mała, z dwuosobowym stolikiem, wielkim łóżkiem i ścianą pełną płaskich ekranów i telefonów. Jeden z monitorów pokazywał mały biały samolot. Na pozostałych widniały ciemne chmury – widok z dzioba i spod brzucha samolotu. Dwa obiady stały na stoliku, osłonięte pokrywami.

– Mam nadzieję, że lubi pan steki, admirale. Ja uwielbiam czerwone mięso. Nie ufam facetom, którzy ich nie jadają. – Sekretarz zdjął obie pokrywy, odsłaniając grillowane steki z tłuczonymi ziemniakami. Stewart podał dwie butelki zimnego heinekena.

– Zdrowie. – Henry Conrad wzniósł toast.

Mówił, jedząc i krojąc stek.

– Przepraszam, że tak pana porwałem, ale nie miałem czasu w biurze. Musiałem jechać do Białego Domu na jakieś cholerne spotkanie ważniaków z Rady Bezpieczeństwa Narodowego na temat Kolumbii. Gówno mnie obchodzi Kolumbia. Bliski Wschód przypomina beczkę prochu, Chińczycy siusiają nam do mleka, a doradca do spraw bezpieczeństwa narodowego zwołuje nagłe spotkanie w sprawie Kolumbii, bo jakiś facet od narkotyków z Departamentu Stanu został zakładnikiem i chcą wyciągać kasztany z ognia naszymi rękoma.

Adams zjadł wcześniej kanapkę, ale stek był tak dobry, że pochłaniał go z przyjemnością, słuchając tego towarzyskiego olbrzyma. Nie przypominał sobie, żeby kiedyś pił heinekena na pokładzie amerykańskiego samolotu lub okrętu.

– Przejdę do rzeczy, Brad. Chińczycy mieli ostre wejście. Ich gospodarka od prawie dwóch dekad rozwija się w oszałamiającym tempie. Mają fantastycznych szpiegów gospodarczych u nas w kraju. Kradną przepisy, formuły i projekty we wszystkich kompaniach. Stworzyli przemysł motoryzacyjny i teraz eksportują samochody.

Zdumiewające. Ich auta w kraju, plus przemysł, wysysają ropę i gaz jak nigdy dotąd. Importują na tym samym poziomie, co my.

– Było dobrze, dopóki większość rezerw mieli Saudyjczycy, a my mieliśmy na nie długoterminowe kontrakty. Teraz Chińczycy starają się o wyłączne umowy na tę ropę. Od przewrotu płacimy kupę pieniędzy, ponieważ musimy kupować ropę na miejscowym rynku. – Wypluł kawałek chrząstki. – Jeśli jednak Chińczycy ściągną ją z rynku, my zostaniemy z ręką w nocniku i będziemy płacić astronomiczne sumy.

Stewart pojawił się ponownie z sernikiem w malinowym sosie. Conrad oddał mu pusty talerz po steku.

– No i teraz usłyszeliśmy od tego chińskiego admirała, którego zwerbowali Australijcy, że Pekin zamierza przemycić wojska do Arabii Saudyjskiej. Mają służyć jako coś w rodzaju gwardii pretoriańskiej dla tych terrorystów, którzy zajęli Rijad. Nasi bojownicy o wolność będą mieli cholerne problemy z wywaleniem terrorystów, jeśli będzie ich chroniła Chińska Armia Ludowa!

Adams zastanawiał się, kim są nasi bojownicy o wolność, ale Conrad nabrał rozpędu i nie należało mu przerywać pytaniami.

– Na domiar złego wysyłają jeszcze pół swojej pieprzonej floty na Ocean Indyjski i prawdopodobnie do Arabii Saudyjskiej. Reżim w Rijadzie będzie więc jeszcze miał osłonę powietrzną, z lotniskowców. Może planują tam stacjonować dla ochrony swych linii komunikacyjnych, swego naftowego szlaku do Chin. Kto wie? Chce pan kawy bezkofeinowej? – Nie czekając na odpowiedź, Conrad nacisnął przycisk interkomu i zamówił kawę. – Może, ale tylko może, zamierzają dać muzułmanom głowice jądrowe do tych rakiet, które im właśnie sprzedali. Czyż to nie cudowne, kolejna szaleńcza dyktatura związana z terroryzmem i z bronią jądrową? Nie możemy do tego dopuścić, Brad. Mowy nie ma, po moim trupie. Moi poprzednicy przyglądali się, jak Koreańczycy z północy, Pakistańczycy i Irańczycy zdobywają broń atomową. Teraz ryzyko jest za duże.

Wreszcie admirał Adams zdołał dorwać się do głosu:

– Wysłuchałem informacji o chińskiej flocie i danych wywiadu na temat ich planów. Ta flota, którą wysłali na Ocean Indyjski, wygląda całkiem nieźle.

Conrad potrząsnął głową.

– Całkiem nieźle, faktycznie, ale bez doświadczenia bojowego. Gdybym wydał panu rozkaz, to pośle ją pan na dno? – Sekretarz nachylił się nad stolikiem, niemal dotykając twarzy Adamsa. Admirał poczuł zapach heinekena.

Adams milczał przez chwilę, a potem odpowiedział wolno:

– Tylko wtedy, jeśli będę mógł strzelać pierwszy i zdołam znaleźć ich okręty podwodne, czyli będę miał dostęp do ściśle tajnych informacji, a poza tym jeśli będę miał swoją grupę bojową na Oceanie Indyjskim, a nie w Zatoce.

Conrad uśmiechnął się szeroko; spodobało mu się to, co usłyszał.

– Trzy okręty podwodne CinCPAC śledzą ich na Morzu Południowochińskim. Na razie wiemy, gdzie są ich okręty podwodne, a oni nie wiedzą, że my wiemy. Nasze jednostki będą tropić ich na Oceanie Indyjskim, a potem wzmocnią nasze siły – powiedział sekretarz, pukając w jeden z monitorów, który pokazywał mapę z ikonkami okrętów rozrzuconych wzdłuż cieśniny Malakka. – Niech pan posłucha, Adams, pańska grupa bojowa i wszystkie nasze siły w Zatoce opuszczą ją. Powiemy wszystkim, że udajecie się na manewry Bright Star na Morzu Czerwonym. Chcę, żeby pan rozwinął szyk i natrafił na ich dwie grupy bojowe. Nie wiem, ile czasu potrwa zdobycie rozkazu dla pana. Wciąż leży na biurku POTUS-a. Wokół niego kłębi się kupa strachliwych frajerów. Mają nowego profesorka jako doradcę do spraw bezpieczeństwa... Nie będzie pan miał żadnych kłopotów, skoro dostał pan rozkaz ode mnie, prawda, Brad? – Kiedy Conrad zadał pytanie, samolot wpadł w dziurę powietrzną i zaczął się trząść.

– Panie sekretarzu, rozkazał mi pan ruszyć flotę i rozwinąć szyk, a ja mogę wypełnić ten rozkaz. Jednak żeby oddać pierwszy strzał, będę musiał mieć rozkaz z Narodowego Centrum Dowodzenia. Jeśli zaczną pierwsi albo jeśli wystrzelą rakiety z głowicami jądrowymi, to z mojej floty niewiele zostanie. W każdym przypadku, sir, po takiej wymianie strzałów, nuklearnych lub nie, będziemy w stanie wojny z Chinami, która prawdopodobnie będzie jądrowa.

Henry Conrad milczał przez minutę.

– Dostanie pan wszystkie niezbędne rozkazy, admirale. Z Narodowego Centrum Dowodzenia. Kwestię wojny z Chinami niech pan mi zostawi. Mowy nie ma, żeby się wykazali taką głupotą. Wyeliminujemy ich rakiety jądrowe w ciągu paru minut, a potem usmażymy ich infrastrukturę przemysłową, cofając ich do 1945 roku. Oni o tym wiedzą.

– Tak jest, sir – odparł Adams.

Conrad wstał.

– Świetnie. Teraz niech pan się zdrzemnie, jeśli zdoła pan zasnąć w tym ryczącym pudle. – Sekretarz obrony objął admirała Adamsa i odprowadził go do drzwi gabinetu. – Widzi pan, co jest napisane na drzwiach? NCD. Narodowe Centrum Dowodzenia. To władza, którą prezydent dzieli się z sekretarzem obrony. Jeden z moich poprzedników próbował pozbyć się tego tytułu i regionalnych głównodowodzących. Ja wszystko przywróciłem. To nieźle brzmi: głównodowodzący na Pacyfiku. – Conrad mrugnął. – Głównodowodzący Adams. To też chyba nieźle brzmi? Zrobi pan dla mnie, co trzeba, Brad, prawda? – Conrad klepnął go w plecy i odwrócił się, wracając do gabinetu NCD.

Adams ruszył w stronę swego miejsca w ogonie, trzymając się ściany, gdyż samolot wciąż drżał. W wąskim korytarzu między dwiema salami konferencyjnymi odsunął się, by przepuścić cywila z naprzeciwka. Kiedy samolot ponownie podskoczył, mężczyzn rzuciło na przeciwległe ściany.

– Admirale Adams – powitał go podsekretarz Kashigian.

– Panie sekretarzu – rzucił Adams, zaskoczony, że został rozpoznany.

– Podobało się panu w Tampie? Doskonałe restauracje. Chociaż czasem potrawy są zbyt pikantne. Do zobaczenia w Turcji, admirale. – Kashigian skierował się w stronę Narodowego Centrum Dowodzenia.

10

15 LUTEGO

Owoce Persji Sp. z o.o.
Dzielnica Dolab
Teheran, Iran

– Nie dostarczę panu czerwonych orzechów – upierał się Bardia Nakdi. – Jeśli pan chce, musi pan sam je sobie zrobić.

– To bardzo zwiększy nasze koszty – odpowiedział Simon Manley.

– Musi pan nauczyć rynek południowoafrykański, żeby jadł orzechy w naturalnym kolorze. Wie pan, kto zaczął malować je na czerwono? Hę? Amerykanie. Nie Persowie, nie my. – Nakdi walnął ręką w stół.

Brian Douglas, w roli Simona Manleya, spojrzał na swojego partnera w interesach i czekał na decyzję.

– I jak, Bowers, myślisz, że możemy skłonić nasz rynek, żeby chciał naturalne orzechy?

– Tak, Simonie. Południowoafrykański konsument jest teraz bardzo wyczulony na punkcie zdrowego odżywiania. Jak powiemy mu, że czerwone są farbowane, nie będzie ich chciał – odpowiedział Bowers, spoglądając znad swoich zapisków. – Ale jest jeszcze kwestia aflatoksyny, która, jak pan wie, jest rakotwórcza. Unia Europejska miała problemy z waszymi pistacjami, które nie mieściły się w normach.

Nakdi wyrzucił ramiona do góry.

– O Allahu, pomóż mi! My, Persowie, jemy nasze pistacje od pięciu tysięcy lat. A nawet jeszcze dłużej. I co, padamy jak muchy od waszej aflatoksyny? Pistacje to owoce kochanków. To afrodyzjak królowej Saby. Kiedy dwoje kochanków stoi nocą pod drzewem pistacjowym i usłyszą otwierające się orzechy, zapewni im to długie życie razem, długie życie w dobrym zdrowiu, panie Bowers.

– Wszystko bardzo pięknie, ale musimy zażądać adnotacji w kontrakcie, że nie ponosimy odpowiedzialności za żadne artykuły żywnościowe odrzucone przez południowoafrykańskie władze ze względów zdrowotnych – powiedział Bowers, robiąc kolejną notatkę.

Douglas zerknął na zegarek. Był prawie wpół do dziesiątej wieczorem.

– No dobrze. Możemy przejść do listy pierwszego transportu? Tysiąc kilogramów pistacji w łupinach, pięćset kilogramów łuskanych, pół tony słodkich i gorzkich migdałów, pół na pół, tonę rodzynek sułtańskich, dwieście kilogramów suszonych fig. Dwadzieścia procent zaliczki przelewem po podpisaniu kontraktu, osiemdziesiąt procent po zawiadomieniu przez umówionego spedytora, że transport jest w drodze. Stoi?

– Stoi, dzięki, Allahu, że to już koniec. Musiałbym zamówić jeszcze śniadanie – zażartował Nakdi, wskazując na resztki po kolacji, którą zjedli wcześniej w sali konferencyjnej.

– Możemy spodziewać się, że przyślecie kontrakt jutro rano do hotelu? – spytał Bowers, zamykając notatki i wstając zza stołu.

– Tak. A my możemy spodziewać się przelewu na nasze konto pod koniec dnia? – zapytał Nakdi, odprowadzając południowoafrykańskich gości do drzwi.

– Najpóźniej pojutrze – zapewnił Simon Manley, ściskając rękę Nakdiego.

Nakdi otworzył drzwi na balkon, który wychodził na ciemny magazyn pełen worków i skrzynek. Mocno zapachniało owocami. Chłodne powietrze otrzeźwiło mężczyzn, którzy rozmawiali i palili prawie sześć godzin.

– Traficie z powrotem do miasta? – spytał Nakdi przy wyjściu. – Jest nieprzyjemnie. Poginęły niektóre drogowskazy. Część latarni nie działa. Nikt nie dba o tę dzielnicę, chociaż tylko my zarabiamy tu w obcej walucie.

– Mamy mapę – uspokoił go Douglas. – I trochę znamy okolicę. *Salaam.*

Bowers i Douglas wsiedli do małego wynajętego samochodu i ruszyli w stronę hotelu. Kiedy Bowers zapalił silnik, Douglas rozwinął wielką mapę i zaczął ją studiować przy świetle małej latarki. Nakdi wrócił do swojego królestwa orzechów i suszonych owoców.

Bowers zerknął w lusterko. Na ulicy nie było żadnego innego samochodu. Nikt nie pracował o tej porze w przemysłowej dzielnicy.

– W porządku, panie pilocie – powiedział do Douglasa. – Zobaczymy, czy nas stąd wyprowadzisz. W którą stronę?

Przez dziesięć minut krążyli wyboistymi ulicami, dwa razy wjeżdżając w ślepe zaułki. Gdyby ktoś ich obserwował, pomyślałby, że zabłądzili. Jeśli ktoś by istotnie to robił, musiałby się pokazać na wielu z licznych pętli, jakie wykonał Bowers. Wreszcie znaleźli się na głównej drodze, ale, najwyraźniej przez pomyłkę, skierowali się na północny wschód, zamiast na północny zachód, w stronę centrum Teheranu. Kiedy minęli znak mówiący, że wjeżdżają do dzielnicy Doszan Tappeh, zatrzymali się i zaczęli oglądać mapę. Na wypadek gdyby ktoś ich podsłuchiwał, dostosowali rozmowę do sytuacji.

– Ty idioto! Jeździliśmy w kółko! – W samochodzie rozległ się głos Bowersa. – Do niczego się nie nadajesz! Najpierw prawie zawaliłeś ten głupi kontrakt, a teraz nie potrafisz trafić do hotelu!

– Sam byś tej umowy nie podpisał, Bowers – odgryzł się Simon Manley. – I pewnie też byś nie umiał trafić do hotelu. Musimy znaleźć drogę! – Z tymi słowami Brian Douglas, jako Simon Manley, chwycił płaszcz i kapelusz z tylnego siedzenia i wyskoczył z samochodu, trzaskając drzwiami. Ruszył ulicą na wschód. Bowers czekał kilka minut, a potem zawrócił i ruszył powoli przed siebie. Obserwował ulicę w lusterkach, nie zauważył niczego podejrzanego.

Douglas szedł dwadzieścia minut, z rękami ukrytymi pod irańskim płaszczem i z kapeluszem naciągniętym na oczy. Zaspy na poboczu drogi były tu wyższe i bielsze niż w mieście. Pomyślał o innych zimnych nocach w Mosulu, w Baku, gdzie jego irańska siatka zaczęła się rozwiązywać. O 22.10 zatrzymał się na przystanku, a o 22.14 odjechał zielonym, miejskim autobusem. Douglas zapłacił za przejazd i przeszedł obok siedmiu pasażerów do miejsca w tyle autobusu. O 22.29 autobus zajechał na pętlę w peryferyjnym miasteczku Doszan Tappeh.

Wokół przystanku pojawiły się pewne oznaki życia. Świeciły światła w dwóch kawiarniach, mały sklep wyglądał na otwarty. Douglas wszedł do jednej z kawiarni i zamówił przy barze herbatę i baklawę. Nikt się za nim nie pojawił. Patrzył się przez szybę na zewnątrz, nie widział tam nikogo. Za autobusem nie przyjechał żaden samochód. O 22.42 Douglas zostawił niewielki napiwek, życzył mężczyźnie za ladą dobrej nocy i wyszedł z kawiarni.

Na zewnątrz ruszył w lewo na mały placyk, a potem znowu w lewo, w boczną uliczkę. Nikt go nie śledził. O 22.54 Brian Douglas skręcił za róg do dzielnicy mieszkaniowej i błyskawicznie pchnął furtkę pierwszego domu. Była otwarta i prowadziła do słabo oświetlonego korytarza z białymi stiukami. W połowie korytarza, który wiódł na dziedziniec, Douglas przekręcił klamkę w drzwiach po prawej stronie.

– Punktualny jak zawsze – powiedział Soheil Chodadad, podchodząc do brytyjskiego agenta przez jasno oświetlony pokój.

– Fajnie, że masz tu tak ciepło, Soheilu. Zaczynałem zamarzać. – Mężczyźni serdecznie uścisnęli sobie ręce.

– Usiądź, proszę, przy ogniu. Zrobię herbatę. Moja żona jest u matki, inaczej dostałbyś coś do jedzenia. – Chodadad wziął od gościa płaszcz i kapelusz. – Ojciec nie był zadowolony, że znowu cię zobaczył. Nazwał cię duchem, który pojawia się jako zwiastun śmierci. – Irańczyk, około czterdziestki, wyglądał bardzo korzystnie. Usiadł na krześle wśród książek i czasopism. – Ale cieszę się, że cię widzę. Mamy o czym rozmawiać. Nie wiedziałem, jak się z tobą skontaktować. Zostań na noc. Wrócisz do miasta rano w porannym szczycie. Wyglądałbyś dziwnie, błąkając się po ulicy o tej porze.

Douglas zgodził się. Zauważył, że telefon został wyłączony z gniazdka, a zasłony opuszczono. Przy oknie gadało radio. Nad kominkiem wisiała stara strzelba myśliwska.

– Po Baku i tych aresztowaniach uznaliśmy, że bezpieczniej będzie zerwać kontakt na jakiś czas – powiedział cicho Douglas, siadając na krześle naprzeciwko Chodadada. – Powiedziałem już twojemu ojcu, że inni o tobie nie wiedzieli, więc byłeś bezpieczny. Ale ci z nas, którzy spotykali się z tobą, i inni, ci, którzy przychodzili do skrzynek kontaktowych i na spotkania w Dubaju, Istambule i Baku... być może o nas wiedzieli. Gdyby się okazało, że coś ci grozi, wydostalibyśmy cię stąd. W jakiś sposób.

– Dobrze, że nie próbowaliście. Jestem poza wszelkimi podejrzeniami. Do tego dzięki moim przyjaciołom z medresy[18] Hakkani dostałem awans. – Soheil zachichotał.

– Byłeś tam przez jakiś czas, prawda? W szkole teologicznej w Kom? – Douglas przypomniał sobie szczegóły z teczki Chodadada.

– Tak, przez dwa lata przed powrotem na uniwersytet. Stamtąd VEVAK, nasze Ministerstwo Wywiadu i Bezpieczeństwa, rekrutuje większość swoich ludzi. Moi przyjaciele z uczelni obstawiają teraz średni szczebel kierowniczy w VEVAK. Kiedy potrzebowali jakiegoś współpracownika w Ministerstwie Spraw Zagranicznych, znaleźli wicedyrektora do spraw zbierania informacji. Mnie. – Soheil otworzył ramiona. – Masz przed sobą dyrektora Departamentu 108, główną wtyczkę VEVAK.

Brian Douglas wybuchnął śmiechem.

– Za twój awans na to stanowisko dostałbym premię, gdybym nadal prowadził siatkę. Niewiarygodne. Departament 108 to jedno z najbardziej tajemniczych miejsc, o jakich słyszeliśmy, ale nigdy nie mogliśmy go rozgryźć. A teraz ty nim kierujesz?

– VEVAK nim kieruje, Andrew. – Soheil użył imienia, pod jakim znał Briana Douglasa vel Simona Manleya. – Jestem zaufanym pracownikiem ministerstwa. Ale jednocześnie mam wgląd w sprawy VEVAK z innej strony. I to, co tam się teraz dzieje, przeraża mnie. – Brian usiadł na krześle. Rozmawiał już z tyloma agentami, że potrafił rozpoznawać sygnały. Ten człowiek za chwilę opowie mu wszystko, co gromadził przez jakiś czas.

– Wybraliśmy prezydenta i *majlis*, Andrew. Nie ma to najmniejszego znaczenia. Mamy ministra spraw zagranicznych, Najwyższą Radę Bezpieczeństwa Narodowego. Nie ma to najmniejszego znaczenia. Mamy rząd wewnątrz rządu. To *fakih*, naczelny przywódca, nasz wielki ajatollah. Oraz Rada Strażników, jego sługusy. Oni wetują *majlis*. Ustalają, kto może kandydować na *majlis*. Kiedy organy ścigania zabijają młodych niewinnych studentów w ich sypialniach, ponieważ byli dysydentami, *fakih* pozwala im to robić bezkarnie. VEVAK do-

[18] Medresa – muzułmańska wyższa szkoła teologiczno-prawnicza.

puszcza się seryjnych morderstw pisarzy. Czy wiesz, kto u nas prowadzi politykę zagraniczną? Nie minister. Generał Hedvai, dowódca Sił Kods z Pasdaranu.

Brian kiwnął głową.

– Jego nazwisko jest dość popularne. Dowódca Sił Jerozolimy z Irańskiej Gwardii Rewolucyjnej. Kiedy tropiłem Al-Kaidę w Iraku, przynajmniej trzy razy przemknął tam jego cień.

– Oczywiście! – potwierdził Soheil. – Kods to najważniejsze zaplecze Al-Kaidy. Podobnie jak Hezbollah, Islamski Palestyński Dżihad i Hamas. Mają nieograniczony budżet. Prowadzą narkotykowe i czarnorynkowe operacje na całym świecie. W Brazylii. W Wielkiej Brytanii. W Nowym Jorku. – Soheil wstał i pogrzebał w ogniu. Potem usiadł na podnóżku przed Douglasem. – Andrew, teraz Kods planuje zjednoczyć wszystkich szyitów w Zatoce. Przeprowadzili już *coup de main* w Iraku i zainstalowali tam szyicki, lojalny wobec nich rząd. Amerykanie zaakceptowali to, ponieważ mogli wtedy uznać sytuację za ustabilizowaną i odesłać większość wojska do ojczyzny. Potem Bagdad kazał im wynieść się całkowicie. Ale tego, co Kods i *fakih* chcą zrobić teraz, Amerykanie nie mogą zignorować. Próbują więc znaleźć sposób, żeby ich zaszachować. A potem wyrżnąć. Ma się to stać już wkrótce. Wszystko to znajduje się w dokumentach na tym dysku. Będziesz musiał je przeczytać i złożyć do kupy, więc pozwól, że ci wyjaśnię.

Brian Douglas pomyślał, że gdyby miał czas na skontaktowanie się tylko z jednym człowiekiem ze starej siatki, to wybrałby właśnie Soheila. Był bystry i żarliwie kochał Iran. Jako nastolatek był opiekunem, a potem starszym bratem dziecka z sąsiedztwa. Chłopiec znalazł się wśród ofiar najazdu policji na teherański akademik w 1999 roku. Wypadek stał się objawieniem dla Soheila. Wszystko, co przemyślał jako młodszy oficer w Ministerstwie Spraw Zagranicznych, wszystko, co gotów był zapłacić za uwolnienie Iranu od obcych wpływów, legło w gruzach. Obietnice rewolucji upadły, ludzie zostali zdradzeni. Banda przestępców z imperialnymi zapędami i religijnymi przywilejami ukradła władzę, prawdziwą władzę.

Tak więc podczas przerwy na lunch podczas Konferencji Islamskiej w Stambule Soheil Chodadad poszedł do starego konsulatu brytyjskiego i zaczepił brytyjskiego dyplomatę. Przez kolejne pięć lat okazał się fantastycznym źródłem informacji. A teraz został wtyczką, jaką SIS miewało raz na dziesięciolecie. Brian Douglas odkrył żyłę złota. Popijał herbatę, a z Soheila wylewały się kolejne rewelacje. Brian zaczął się zastanawiać, jak najszybciej przekazać nowiny do Vauxhall Cross. Nijak. Nawet zbliżenie się do ambasady brytyjskiej byłoby szaleństwem. Więcej. Groziło śmiercią.

Ogień wygasł około drugiej. Wtedy Soheil skończył swą opowieść, a Brian wypytał go o wszystko kilkakrotnie. Skąd to wie? Czy to mogło być tylko czcze gadanie ludzi, których podsłuchiwał? Skąd VEVAK wiedziało, co robi reszta, armia? Co więcej, skąd przyjaciele Soheila w VEVAK wiedzieli, co planują Siły Kods? Dlaczego powiedzieli o tym Soheilowi? Czy możliwe, że nakarmiono go fałszywymi danymi? Skąd pewność, że go nie podejrzewano? Jak uzyskał kopie dokumentów? Czy to nie ryzykowne, zeskanować je na własnym komputerze? Kto, poza jego ojcem, wiedział, że ma te plany?

– Andrew, dość – powiedział Soheil, trąc oczy. – Połóż się na tapczanie. Masz tu koc. Powinieneś odjechać koło szóstej, w największym tłoku. My z Ministerstwa Spraw Zagranicznych jeździmy później, po ósmej. I, Andrew, jeśli możesz tego użyć, by ich powstrzymać, *loftan*, musisz ich powstrzymać. Albo cały region znów stanie w płomieniach. – Włożył pendrive'a w dłoń Briana, objął go i poszedł na górę.

Niemal cztery godziny później Brian włożył gruby płaszcz i kapelusz. Ucieszył się, że jego jednodniowa blond broda jest słabo widoczna. Mimo to czuł ją, podobnie jak zapach nocnego potu na koszuli. Cicho przeszedł korytarz i poczuł poranny chłód. Potem wyszedł w uliczkę i skręcił w prawo do pętli autobusowej. Kilka innych osób zdążało w tym samym kierunku. Nagle zobaczył czarne mitsubishi pajero. W środku siedziało dwóch mężczyzn. Brian poczuł ostre ukłucie w brzuchu i napiął mięśnie. Nie przestał iść. Pajero minęło go.

Kątem oka zauważył, że samochód skręcił w lewo. Brian znajdował się na rogu. Do autobusu musiał iść w lewo. Przystanął. Coś go tknęło. Skręcił w prawo, i znów w prawo, obchodząc kwartał w stronę domu Soheila. Kiedy dotarł do rogu, ujrzał pajero. Stało przed domem, gdzie spotkał się z Soheilem. Samochód był pusty.

Douglas pomyślał, że gdyby VEVAK miało aresztować Soheila, nie przysłałoby tylko jednego samochodu i dwóch ludzi. Myśli mu galopowały, serce biło szybko. Gdyby ci dwaj byli z bezpieki, to widząc go ponownie, mogliby go zatrzymać i przesłuchać. W prawej skarpetce miał dysk. Powinien odejść stąd. Teraz.

Odwrócił się w stronę autobusu. *Puff, puff!* Stłumione przez ściany budynku, ale jednak strzały. Douglas zamarł. *Puff!* Jeszcze jeden strzał. Powinien natychmiast się stąd zmyć, jak najszybciej. Ale pomyślał o Baku i o tym, jak zginęli jego agenci, niektórzy po torturach.

Douglas pobiegł w stronę domu. Kapelusz sfrunął mu z głowy. Jakaś kobieta krzyczała na ulicy. Nie miał broni, ponieważ trudno by mu się było wytłumaczyć z jej posiadania w razie zatrzymania. Gdzieś w głowie brzmiał mu głos: „Co ty, do cholery, robisz?"

Pchnął furtkę. Korytarz był pusty. Podszedł do drzwi i stanął po ich lewej stronie. W środku panowała cisza. Douglas przekręcił klamkę i otworzył drzwi. Od razu zobaczył ciało, krew ciągle płynęła z tego, co zostało z głowy. Wszedł do środka i zamknął drzwi. Czuł zapach dymu i krwi. Soheil siedział w swoim fotelu, otoczony książkami. Głowa mu zwisała, krew lała się z ust i z tyłu czaszki. Na jego kolanach leżał pistolet.

Drugi mężczyzna leżał na tapczanie, na którym Douglas próbował się przespać. Miał wielką dziurę obok serca. Douglas zobaczył strzelbę leżącą na podłodze. Zbadał mężczyznę na tapczanie. Nie miał pulsu. Nie miał broni. Identyfikator w kieszeni marynarki mówił coś o służbie bezpieczeństwa, coś o Ministerstwie Spraw Zagranicznych. Soheil niewątpliwie był martwy. W jaki sposób namierzyli Soheila? W myślach zobaczył twarz Roddy'ego Touraine'a. I wtedy dotarło do niego, że słyszy syrenę, zupełnie blisko.

Szybko podszedł do drugiego mężczyzny. Również nie żył, ale miał w kaburze broń. Rozpoznał niemieckiego Heckler&Kocha 2000. Przypominał browninga typu High Power, tylko był nowocześniejszy. Zabrał go.

Syrena umilkła. Przed domem. Czy było tu gdzieś tylne wyjście? Przeszedł nad zwłokami i otworzył drugie drzwi. Prowadziły do kuchni. Usłyszał walenie do frontowych drzwi. Zobaczył prowadzące w dół schody. Dom stał na wzgórzu. Poniżej, na tyłach, znajdował się garaż i droga wyjazdowa. Rzucił się w dół schodami, ledwo dotykając ich nogami. Wyjął zza pasa HK i ścisnął go w dłoni w kieszeni płaszcza. Szybko wyjrzał przez okienko w drzwiach. Pusto. Otworzył je powoli i wyszedł na drogę. W ciągu kilku sekund znalazł się na bocznej uliczce prowadzącej do pętli autobusowej. Usłyszał kolejne syreny. Zwolnił krok. Teraz, w zimny poranek, w stronę autobusu zmierzało już więcej osób.

Z prawej strony zauważył pulsujące błękitne światło i zza rogu wynurzył się zielono-biały wóz policyjny na sygnale. Ścisnął mocniej pistolet w kieszeni.

Samochód przejechał obok, nie zwalniając. Douglas pomyślał, że jazda autobusem to nie najlepszy pomysł. Poczuł ogromną suchość w ustach. Lekko zwolnił i głęboko odetchnął. Wiedział, że jego reakcje są teraz błyskawiczne, adrenalina krążyła w żyłach. Musiał być ostrożny, rozsądny, nie działać instynktownie. Z tym, co ma w głowie, z tym, co ma w skarpetce, musi wyjechać dziś z Teheranu.

Po drugiej stronie ulicy jakiś mężczyzna otwierał żelazną bramę. Douglas szybko przeszedł przez ulicę.

– Witaj, przyjacielu – odezwał się w farsi do mężczyzny. Stanął na wąskim wyjeździe między stiukowymi ścianami. – Czy mógłbyś mnie podwieźć? Jestem już spóźniony... – Mężczyzna odwrócił się w drzwiach samochodu, gdy Douglas szybko ruszył w jego stronę.

– Nie. Kim jesteś? Daj mi spokój – krzyknął mężczyzna. Douglas wyjął pistolet. Uderzył niższego od siebie mężczyznę w skroń rękojeścią. Raz. Drugi. Chwycił upadające ciało. Rozejrzał się. Nikogo. Douglas z wysiłkiem wciągnął ciało do samochodu na podłogę za siedzeniami. Wrzucił wsteczny i wyjechał na ulicę. Samochód był starym mercedesem z silnikiem diesla.

Nagle pożałował, że zabrał broń. Gdyby pozostała w domu Soheila, policja mogłaby uznać, że w wypadek zamieszanych było tylko trzech zabitych mężczyzn. Teraz już nie. Pożegnał się z myślą o południowym odlocie do Dubaju z lotniska Imama Chomeiniego. Obstawią lotnisko, gdy tylko policja dowie się, że zabici pracowali dla

Ministerstwa Spraw Zagranicznych. I że na miejscu był czwarty człowiek. Skierował samochód w stronę przeciwną od Teheranu.

I wtedy usłyszał za sobą więcej syren.

Restauracja curry „Dżajpur"
Dubaj, Zjednoczone Emiraty Arabskie

– Życzy pan sobie jeszcze jednego kingfishera? – zapytał hinduski kelner. Najwyraźniej zależało mu, żeby Rusty zamówił coś więcej lub wyszedł. W restauracji pozostała garstka osób.

– Macie kawę bezkofeinową? – spytał Rusty. Kelner spojrzał na niego z miną, jakby zamówił wieprzowinę. – Hmm, niech więc będzie szkocka... jak jej tam... balvenie, może być? – Kelner uśmiechnął się i odszedł.

Russell MacIntyre patrzył na dawy i łodzie turystyczne na Zatoce. To była stara część Dubaju. Wąskie uliczki, niska zabudowa, królicze nory przy drodze na stary Złoty Suk. Po drugiej stronie Zatoki widział iglicę Burdż Dubaj, najwyższego budynku świata, zanim palmę pierwszeństwa przejął po nim chiński wieżowiec. Nagle poczuł się samotny i bezsilny. Czytał właśnie *Świat nocą*.

Brian Douglas nie pojawił się. Nie przysłał żadnej wiadomości. Sytuacja była nietypowa. Zaczął się zastanawiać, czy to nie było szaleństwo, żeby Douglas, wyższy oficer SIS, jechał z tajną misją do Teheranu. To przecież nierealne, że mógł poznać najskrytsze irańskie sprawy, błąkając się po mieście, w którym nie był od kilku lat. Może irańskie wojsko tylko przeprowadza ćwiczenia, my robimy to cały czas. Może agent Ahmeda bin Raszida nie przejrzał tak naprawdę żadnej irańskiej operacji, albo zmyślił wszystko, żeby zadowolić Raszida. Może...

Kiedy dostał swoją whisky, poczuł, że BlackBerry wibruje mu w kieszeni marynarki. Może to wiadomość od Sarah, z Somalii. Otworzył plik. Był to zaszyfrowany list od Susan Connor z jego biura.

Rusty, szef kazał do ciebie napisać. Nadal nie umie obsługiwać BlackBerry. Kazał ci przekazać, że było dziś FBI. Pytali o ciebie i twoje związki z senatorem Robinsonem. Chcieli wiedzieć, czy zostałeś upoważniony, żeby przekazywać mu informacje. Coś na temat Chin. Pytali, czy spotykasz się z terrorystami. Czy to część twojej misji. Rubenstein spławił ich, ale uważa, że twój przyjaciel sekretarz Conrad, cytuję: „Ma cię na oku", koniec cytatu. Nie jestem pewna, co to wszystko ma znaczyć. Mam nadzieję, że ty wiesz. Nie brzmi to najlepiej. U nas nic nowego, tylko antyislamijska propaganda nabiera coraz większego rozmachu. Kongresowe przesłuchania. Artykuły prasowe. Wywiady dla pewnych telewizji. Spekulacje na temat, czy te rakiety, które odkryliśmy, mają głowice jądrowe. Przeglądam wszystko, co dostarcza wywiad, i nie ma ani śladu, ani żadnego potwierdzenia, że w Islamii pojawiły się głowice jądrowe. Ale senator Gundersohn uważa, że istnieją powody, by „wejść tam, znaleźć je i zabrać". Przerażające, jeśli ktoś potraktowałby Gundersohna poważnie. Muszę iść. Uważaj na siebie. Susan.

MacIntyre wypił whisky duszkiem. Skąd wiedzieli, że powiedział senatorowi Robinsonowi o agencie DIA w Chinach? To było tylko techniczne uchybienie. Robinson nie został dopuszczony przez Departament Obrony do tej informacji, ale był przecież przewodniczącym Komisji do spraw Wywiadu. Spotkanie z terrorystami? Jezu, pomyślał, skąd do cholery się dowiedzieli, że się spotkałem z Ahmedem? Dał znak kelnerowi, że prosi o dolewkę.

BlackBerry znowu zawibrowało. Tym razem była to funkcja telefonu. Odebrał.

– Słyszałeś już? – To była Kate Delmarco.

– Nie. Siedzę i czekam na Briana, jeszcze się nie pokazał. Co się stało? – Rusty wstał i spojrzał na północ, w stronę biurowca Kate w nowej części Dubaju.

– Zestrzelono samolot marynarki. Twierdzą, że być może to Islamija. – Delmarco z trudnością łapała oddech. – Russellu, podobno na pokładzie był admirał Brad Adams. Leciał do Bahrajnu z jakiegoś spotkania NATO w Turcji. Nikt nie przeżył. Przeszukują Kuwejt.

MacIntyre poczuł gulę w gardle. Świat runął mu na głowę.

– Rusty, zbombardujemy Islamiję, jeśli to zrobili. Musimy się spotkać.

Pomyślał o tym, co Ahmed bin Raszid powiedział mu w sklepiku w Manamie. Jeśli Szura poczuje się przyciśnięta do muru, zdobędzie broń jądrową. A jeśli do tego dojdzie, to...

– Jestem... nie mogę zebrać myśli – wymamrotał MacIntyre. – Może zjemy jutro śniadanie? Tylko gdzie?

Zastanowiła się przez chwilę.

– U mnie w biurze, Media City, o ósmej trzydzieści.

– Dzięki. – Wyłączył funkcję telefonu. Wyjął z portfela plik dirhamów i rzucił je na stolik. Ruszył galerią z widokiem na Zatokę w stronę wyjścia.

Hinduski kelner ruszył za nim biegiem.

– Reszty nie trzeba – rzucił Rusty przez ramię.

– Tak, sir, ale pańska whisky?

MacIntyre wyjął z kieszeni marynarki wizytówkę i dał ją kelnerowi.

– Jeśli ktoś będzie mnie szukał, proszę dać mu ten numer. – Wziął szklankę i opróżnił ją, myśląc o człowieku, który częstował go balvenie w londyńskim klubie.

11

16 LUTEGO

Na pokładzie USS „Jimmy Carter", SSN-23
U wybrzeży Malezji
Morze Południowochińskie

– Tak jest, otworzyć Ocean Interface – marynarz powtórzył rozkaz i przesunął dźwignię na konsoli sterującej. Na zewnątrz kadłub okrętu podwodnego drgnął za kioskiem i wdarł się w wodę. Okręt o wyporności dwunastu tysięcy ton dalej płynął prosto, z prędkością czternastu węzłów, sto metrów pod powierzchnią morza.

– Kapitanie Hiang, Tony, właśnie robi się interesująco. Może pan tu usiąść i przyjrzeć się obrazowi na monitorze. – Kapitan Tom Witkovski zachęcił swojego singapurskiego gościa.

– Nie musicie więc zatrzymywać się, żeby uruchomić ASIP? – zapytał Hiang, siadając na krześle obserwatora.

– Nie. ASIP, zaawansowane platformy rozpoznawcze wywiadu podwodnego, parę lat temu nawet mi się nie śniły. Wypływają z naszego kadłuba tylko na silniku prowadzącym. Gdy tylko oderwą się od „Cartera", odpala ich napęd odrzutowy.

Komandor podporucznik, stojący obok konsoli sterujących, spojrzał na swojego kapitana. Kapitan kiwnął głową na znak, że można zaczynać.

– Przygotować się do uruchomienia ASIP-1 – powiedział do mata.

Pięć minut później wydał matowi ostatni rozkaz:

– Uruchomić ASIP-3.

– Jest ASIP-3 – powtórzył mat. – ASIP-3 uruchomione.

Dwóch kapitanów obserwowało zielone ikonki, które oderwały się od błękitnej ikony „Cartera". Rozdzieliły się i przyśpieszyły.

– Ponieważ wysyłają bardzo słabe sygnały akustyczne i sonarowe, nie ma szansy, żeby Chińczycy uznali je za lecące w ich stronę torpedy – wyjaśnił Witkovski. – Są całkowicie autonomiczne. Komunikują się tylko w sytuacji zagrożenia. Znają swoje zadanie i po prostu je wypełniają. Kiedy dopłyną na swoje miejsce przeznaczenia, włączą silnik prowadzący, by utrzymać się na pozycji. Tam poczekają na swoje cele i wypłyną im na spotkanie. Będą poruszać się przy ich dziobach, bakburtach, sterburtach i pod kilem. Następnie będą utrzymywać pozycje, dopóki Chińczycy nie ruszą. Wreszcie przemkniemy obok i wezwiemy je do powrotu. Chińczycy nigdy nie dowiedzą się, że byli podglądani.

Obraz na monitorze przeskoczył na widok o promieniu pięćdziesięciu kilometrów. Pojawiły się czerwone ikonki z przyczepionymi do nich alfanumerycznymi desygnatorami.

– To pierwsza grupa bojowa lotniskowca. Ten pośrodku to lotniskowiec „Czou Man". Z każdej strony ma dwa krążowniki o wyporności 8000 ton. Przewozi naddźwiękowe pociski HHQ-9 ziemia-powietrze. Śmiercionośne. Tutaj widać fregatę eskortową, okręt zaopatrzeniowy, dwa tankowce i tak zwany okręt wsparcia logistycznego, coś jak specjalny statek towarowy.

Kapitan Hiang wpatrywał się w ikony i małe zielone kropki, które oznaczały ASIP-y zmierzające w ich stronę.

– Czy ta grupa bojowa nie ma ze sobą okrętów podwodnych, kapitanie? – zapytał.

– Jeden z każdą grupą bojową. To nowe okręty szturmowe o napędzie atomowym, 8000 ton wyporności, typu 93, klasy Keng. Kopie rosyjskich Wiktorów trójek, ale hałaśliwe jak jasna cholera. Słyszymy je, gdy są dzień drogi od nas. Ten porusza się w ślad lotniskowca. Mamy przy nim nasz okręt podwodny, USS „Greenville".

Zielone kropki zwolniły i zatrzymały się w pół drogi przed chińskimi okrętami.

– Teraz musimy poczekać – powiedział Witkovski, wstając z fotela. – Będziemy czatować tu z boku, żeby we właściwej chwili je ściągnąć. Bardzo się pan niepokoi, Tony.

Singapurski kapitan studiował obraz na monitorze i materiały, które mu dostarczono. Podniósł wzrok.

– Kapitanie, pański okręt, „Carter", ma dziesięć razy większą wyporność niż każdy z moich czterech małych szwedzkich okręcików w Czangi. I jest trzy razy dłuższy. Nic więc nie mogę panu doradzić.

– Rozmiar nie ma tu znaczenia, Tony. Zna pan te wody o wiele lepiej niż my. W Newport był pan najlepszy w grach strategiczno-taktycznych. Sprawdziłem. Trzy z tych pańskich okręcików czekają, żeby tropić przez jakiś czas Chińczyków, kiedy wypłyną z Malakki. Czym się pan martwi? – spytał Witkovski wprost.

– No dobrze. Gdybym to ja był chińskim admirałem, umieściłbym okręt podwodny przed albo pod „Czou Manem", żeby miał oko na pańskich chłopaków. Jest pan pewien, Tom, że „Greenville" nie tropi okrętu prowadzącego drugą grupę bojową? – spytał kapitan Hiang.

– Całkiem pewien. A wie pan dlaczego? – Witkovski stanął za fotelem Hianga. – Bo USS „Tucson" siedzi na ogonie chińskiego okrętu podwodnego, który znajduje się za drugą grupą bojową. Mają dwa okręty podwodne, a my po jednym na każdy z nich. Rozsądek by nakazywał, że wysłali swoje okręty, żeby sprawdziły, czy nikt, na przykład my, ich nie śledzi. To ich problem, że nie mogą nas usłyszeć przez ten hałas, który robią.

Hiang roześmiał się.

– Wiedziałem, że powinienem trzymać gębę na kłódkę.

Czterdzieści minut później „Carter" znajdował się sześć mil na wschód i poruszał z prędkością pięciu węzłów, sto metrów pod „Czou Manem". Na monitorze trzy zielone kropki krążyły wokół celów, „Czou Mana", niszczyciela „Fei Hung" i okrętu logistycznego „Siang".

– Dwa pytania, kapitanie. – Tony Hiang przerwał ciszę.

– Wal – odpowiedział Witkovski.

– Po pierwsze, jeśli ASIP-y się nie skontaktują, skąd będziemy wiedzieli, gdzie są i co robią? I dlaczego akurat okręt logistyczny?

– Pierwsze jest łatwe. Tak naprawdę nie wiemy, gdzie są i co robią. Na ekranie widzimy symulację tego, co powinny robić właśnie w tej chwili, opierając się na ich oprogramowaniu i danych, jakie mieliśmy na temat pozycji chińskich okrętów – przyznał Witkovski.

– Drugi problem jest o wiele delikatniejszej natury. Marynarzu, zatkajcie uszy. Nie bylibyśmy zaskoczeni, gdybyśmy odebrali odczyt radioaktywny z lotniskowca. Mogą mieć na pokładzie kilka jądrowych rakiet taktycznych dla ich myśliwców J-11. Wiemy, że mają w swoich myśliwcach pociski powietrze-ziemia i powietrze-woda. Niszczyciel przewozi w pionowych tubach przeciwokrętowe i być może lądowe, kierowane pociski rakietowe. Nie byłbym zdziwiony, gdyby część z nich miała głowice jądrowe. Moglibyśmy, teoretycznie, wiedzieć, jakiego sygnału szukamy na każdym z tych okrętów, ale ja tego nie powiedziałem. Jeśli chodzi o towarowiec, to jeżeli odbierzemy stamtąd taki sygnał, musimy jak najszybciej powiadomić o tym Waszyngton

Hiang zastanawiał się, dlaczego tak intensywnie wpatrują się w ekran, skoro pokazuje im tylko to, co zostało zaprogramowane. Wstał i przeciągnął się.

– Auuu! O żesz kurwa! – wrzasnął mat, zdzierając z głowy słuchawki. – Bardzo przepraszam, ale właśnie o mało nie popękały mi bębenki.

Kapitan Tom Witkovski wziął od niego słuchawki i przyłożył do prawego ucha.

– Jezu, co to? – Rzucił słuchawki i nacisnął guzik interkomu. – Dyżurny, co to za dźwięk?

Z Ośrodka Informacji Bojowej, CIC, pokoju kontrolnego okrętu jeden pokład wyżej, odezwał się oficer:

– Sprawdzamy go w bazie danych, kapitanie. Jest... pierwszy dźwięk to „podobny do okrętu klasy Kilo". A potem ten zgrzyt... komputer mówi tylko: „przypuszczalnie kolizja".

– Kurwa – zaklął Witkovski, waląc pięścią w ścianę. – Muszę iść do CIC. Tony, proszę ze mną. – Amerykański kapitan był już przy grodzi i wspinał się po drabince do Ośrodka Informacji Bojowej po trzy szczeble na raz. – Ściągnęliście hydrofony? – warknął do oficera, gdy wpadł do CIC.

– Tak jest, sir. Sprzęt wrócił, oto, co zebrał – odpowiedział lekko przestraszony oficer.

Kapitan zerknął na zegarek i włączył nagranie przez głośnik na tablicy rozdzielczej. Był to przeszywający zgrzyt metalu, jakby metalowej kredy po tablicy, tylko dziesięć razy głośniejszy.

Witkovski przyciszył dźwięk.

– Jaka jest tu głębokość?

– Dwieście pięćdziesiąt metrów, kapitanie – odpowiedział marynarz stojący przy konsoli.

– Jakie jest maksymalne zanurzenie okrętu klasy Kilo? – spytał kapitan.

– Teoretycznie trzysta metrów – odpowiedział kapitan Hiang zza pleców Witkovskiego. – Ale szacuje się, że chińska wersja, 877EKM, może zejść i na trzysta siedemdziesiąt pięć.

Witkovski odwrócił się.

– Co jeszcze o nich wiesz? Tylko nie ściemniaj, Tony.

Niski singapurski oficer podszedł bliżej do amerykańskiego kapitana i prawie wyszeptał:

– Mają zasięg sześciu tysięcy mil. Mają też nowe wytłumiające dźwięk i antysonarowe powłoki oraz niskofalowy sonar na rufie, bardzo trudny do wykrycia. A ponieważ przez jakiś czas mogą płynąć tylko na akumulatorach, są bardzo ciche. Zwłaszcza na akustycznym tle grupy bojowej lotniskowców.

W głośnikach rozbrzmiał dziwny odgłos:

– *Ebup, ebup...*

Oficer dyżurny nastawił głośniej i nacisnął przycisk analizatora.

– Nie trzeba tego analizować. Wiem, co to jest – powiedział kapitan Witkovski, potrząsając głową.

– Sir? – spytał dyżurny.

– To akustyczny sygnał SOS z ASIP-2. Znalazła się nad nim chińska Kilo i spycha go na dno. ASIP wytrzymuje do dwustu metrów. – Witkovski westchnął, potem spojrzał na kapitana Hianga. – Chyba „Czou Man" ma w obstawie okręt podwodny klasy Kilo i bawi się w nieczyste zagrywki.

– Powinniśmy rąbnąć to Kilo w dupę, sir – zaproponował oficer dyżurny. – Chińczycy nie muszą wiedzieć, że ASIP jest bezzałogowy.

– Nie dziś, Tim. Żadnego rąbania. Musimy jeszcze odzyskać i załadować dwa ASIP-y. To nasze zadanie. Teraz do roboty. Kurs na ASIP-3. Absolutna cisza na pokładzie.

– Jest pełna cisza na pokładzie. – Niebieskie żarówki zamigotały na całym, długim na czterysta pięćdziesiąt trzy stopy pokładzie USS „Jimmy Carter".

Prawie dwie godziny później, kiedy grupa bojowa „Czou Mana" skręciła prosto na północ, do cieśniny Malakka, nadeszła wiadomość: „Ocean Interface zamknięty". Dwa pozostałe ASIP-y znalazły się na pokładzie. Kapitan Witkovski poprosił kapitana Hianga, żeby towarzyszył mu przy posiłku w jego kabinie, podczas gdy technicy załadują dane z bezzałogowych miniokrętów podwodnych.

Przy serowych stekach Philly'ego i dietetycznej pepsi Witkovski prawie przepraszał:

– Powinienem był cię posłuchać, Tony.

– Powinienem być bardziej obcesowy, Tom. Czasem my, rodowici Chińczycy, nie potrafimy być bezpośredni wobec Amerykanów. – Kapitan Hiang uśmiechnął się. – Ale znamy innych Chińczyków, ponieważ mamy wspólnych przodków. Mówimy ich językiem. Znamy ich historię. Malakka, to małe miasto, do którego płynie „Czou Man", zostało założone przez chińską marynarkę sześćset lat temu. Poza tym, co byś zrobił, nawet gdybyś wykrył Kilo przyczajone pod kilem „Czou Mana"?

Zapukano do drzwi.

– Wejść – powiedział kapitan. Był to dyżurny oficer z kartą na podkładce.

– To zestawienie odczytanych danych i automatycznych analiz z dwóch ASIP-ów, sir. Zakodowałem je jako FLASH, sir.

Kapitan uniósł brwi i sięgnął po podkładkę. FLASH było zarezerwowane dla wiadomości o najwyższym priorytecie, typu: „Ktoś strzela w mój okręt". Witkovski założył okulary i przeczytał:

Do: CinCPAC, Honolulu FLASH

JCS/J-3 FLASH

DIA, DT-1 FLASH

FM: SSN-23

TEMAT: Prawdopodobieństwo broni jądrowej na pokładzie grupy bojowej „Czou Mana".

Analiza telemetrii ASIP-a śledzącego specjalny chiński okręt logistyczny „Siang" (C-SA-3) wykazała promieniowanie neutronowe i gamma, odpowiednie dla sześciu głowic jądrowych w zbiorniku w części dziobowej i sześciu w części rufowej. Program analityczny wskazuje, że wszystkie głowice są podobnego rozmiaru, między dziesięć a trzydzieści kiloton. Program analityczny sugeruje wstępnie, że to CSS-27, pociski balistyczne średniego zasięgu. Nie wykryto promieniowania na towarzyszącym niszczycielu. Inwigilacja lotniskowca „Czou Man" nie została przeprowadzona.

Koniec

Kapitan Witkovski złożył parafkę na wiadomości i oddał ją dyżurnemu.

– Dobra robota, Timmy. Wrzucamy to gówno we wszystkie wentylatory w Waszyngtonie. Tym razem znaleźliśmy broń masowego rażenia. Nie ma co do tego żadnych wątpliwości.

Biuro „New York Journal"
Media City
Dubaj, Zjednoczone Emiraty Arabskie

MacIntyre minął budynki CNN i NBC w wypielęgnowanym parku, jakim było Media City. Jego taksówka przejechała już przez Internet City i Knowledge City. Zastanawiał się, czy udałoby się któregoś dnia ich przekonać, żeby wybudowali w Dubaju Magician City. „New York Journal" nie miał własnego budynku, dzielił go z kilkoma europejskimi gazetami.

Pakistański strażnik czekał na niego w holu. Kiedy wszedł do biura „Journala" na drugim piętrze, zobaczył Kate w dalszej części pomieszczenia. Stała przed szeregiem telewizorów ustawionych na arabskie i angielskie wiadomości. Na stoliku pod telewizorami postawiła tacę z małym śniadaniem.

Głos nastawiony był na ABC. „...ale źródła wojskowe i Pentagonu podkreślają, że dopóki wrak nie zostanie przebadany, nie można mieć pewności, co stało się z odrzutowcem Viking, na pokładzie którego admirał Adams wracał do swojej placówki w Bahrajnie ze spotkania z sekretarzem Conradem w Turcji. Na spotkaniu NATO sekretarz powiedział, że podejmie wszystkie niezbędne kroki, by odpowiedzieć na jakąkolwiek agresję w zasobnym w ropę regionie Zatoki Perskiej. Martha..." Kate Delmarco wyciszyła dźwięk i odwróciła się do Rusty'ego MacIntyre'a.

– Miałem się z nim spotkać jutro w Bahrajnie – powiedział Rusty, patrząc na ekrany. – Zostawił mi liścik, kiedy byłem w bazie marynarki. Napisał, że zadzwoni na moją komórkę, jak tylko uda mu się wszystko załatwić. Nie wierzę, żeby Islamija sprowokowała nas, zestrzeliwując jego samolot.

– Może to nie oni. Słyszałeś ABC. Jeszcze nic nie wiadomo – powiedziała Kate, zdejmując okulary. – Krwawą Mary?

– Nie, dzięki. Wezmę Dziewicę Marię. Mam dość po wczorajszym. W ogóle mam dość. Miałem się też spotkać z naszym wspólnym przyjacielem, Brianem Douglasem. Nie pokazał się.

– No tak, chcesz być trzeźwy. Nie ma sprawy – powiedziała, siadając za swoim biurkiem. – Zatem gdzie jest mój tajemniczy pan Douglas? To niepokojące. Niepodobne do niego. Martwię się.

– Nie mam pojęcia – powiedział Rusty, patrząc w kostki lodu. Wiedział, gdzie jest, a przynajmniej wiedział, dokąd jedzie. Ale skoro Brian nie powiedział Kate, ja tym bardziej tego nie zrobię, pomyślał. Zamierzał spytać Briana po powrocie o to, co łączy go z Kate.

Szybko próbując zmienić temat, stwierdził:

– Słyszałaś, co powiedział Conrad. On odpowie. Nie prezydent. Nie Ameryka. On. – Rusty zdjął płaszcz i usiadł za biurkiem naprzeciwko niej. – Słuchaj, Kate. Pomyślałem... – Rusty przysiadł na krawędzi jej biurka. – Conrad to problem. Demonizuje Islamiję. Straszy ich jakimiś wielkimi manewrami u wybrzeży Egiptu. Straszy Waszyngton, mówiąc, że chińskie rakiety Islamii mają głowice atomowe. Zamierza wpędzić nas w wojnę, może również z Chinami. O ile go ktoś nie powstrzyma.

– Naprawdę? A co on kombinuje z Chinami? – spytała Kate, biorąc się do notowania.

MacIntyre złapał za notes.

– Przestań na chwilę być reporterem i popracuj ze mną.

Delmarco rzuciła mu wredne spojrzenie.

– Dobra, Kate, musisz być reporterem? Znajdź trochę błota na Conrada, żeby nie udawał pana Idealnego ratującego Amerykę. Chyba tylko to może go powstrzymać.

– Brzydko zagrywasz, chłopaczku – stwierdziła Delmarco i założyła nogę na nogę.

– Oni też. Teraz agenci FBI węszą i szukają dowodów, że powiedziałem senatorowi coś, czego nie powinienem. Może nawet wiedzą o moim spotkaniu z Ahmedem. Może oskarżą mnie o przekazanie tajnych informacji Islamii.

– Co? Rusty, o czym ty gadasz? Skąd niby to wiedzą, a poza tym, co jest złego w spotkaniu z informatorem z Islamii? W końcu jesteś oficerem wywiadu. To twoja praca – powiedziała Delmarco swym gniewnym reporterskim głosem.

– Nie, to nie jest moja praca. Jestem szefem zespołu analiz. Jestem po to, żeby uczyć, a nie błąkać się w poszukiwaniu własnych agentów. Wyszedłem za granice swojego ogródka. – Rusty miał zmęczony głos. – Conrad specjalnie błędnie to zinterpretuje. Czasem myślę, że zrobi wszystko, żeby zniszczyć ludzi, którzy się z nim nie zgadzają.

Kate znów złapała notatnik i otworzyła go.

– Dobra, to co masz na niego?

– Nie jestem pewien. Może saudyjskie pieniądze i jego firma wykupująca spółki. Może wypędzeni monarchowie i sekretarz kupujący wsparcie na Kapitolu. Mam tam wysoko postawionego przyjaciela, który może wiedzieć więcej. Nie powiedział mi dotąd wszystkiego, ale chyba teraz wiem dość, żeby go przekonać do tego, że trzeba sypnąć nieco piasku w tryby. – Rusty podszedł do barku i nalał sobie szkockiej. – Może rzucić nieco błota.

– Kocham, gdy grasz nieczysto. – Delmarco uśmiechnęła się z wyższością i wycelowała w niego pióro.

– Nie zaczynaj znowu – powiedział MacIntyre, odsuwając pióro.

– Tylko biznes. Okej – odparła. – Mogę wylecieć do Waszyngtonu dziś wieczorem. Nowy Jork od miesiąca wzywa mnie na konsultacje. Mam tylko nadzieję, że nic się tu nie wydarzy, kiedy mnie nie będzie.

– Tego ci nie mogę obiecać. – MacIntyre wziął długopis i przytknął go do kurtki. – Bada-bing! – powiedział, a długopis przeniknął przez kurtkę, jego połowa przeszła na wylot.

– Ty wariacie. Po co zrobiłeś tę dziurę? – zaśmiała się Kate. Wręczył jej okrycie. Było nieuszkodzone.

– Chciałem nas nieco rozbawić, a magiczne sztuczki zawsze przynoszą efekt – stwierdził, grzebiąc w kieszeni kurtki w poszukiwaniu wibrującego BlackBerry. – Kto, do cholery, mnie wzywa? – MacIntyre przytknął urządzenie do ucha i nacisnął przycisk. – Halo... Tak, świetnie cię słyszeć. Słuchałeś wiadomości?... Jak? Tutaj, w Dubaju? Lunch w „Czterech Porach Roku"?... Fajnie będzie się zobaczyć. – Odłożył BlackBerry i spojrzał obojętnie na Kate, potrząsając głową.

– Co się stało? Kto to był?

MacIntyre nie odpowiedział od razu, wciąż osłupiały po rozmowie. Potem podniósł jej notes i wręczył go dziennikarce.

– Cóż, powiedzmy, że to informacja na wyłączność dla „New York Timesa". Coś w rodzaju... Admirał Bradley Adams, dowódca Piątej Floty, przybył dziś rano na międzynarodowe lotnisko w Dubaju rejsem liniowym z Turcji. Wcześniej uważano, że Adams był na pokładzie samolotu marynarki, który rozbił się w Kuwejcie. Teraz okazało się, że samolot wyleciał bez Adamsa, gdyż ten w ostatniej chwili dostał zaproszenie od floty tureckiej. Admirał dowiedział się o swej śmierci po wylądowaniu w Dubaju.

– O rany! – wykrzyknęła Kate. – I spotkamy się z nim na lunchu?

– Nie my. Ja. Ty wylatujesz wieczorem do Stanów, pamiętasz? – Spojrzał na osiem kanałów z wiadomościami na monitorach. – Mamy cholernie dużo roboty, jeśli chcemy, żeby Conrad nie skąpał całego Półwyspu Arabskiego w ogniu.

Lotnisko Doszan Tappeh
Na wschód od Teheranu

– O tej porze roku mamy wiele osób z Uniwersytetu Monasz, profesorze – powiedział agent biletowy. – Co my tu mamy. Miejsce 4B. Przy oknie, zgodnie z życzeniem. Staramy się spełniać wszystkie prośby biura podróży z Melbourne, ponieważ prowadzimy teraz z nimi liczne interesy. Jakiś bagaż?

– Mamy program wymiany z Uniwersytetem Kisz. Nie, bagaż już został wysłany, mam zamiar tu być przez cały semestr. Za dużo miałbym do noszenia. Muszę przyznać, że doskonale mówi pan po angielsku. Bardzo dziękuję – powiedział profesor Sam Wallingford i wziął bilet na lot Kish Air z małego lotniska pod miastem do kurortu na wyspie w Zatoce.

Ludzie wchodzili już na pokład, kiedy dotarł do bramki, jedynej bramki. Samolot był wiekowym trzydziestoosobowym Fokkerem 50, pomalowanym w wesołe kolory Kish Air. Ponieważ był to lot krajowy na wyspę Kisz, ochroniarz ledwo zerknął w australijski paszport z irańską wizą i stemplem wjazdowym, a potem gestem kazał mu przejść. Nawet jeśli miał listę paszportów „poszukiwanych", nie sprawdził jej. Takie zaniedbanie na pewno nie miałoby miejsca na Międzynarodowym Lotnisku im. Imama Chomeiniego, ale w ramach ukłonu w stronę kapitalizmu Kish Air organizowało loty do mniej zatłoczonego, tańszego Tappeh. W Tappeh mieściła się baza wojskowa, więc zamknięto ją na cały rok, a potem ponownie otwarto dla międzynarodowych lotów mniejszych przewoźników.

Brian Douglas jako Sam Wallingford siedział w fokkerze i czekał na odlot. W głowie odtwarzał sobie poranne wydarzenia. Co stało się z Soheilem? Pomimo jego zapewnień, że znajduje się poza wszelkimi podejrzeniami, musiał wiedzieć, że tak nie jest. Odłączony telefon, radio, zasłony, strzelba. A mimo to spotkał się z Douglasem. Przekazał mu skarb. To ludzie Soheila z Ministerstwa Bezpieczeństwa zaczęli coś podejrzewać. Może skojarzyli, że przesyłał dokumenty poza wewnętrzną sieć w ministerstwie. Wysłali tylko dwóch oficerów, żeby przesłuchali Soheila. A Soheil już na nich czekał ze strzelbą myśliwską. Zastrzelił ich, a potem zabrał jednemu z nich pistolet i zastrzelił siebie. A teraz broń drugiego oficera leżała na dnie kanału burzowego, a nie w mieszkaniu Soheila. Tak naprawdę wcale go nie potrzebował; trzeba było go nie zabierać. Gdyby ogłuszył kierowcę mercedesa ręką, a nie rękojeścią broni, człowiek ten leżałby teraz nieprzytomny, a nie martwy, z tyłu swojego samochodu przy drodze do małego lotniska.

Nigdy wcześniej nie zabił niewinnego człowieka. Uderzył za mocno. Zachował się jak nowicjusz. Nienawidził się za to.

Fokker zaczął kołować. Jeszcze dwie godziny, zanim znajdzie się na wyspie Kisz. Dwie godziny, w ciągu których policja może znaleźć zaginionego kierowcę mercedesa. Może znaleźć mercedesa, pomimo miejsca, gdzie został zaparkowany, pomimo zamazania błotem numerów rejestracyjnych. Może się zorientować, że małe lotnisko prowadzi loty na małą wyspę wypoczynkową w Zatoce. Może zadzwonić do biura odpraw albo do VEVAK na Kisz.

Spojrzał na małe rozcięcie na szwie starej marynarki. Myślał, że to za duże ryzyko wozić australijski paszport pod podszewką, że to głupie przygotowywać awaryjny sposób opuszczenia kraju. Pamela miała jednak rację, jak zawsze. Miał nadzieję, że dobrze zorganizowała też następne posunięcie.

Kiedy samolot wystartował, pomyślał o tym, co teraz robi Bowers: zabiera rzeczy Simona Manleya z hotelowego pokoju. Płaci za Manleya i za siebie w recepcji. Właśnie teraz odlatuje do Johannesburga. Czy baza danych biura odpraw na lotnisku Chomeiniego powiąże wizę Bowersa z Manleyem? Gdzie jest pan Manley? Wyjechał na jeden dzień do Szirazu.

Brian Douglas zamknął oczy, ale nie mógł zasnąć od wstrząsów samolotu przelatującego nad górami. Serce nadal mocno mu waliło. Myśli wciąż galopowały. Biedny człowiek z mercedesa. Nic tego nie usprawiedliwia. Ale dysk ukryty w skarpetce jest warty tego, żeby Douglas zaryzykował własne życie, uciekał samotny, nie pierwszej młodości, w przebraniu. Nikt inny by tego nie wydobył. Soheil i jego ojciec nie zaufaliby nikomu innemu. A co, gdyby ojciec Soheila nie pracował już w kiosku z gazetami? Douglas wyszedłby na głupca i wrócił do domu z pustymi rękami. Ale ojciec był na miejscu i wszystko zadziałało. Nie do końca tak jak trzeba, ale zadziałało. Dzięki Bogu, że Pamela uparła się przy tym planie awaryjnym.

Obudził go wstrząs przy lądowaniu. Odrobinę odpoczął. Bolały go kości. Terminal był nadspodziewanie duży i nowoczesny. Powtórzył sobie w myślach kolejne punkty planu Pameli. Znalazł męską toaletę. Zegarek pokazywał 11.40. Był dziesięć minut za wcześnie. Czy Omani już tu był?

Podszedł do ostatniej kabiny i pchnął drzwi.

– Bardzo przepraszam, ale było otwarte, ja... – Omani z majtkami wokół kostek trajkotał do niego po arabsku. Omani pojawił się wcześniej i czytał gazetę. Zamiana gazet zajęła trzy sekundy. Brian Douglas wszedł do kabiny obok. Dokumenty wyglądały porządnie. Paszport nowozelandzki z wyjazdową wizą z Kisz. Bilet na Hormuz Airlines, wylot za kilka minut do Szarii. Ktoś musiał za to dostać niezły bakszysz, ale to nigdy nie stanowiło żadnego problemu w Iranie.

W całym Iranie nie znalazłoby się drugie takie lotnisko, gdzie pasażerowie przylatujący mieszali się z tymi, którzy wylatywali z kraju. Ale tak było na Kisz. Teheran zgodził się, by utworzono tutaj strefę wolnocłową pod kątem turystyki międzynarodowej. Nowe, wysokie hotele przy plaży przypominały Dubaj. Wszystko tutaj tchnęło pewną swobodą. Chiny miały Hongkong. Iran miał Kisz, przepuszczalną błonę, miejsce, gdzie dopuszczano swobodny handel, gdzie ludzie wyglądali inaczej.

Ustawił się w kolejce do odprawy. Czekał na nich ił, który wyglądał, jakby odkupiono go od Aerofłotu. Zostały przed nim jeszcze tylko dwie osoby, kiedy usłyszał wezwanie w farsi.

– Valnford, profesor Valnford, proszony jest o zgłoszenie się na komisariat policji lub do urzędnika celnego.

Ścisnęło go w żołądku. Czyżby Omani wszystko zepsuł? Ale przecież on nie był Samuelem Wallingfordem. Już nie. Był Nowozelandczykiem Averym Daltonem. Uśmiechnął się do biletera. Wspiął się po schodkach do iła.

Samolot ledwo wystartował, a już podchodził do lądowania. Brian przestraszył się, że zawrócił na Kisz na wezwanie policji lub urzędnika celnego. Ale nie, to nie było małe lotnisko, i to nie była wyspa. Łup. Wylądowali jak tona cegieł. Nie, to już nie był Iran. To była Szaria w Zjednoczonych Emiratach Arabskich. Tak głosił napis nad stanowiskiem celnym i imigracyjnym. Witamy w Zjednoczonych Emiratach Arabskich.

– Proszę pana ze mną, panie Avery – powiedział celnik. Przejechał paszportem pod skanerem optycznym.

– Słucham? Nazywam się Dalton. Avery to moje imię – wyjąkał.

– Nie mamy zapisu pańskiej wizy wjazdowej. Nie trafiła do bazy danych. To zajmie tylko chwilę. Tędy proszę.

Drzwi miały szybę z półprzepuszczalnego szkła, a napisano na nich „Policja", po angielsku i arabsku. W środku było jednak jasno i przytulnie.

– Proszę, niech pan usiądzie.

– Mogę zadzwonić na lokalny numer? Może uda się to wyjaśnić. Bardzo dziękuję. – Zamarł na moment, bo numer wyleciał mu z głowy. Ale po krótkiej chwili mu się przypomniał.

– Brytyjski Konsulat w Dubaju – oznajmił damski głos po drugiej stronie słuchawki.

– Poproszę z Biurem Wymiany Naukowej – rzekł Avery/Wallingford/Dalton/Manley/Simon.

– Biuro Wymiany. W czym mogę panu pomóc? – odezwał się mężczyzna z południowolondyńskim akcentem.

– Mówi Brian Douglas. Jestem z Bath. – Użył kodu swojej placówki oznaczającego Potrzebna Pomoc. – Jestem w komisariacie policji do spraw celnych i imigracyjnych na lotnisku Szaria. Są jakieś problemy z moimi dokumentami.

Po drugiej stronie zapadła cisza, gdy oficer przypominał sobie, co oznaczało Bath. Potem do niego dotarło, że szef placówki dla całej Zatoki Perskiej nie znajduje się w Bahrajnie, lecz dwadzieścia minut autostradą od Dubaju.

– Zaraz pana stamtąd wyciągniemy i równolegle zawiadomimy chłopaków z miejscowych służb.

Zadzwonił Avery, czy ktoś tam, ale słuchawkę odkładał Brian Douglas. Odwrócił się do młodego urzędnika imigracyjnego.

– Mogę dostać filiżankę gorącej herbaty?

12

16 LUTEGO

Centrum Bezpieczeństwa Republiki
Rijad, Islamija

– To ty powiedziałeś mi, że nie możemy zaufać Chińczykom, jeśli tu będą – powiedział Abdullah bin Raszid – a teraz chcesz mi wmówić, że można zaufać Amerykanom?

– Nie Amerykanom. Niektórym z nich. Nie wszyscy są imperialistycznymi podżegaczami. Wielu z nich jest podobnych do Kanadyjczyków – bronił się Ahmed. Jego brat spojrzał na niego bez przekonania, ale on nie przerywał. – Zmierzam do tego, że nie chcemy, by działali przeciwko nam, opierając się na fałszywch przesłankach na temat posiadania przez nas, lub nie, broni jądrowej. Myślę, że jest paru Amerykanów, z którymi możemy rozmawiać.

Abdullah chwycił broszurę i wręczył ją Ahmedowi.

– Przeczytaj. Stek kłamstw. To podsumowanie reakcji amerykańskich mediów na katastrofę ich samolotu nad Kuwejtem. Pełno tam spekulacji, że to my zestrzeliliśmy maszynę.

– A zestrzeliliśmy? – spytał Ahmed, wertując książeczkę.

Abdullah zamilkł, zirytowany pytaniem. Wreszcie odpowiedział:

– Nie, to nie my. Nasz radar nie pokazał nic koło samolotu i nie wystrzelono do niego żadnej rakiety.

Ahmed oddał broszurkę bratu.

– Więc sam z siebie wyleciał w powietrze?

– Na to wygląda, Ahmedzie. Najpierw próbowali obwinić nas o atak na ich bazę morską w Bahrajnie, czemu ty zapobiegłeś! Teraz próbują zrzucić na nas winę za to, że jeden z ich samolotów wyleciał w powietrze. Szukają pretekstu, nie widzisz tego, Ahmedzie? – Abdullah usiadł za biurkiem.

Ahmed położył dłonie na blacie.

– Widzę potrzebę uspokojenia sytuacji, bracie, nawiązania kontaktu z Amerykanami, żeby zapobiec tego rodzaju nieporozumieniom.

Abdullah zebrał akta z biurka.

– Chcesz wiedzieć, czym się zajmuję? Jak trudno przekonać członków Szury do umiarkowania? Chodź ze mną. Dzisiaj jest spotkanie rady. Tutaj, gdyż członkowie uznali, że potrzebujemy najbezpieczniejszego miejsca. Publiczności nie będzie, ale ty możesz wejść jako mój asystent.

Ahmed bin Raszid poszedł za bratem, dyrektorem służby bezpieczeństwa Islamii, korytarzem w dawnym pałacu do niewielkiej sali konferencyjnej. Pokój wypełniali mężczyźni, w większości z długimi brodami, głośno rozmawiający w małych grupach. Pośrodku sali stał wielki owalny stół z mikrofonem przy każdym siedzeniu. Abdullah wskazał tymczasowego prezydenta republiki, Zubaira bin Tajera, duchownego, który spędził większość minionego dziesięciolecia w Damaszku, Teheranie i Londynie. Bin Tajer podchodził do miejsca, z którego miał przewodniczyć obradom.

W pokoju rozległy się elektroniczne dzwonki.

– W imię Allaha najłaskawszego, najmiłościwszego... – rozpoczął modlitwę do mikrofonu bin Tajer. Modlitwa trwała przez kilka minut i obejmowała trzy czytania z Koranu. Gdy bin Tajer skończył i usiadł, człowiek po jego prawej stronie zaczął czytać rezolucję. Ahmed wreszcie zrozumiał, że tematem było stosowne ukaranie grupy studentów, których policja religijna zatrzymała za protest przeciwko rozszerzeniu prawa religijnego, szariatu. Karą miała być publiczna chłosta na placu w Rijadzie.

– Czy Szura się zgadza? – warknął do mikrofonu mężczyzna siedzący po lewej stronie bin Tajera.

Abdullah nachylił się, dotknął przycisku pod mikrofonem. Zapaliła się zielona lampka.

– Policja religijna miała egzekwować praktyki religijne, a nie przestrzeganie prawa. – W sali zapadła cisza. Abdullah ciągnął: – Ja mam dbać o przestrzeganie prawa i bezpieczeństwo, mocą decyzji tej Szury, a nie Ministerstwo Spraw Religijnych. Publiczna niezgoda na propozycje Szury, włącznie z tymi dotyczącymi prawa szariatu, nie jest pogwałceniem naszych praktyk religijnych.

Rozległy się głosy protestu.

– Ci ludzie nie uczynili nic, co usprawiedliwiałoby aresztowanie, o chłoście nie wspominając – zakończył Abdullah. Nacisnął przycisk, wyłączając mikrofon.

Głosy protestu nasiliły się. Mężczyzna w szatach duchownego nieustannie naciskał przycisk na swym mikrofonie.

– Co więc, według szefa bezpieki, powinniśmy zrobić z tymi chłopcami, którzy popełnili *haram*, czyny zabronione? Dać im cukierków?

Abdullah wyprostował się na krześle i powoli nachylił się nad swym mikrofonem.

– Ja nic nie proponuję, ja już zadziałałem. Korzystając z moich uprawnień, uwolniłem obywateli, których nielegalnie zatrzymano, obywateli, którzy nie pogwałcili prawa.

W pokoju wybuchła wrzawa. Ahmed z przyjemnością zauważył, że jego brat miał sojuszników, którzy również krzyczeli i wskazywali palcami, machając rękoma w powietrzu.

Bin Tajer nacisnął guzik na swoim mikrofonie i zaczął mówić:

– Ministrze Raszid. Dlaczego uważa pan, że walczyliśmy podczas rewolucji po to, by pozwolić trwać dekadencji, której oddawali się Saudowie w życiu prywatnym w kraju i za granicą? By zezwalać byle komu, aby udawał uczonego koranicznego? By zezwolić muzułmanom w innych krajach na praktykowanie wypaczonych odmian islamu? By dać władzę niewiernym *kafir* i kobietom? Nie, zadaniem rządu jest położyć kres takiej *dżahilijah*, ignorancji. Ci, którzy gwałcą prawo, muszą ponieść karę!

Znowu poruszenie.

Wreszcie Abdullah odpowiedział:

– Po pierwsze, Zubairze, nie zauważyłem, żeby pan walczył.

Rozległy się okrzyki wściekłości.

– *Munafikeen!*

Nie zważając na nie, Abdullah kontynuował:

– Po drugie, ci z nas, którzy walczyli, chcieli zmienić nasz kraj, a nie narzucać cokolwiek innym za granicą. Po trzecie, nie jest zadaniem *hakimijah*, rządzących, narzucanie salafizmu lub jakiejkolwiek innej szkoły myślenia nawet naszemu własnemu narodowi. Prorok Mahomet, błogosławieństwo i pokój niech będą z nim, uznawał żydów i zwolenników Jezusa za dzieci Abrahama. Przez wieki muzułmanie wybierali własne drogi. Część pragnęła być *murtadeen* i pędzić życie świeckie, a bardzo nieliczni wybierali ścieżki hanbalizmu lub wahhabizmu, albo salafistów. My, którzy walczyliśmy, nie czyniliśmy tego po to, by zmienić dziewięćdziesiąt procent naszych muzułmańskich braci, którzy się z tobą nie zgadzają.

Abdullah obrócił się plecami do Zubaira bin Tajera, jak gdyby zwracając się do reszty Szury.

– Obowiązkiem kraju jest rozwijać w pełni potencjał narodu i pozwolić, by najmądrzejsi budowali dla całej reszty. Powinniśmy więc jako rząd promować nauki ścisłe, medycynę i matematykę. To nie są nieislamskie nauki. Islamscy uczeni stworzyli i rozwinęli je wieki temu u szczytu swej potęgi. To właśnie powinniśmy robić, a nie chłostać studentów, a nie karać czyny, które są *halal*.

Po godzinie niezwykle ożywionej debaty Szura – Rada Konsultacyjna Republiki Islamii – odroczyła swe obrady, nie podjąwszy żadnej decyzji. Abdullah szybko wyszedł z sali bocznymi drzwiami. Ahmed tkwił u jego boku.

– Jestem z ciebie dumny, bracie – powiedział Ahmed, kiedy szli korytarzem do biura dyrektora.

– Teraz rozumiesz, dlaczego posiedzenia nie są transmitowane przez telewizję, jak proponowałeś – roześmiał się Abdullah.

– Upewniłem się tylko, że powinny być. Ludzie by tego nie znieśli. Ludzie poparliby cię przeciwko tym neandertalczykom – gorączkował się Ahmed.

W biurze do braci dołączyło sześciu stronników Abdullaha z Szury.

– Jesteście zadowoleni, moi przyjaciele? – spytał ich.

– Poruszyłeś właściwą kwestię, Abdullahu. Stanie się jasne, że ludzie nie walczyli o religię, ale o swoje miejsce w naszym rządzie – odparł Ghassan bin Chamis, klepiąc Abdullaha po ramieniu. Ghassan był z Abdullahem na wygnaniu w Jemenie, a teraz stał na czele jednego z wydziałów wywiadu.

– To walka o to, czy jesteśmy częścią współczesnego świata – sprzeciwił się Hakim bin Awad. – Nowoczesne państwa nie chłoszczą ludzi. A ludzie mają prawo powiedzieć, co myślą o prawie. Dlatego obaliliśmy Saudów, ponieważ zamykali ludzi, gdy ci sprzeciwiali się temu, co robili władcy.

– Ghassanie, Hakimie, obaj macie rację. Nie po to walczyliśmy, by stać się Saudami; w każdym razie nie ja – powiedział Abdullah, siadając na jednej z czterech kanap, które tworzyły półkole w jego gabinecie. Poprawił szaty. – Walczyłem o to, by ten kraj mógł znowu oddychać tak jak wtedy, gdy nasi dziadowie byli wolni na pustyni. I żeby to był kraj ludu, nasz kraj, a nie jakaś prywatna spółka, część brytyjskiej lub amerykańskiej korporacji. Nasza własna demokracja.

Ahmed patrzył w osłupieniu. Nigdy nie słyszał, żeby jego brat był tak elokwentny, tak pełen pasji, i tak zgodny z tym, w co sam wierzył.

– Musimy również przywrócić światu arabskiemu niegdysiejszą dominację w sztukach pięknych, nauce, medycynie i matematyce – mówił Abdullah, patrząc z ukosa na brata. – Wszystko to straciliśmy. Zamknęliśmy umysły naszego narodu.

Ahmed uśmiechnął się na wspomnienie „Raportu o rozwoju Arabów ONZ", który zostawił bratu.

– Chodzi o to, że wahhabiccy duchowni próbują zrobić teraz to, czego nawet Saudowie by nie zrobili – dodał Hakim.

– Powiem ci coś na temat wahhabizmu – odpowiedział Abdullah. – Oni nawet nie użyliby takiego wyrażenia, ale twierdzą, że jest to naturalna droga islamu. Dziewięćdziesiąt procent wyznawców islamu odrzuca wahhabizm. Mieszkający tutaj muzułmanie również powinni mieć do tego prawo. Nasz rząd nie powinien mówić obywatelom, którzy muzułmańscy uczeni mają rację, a którzy się mylą, w interpretacji Świętego Koranu lub hadisów[19].

– Jeśli powiesz to na głos, mogą cię zabić – powiedział ostrożnie Ghassam. – Bin Tajer boi się, że wystąpisz przeciwko niemu, kiedy

[19] Hadisy – opowieści o życiu proroka Mahometa lub jego wypowiedzi. Hadisy tworzą sunnę (tradycję) – najważniejsze po Koranie źródło muzułmańskiego prawa, szariatu.

dojdzie do wyborów. Dlatego wciąż je odracza, dlatego jego ludzie mówią, że tylko prawowierni powinni mieć prawo głosu. Grozi ci niebezpieczeństwo, Abdullahu.

– Korpusy Ochronne stoją za tobą, szejku – zapewnił generał Chalid, dowódca sił, które były jednocześnie saudyjską armią i gwardią narodową.

– Może twoi ludzie za nim stoją, ale połowa ich broni już nie działa. A oni sprowadzają coraz więcej Chińczyków. Skąd możemy wiedzieć, czy będą ich trzymać wyłącznie na pustyni z pociskami? – odparował Ghassan.

Abdullah szybko podchwycił.

– O co chodzi, Ghassanie? Jak to, coraz więcej Chińczyków?

– Nie miałem okazji ci powiedzieć, Abdullahu. Moi ludzie twierdzą, że w portach nad Zatoką i Morzem Czerwonym prowadzone są przygotowania do przyjęcia i zakwaterowania Chińczyków. Jeszcze inni przylecą samolotami. Nie chodzi tu o wymianę żołnierzy. To coś więcej.

Abdullah pogłaskał swoją krótką brodę.

– Szura tego nie zaaprobowała. Po co nam ich jeszcze więcej?

Ahmed, który siedział z tyłu i przysłuchiwał się rozmowie, pochylił się do przodu.

– Może mają chronić broń jądrową?

– Nie – zdecydowanie zaprzeczył Abdullah. – Nie uchwaliliśmy zgody na sprowadzenie głowic atomowych do rakiet.

– Może bin Tajer zrobił to za plecami Szury – zastanawiał się na głos Hakim.

– Nie – powtórzył Abdullah. A potem zwrócił się do generała Chalida. – Sprawdźcie to.

Hotel „Ritz-Carlton”
Dubaj, Zjednoczone Emiraty Arabskie

– Pan Russell MacIntyre? – Do taksówki podszedł młody człowiek z brytyjskim akcentem.

MacIntyre zapłacił kierowcy i odwrócił się.

– Kim pan jest, do cholery?

– Bardzo pana przepraszam. – Młody człowiek okazał wizytówkę. – Clive Norman z brytyjskiego konsulatu. Jestem z Biura Wymiany.

– Spieszę się na spotkanie – powiedział MacIntyre i przemknął obok niego.

– Z admirałem Adamsem. Tak, wiem. Niestety nastąpiła mała zmiana planów. Czeka na pana tutaj, w pobliżu.

MacIntyre obejrzał wizytówkę i spojrzał na młodzieńca, który bez wątpienia był Brytyjczykiem. Z pewnością nie wyglądał na terrorystę lub kidnapera.

– Mam tu samochód z konsulatu z kierowcą, jeśli by pan zechciał... – Norman wskazywał na zaparkowanego opodal jaguara na dyplomatycznych numerach. – Admirał powiedział, że może pan do niego zadzwonić dla pewności.

MacIntyre nie miał pewności, ale powiedział:

– W porządku. Chodźmy.

Samochód przejechał krótki odcinek i stanął pod bramą, strzeżoną przez dwóch umundurowanych agentów z jednej z dubajskich firm ochroniarskich. Za ogrodzeniem samochód zatrzymał się przed wielką willą, jednym z tych błyszczących, przesadnie dużych domów stojących wzdłuż plaży.

Clive Norman poprowadził go po schodach do pełnego łuków marmurowego holu. Przez szklane drzwi MacIntyre mógł dojrzeć Zatokę rozciągającą się za domem. Nadal nie wiedział, co się dzieje.

– Jedzą obiad na patio z tyłu. Proszę iść prosto przed siebie.

MacIntyre poszedł we wskazanym kierunku i pchnął drzwi prowadzące na zewnątrz.

– Tutaj, Rusty!

To był Brian Douglas. Łysy, z workami pod oczami i nosem w innym kolorze niż reszta twarzy. Miał na sobie za ciasne polo... ale to był Brian Douglas.

– Zapewne znasz admirała Adamsa.

MacIntyre wymienił uścisk dłoni z oficerem marynarki i zwrócił się do Douglasa.

– Miło cię widzieć. A właściwie was obu. Zeszłej nocy myślałem, że żadnego z was już nie zobaczę.

– Tak, przepraszam, że cię na to naraziłem. Były... komplikacje, ale już jestem. Właśnie rozmawiałem z sir Dennisem, który pozwolił mi wtajemniczyć was obu w moje odkrycie. Pod warunkiem, że nie złożycie z tego raportu. Sami zrozumiecie, dlaczego.

– Panowie, obiad podano – powiedział Clive Norman od pobliskiego stolika. – Zostawię panów samych, ale proszę mnie wezwać, gdyby panowie czegoś potrzebowali.

Niemal godzinę później Normana poproszono o więcej kawy.

– Wiem, w jakim to was stawia położeniu, zwłaszcza że zamieszany w to jest wasz rząd, a w każdym razie jego część – stwierdził Douglas. – Ale chyba można w to jakoś uwierzyć.

Admirał przemówił pierwszy.

– Można. W dodatku to brzmi cholernie prawdopodobnie. – MacIntyre przypomniał sobie, że senator Robinson bardzo cenił tego człowieka, który wydawał się zbyt młody, by nosić trzy gwiazdki. Adams ciągnął dalej:

– Byłem w zeszłym tygodniu w kwaterze głównej dowództwa w Tampie. Facet stamtąd, któremu ufam, ma pewną teorię spiskową na temat manewrów Bright Star. Według niego, to tylko przykrywka dla planowanej amerykańskiej inwazji na Islamiję. Powiedział, że ćwiczenia zorganizowano na zbyt dużą skalę, za liczne wojska, zapasy na miesiąc. Uznał, że oddział SEAL już szuka punktów do lądowania.

– No dobrze, ale prowokacja w postaci zestrzelenia amerykańskiego AWACS-a i zwalenia winy na Islamiję? Wysadzenie bazy marynarki w Bahrajnie? – zapytał sceptyczny MacIntyre.

– Irańskie dokumenty mówią jasno, że Amerykanie nie wiedzieli o planowanym ataku na bahrajńską bazę morską. Irańczycy chcieli, żeby uznali to za dzieło Islamii – wyjaśnił Brian Douglas. – Ale faktycznie Kashigian zgodził się na zestrzelenie AWACS-a i upozorowanie winy Islamii.

Dwaj Amerykanie spojrzeli po sobie.

– Ale, Brianie, czy ma sens, by Kashigian, Conrad czy ktoś inny, kto za tym wszystkim stoi, zgadzał się na wpuszczenie irańskiej armii do Islamii?

– Ma, Rusty. Pentagon wskazałby wtedy irańskie lądowanie jako kolejny powód, dla którego Stany powinny wkroczyć. Iran, rzecz jasna, powiedziałby, że rząd w Rijadzie źle obchodził się z szyitami ze wschodniej prowincji, a oni musieli ich bronić. Wtedy Conrad ogłosiłby sukces, ponieważ zepchnął Irańczyków do małej nadbrzeżnej enklawy – wyjaśnił Douglas, bawiąc się sztućcami. – W tym cały sęk. Irańczycy planowali także zajęcie Bahrajnu. Mieli nadzieję, że amerykańska flota z jakiegoś powodu odpłynie we właściwym czasie.

Admirał Adams zerwał się zza stołu.

– I odpłynie. Kazano mi przerzucić całe siły lądowe na Ocean Indyjski, rzekomo na manewry Bright Star na Morzu Czerwonym, ale tak naprawdę mam zablokować chińskie okręty, żeby nie ruszyły na pomoc Islamii. Teraz rozumiem, dlaczego sekretarz z takim zdecydowaniem wydał mi te rozkazy. Chciał, aby Amerykanie wylądowali przed Chińczykami.

– Tak, wszystko się zgadza. – MacIntyre bezwiednie walnął pięścią w stół. – Conrad wierzy w przybycie Chińczyków. Uważa, że mogli nawet uzbroić w głowice jądrowe rakiety, które sprzedali Islamii. Ale jeśli zablokujesz ich flotę, będzie to akt wojny.

Adams zmiażdżył go spojrzeniem.

– Nie musisz mi tego mówić. Ich flota jest doskonale wyposażona. I wiozą głowice jądrowe do rakiet. Dostałem taką informację z mojego biura dziś rano, dzwoniłem tam z bezpiecznego telefonu z konsulatu. Potwierdziliśmy to, lustrując ich u wybrzeży Malezji.

– A więc Conrad miał rację – mruknął MacIntyre.

– Ale mylił się co do Iranu – powiedział Brian Douglas, próbując skierować rozmowę z powrotem na interesujący go temat. – Uważa, że Iran wyląduje tylko koło Dhahranu. A w rzeczywistości planują zajęcie całego wybrzeża Islamii i Bahrajnu. Sądzi, że wycofają się, gdy tylko zerwą umowę na ochronę szyitów, ale tak naprawdę Teheran planuje wykorzystać tę enklawę jako zaplecze zaopatrzeniowe dla terrorystycznej wojny partyzanckiej, która będzie miała na celu usunięcie Amerykanów i Saudów z pozostałej części kraju. Chcą, żeby Ameryka wykrwawiła się podczas długiej wojny na pustyni.

– Super. Conrad zawarł więc potajemną umowę z Irańczykami, żeby dostarczyli mu argumentów na rzecz przywrócenia Saudów na tron, a Teheran ma zamiar go wykiwać, zająć pół Zatoki i wciągnąć nas w kolejną wojnę okupacyjną. Jedno wielkie kurewstwo! – Oburzony Adams potrząsnął głową. Jego blada twarz zaczerwieniła się od gniewu. – Musimy to powstrzymać.

– Tak – przyznał cicho Rusty. – Musimy.

Trzej mężczyźni siedzieli w milczeniu przez kilka minut. Russell MacIntyre, amerykański analityk wywiadu, patrzył na Zatokę Perską, i sprawiał wrażenie, jakby wiedział, co robić.

– Ostatnio rozmawiałem z przyjaciółką na temat, czy jestem arogancki. Powiedziała, że nie, ale być może jestem, ponieważ od dziś zamierzam pracować dla amerykańskiego narodu, a nie dla Conrada i spółki. Nikt nie spytał Amerykanów, czy chcą, żeby ich dzieci ginęły w kolejnej wojnie.

MacIntyre podjął decyzję.

– Jeśli zamierzamy działać, musimy zrobić to sami. Nie możemy wtajemniczyć w to nikogo z Waszyngtonu i Londynu. Mam pomysł, co można zrobić, żeby zmienić bieg wydarzeń. – Zwrócił się do Bradleya Adamsa: – Admirale, masz rozkaz wyprowadzić Piątą Flotę z Zatoki. Wiem, że zamierzasz ten rozkaz wypełnić, ale może ja i Brian zdołamy tak pokierować wydarzeniami, żebyś mógł swobodnie działać we właściwym czasie. Brianie, my będziemy pracować jako wolni strzelcy. Jeśli nam się nie uda, stracimy wszystko, pracę, pensje, może dużo więcej, ale ja składałem przysięgę, że będę bronić mojego kraju, a nie bandy kłamców, którzy przypadkiem doszli do władzy. – Rusty przełknął ślinę. – Wchodzisz w to?

– Wchodzę. I mam kilku przyjaciół w Zatoce, których możemy wykorzystać. Założę się, że pan też, admirale. – Brytyjski szpieg uśmiechnął się. – Poza tym, jeśli coś pójdzie nie tak, wątpię, czy Londyn wkurzy się na mnie choć w połowie tak, jak pewne osoby w Waszyngtonie na ciebie. – Sięgnął przez stół i uścisnął rękę MacIntyre'a.

Admirał Adams wstał i położył ręce na ramionach cywilów.

– Możecie sobie myśleć, że jestem tylko wielkim naiwniakiem, ale kiedy byłem mały, oglądałem w telewizji program Davy'ego Crocketta,

Król pogranicza. W piosence tytułowej był taki fragment: „Rób swoje, gdy pewny jesteś, że rację masz. Davy Crockett mówi ci: od ciebie zależy, jak grasz". Panowie, jestem pewny, że mamy rację. Każdy sposób, żeby powstrzymać kłamliwą wojnę, która może kosztować życie tysięcy Arabów i Amerykanów, jest właściwy. Stwórzcie odpowiednie sytuacje, a ja sprawię, że potężne siły staną po waszej stronie.

– To będzie ryzykowna gra i wszystko musi zostać zrobione we właściwej kolejności – przyznał Rusty, patrząc na oficera marynarki. – Ale to nasza jedyna szansa. Brianie, czy możesz przemycić nas obu do Islamii?

13

17 LUTEGO

Na pokładzie USAF E-15 AWACS
Sygnał wywoławczy Quarterback Golf
38 000 stóp nad Zatoką Perską

– Wie pan, majorze, to wygląda, jakby Irańczycy się zmęczyli – powiedział przez interkom starszy sierżant Troy White. – Przez ostatnie kilka tygodni latali jak szaleni na tych swoich złomiastych migach. A dziś niebo jest prawie czyste. Tylko kilka rejsowych lotów pasażerskich. Ta wachta to będzie przyjemność.

Obracająca się kopuła radaru na szczycie zmodyfikowanego 767 dawała sierżantowi White'owi widok na niemal dwieście mil w głąb Iranu, gdy wielki dwusilnikowy boeing leciał powoli nad środkową częścią Zatoki Perskiej, niedaleko Abu Dhabi, kierując się w stronę Kuwejtu.

– A co po drugiej stronie? – Major Kyle Johnson spytał ze swojego stanowiska w przednim przedziale. – Stara Islamija miała problemy z odpalaniem swoich ptaszków, kiedy odcięliśmy ich od części zapasowych. Działo się tam coś ciekawego dziś rano?

– Nie, sir. Ani tu. Północny global hawk nad Kuwejtem widział paru kolesi krążących na północy. Wyglądało na ćwiczenia lotnicze. Może loty kontrolne. W każdym razie rutynowe.

Global hawk był jednym z dwóch bezzałogowych pojazdów powietrznych, nieustannie zataczających kręgi wysoko nad dwoma krańcami Zatoki, nad Kuwejtem i nad półwyspem Musandam w Omanie, u ujścia Zatoki. Każdy unosił się na wysokości sześćdziesięciu tysięcy stóp, wyposażony w skierowane w dół radary, których sygnał satelita przekazywał do AWACS-a. Oprócz własnych aktywnych radarów i urządzeń na global hawkach, nieuzbrojony AWACS wyposażony był w pasywne czujniki do wykrywania i selekcjonowania sygnałów z radarów i radionadajników w powietrzu oraz tych nadawanych z ziemi i Zatoki. Wszystkie dane zebrane przez samolot wysyłano do satelity, a stamtąd bezpośrednio do amerykańskiego CENTCOM-u w Katarze, kwatery głównej amerykańskiej Piątej Floty w Bahrajnie i baterii amerykańskich rakiet obrony powietrznej w Kuwejcie, i z powrotem do amerykańskich urządzeń wojskowych i wywiadowczych.

– Wywiad, co widzisz? – rzucił major Johnson do mikrofonu.

Dwa przedziały dalej młoda oficer lotnictwa, dwaj podoficerowie koło czterdziestki i czterdziestoletni cywil z NSA siedzieli w słuchawkach i obserwowali płaskie ekrany. Młoda oficer, porucznik Judy Moore, odpowiedziała:

– Zgadzam się z sierżantem White'em. Po irańskiej stronie cicho jak makiem zasiał. Na zachodzie, w Islamii, co chwila migało kilka ich radarów patriot. Widziałam je po raz pierwszy od dawna. Ale to nie trwało długo. Musieli mieć jakieś problemy. Na prawo od Troya dwa ptaszki krążą nad Ar Ar na granicy irackiej. Zidentyfikowały się jako rejsowe loty Air Islamija. Oba chyba czterosilnikowce.

Obróciła się w fotelu i zerknęła na inny monitor, pokazujący dane spływające z global hawka krążącego sześćdziesiąt pięć tysięcy stóp nad cieśniną Ormuz.

– Na południu hałasujemy głównie my. Flota zaczyna wypływać na manewry Bright Star i naprawdę pełno jej w cieśninach.

– Dobra. Dziś mamy pętlę rutynową – stwierdził major do interkomu. – Polecimy do Kuwejtu, nawiążemy kontakt z amerykańskimi i kuwejckimi jednostkami rakiet patriot, skręcimy w prawo, następnie do Kataru, a potem... zrobimy to jeszcze raz.

Poza zasięgiem radaru AWACS-a pięć Su-27 SMK Flanker wyleciało z irańskiej bazy lotniczej w Dezful. Każdy z dwusilnikowych myśliwców przechwytujących miał na pokładzie osiem naprowadzanych na ciepło, sterowanych radarem rakiet powietrze-powietrze. Dwaj chłopcy idący do szkoły wzdrygnęli się na widok potężnych rosyjskich myśliwców, mimo iż często widywali flankery w powietrzu wokół Dezful. Dziś, zgodzili się, było inaczej. Leciało ich pięć, zamiast zwyczajowej dwójki, i przy starcie nie wznosiły się niemal pionowo. Zamiast tego trzymały się nisko nad ziemią, a ich odbicie radarowe gubiło się w szumie naziemnym; kierowały się na zachód, a ich dziesięć silników zostawiało grubą czarną smugę. Gdyby chłopcy patrzyli przez lornetkę, zauważyliby jeszcze coś dziwnego. Nowe malowanie.

Lecąc na południowy zachód, flankery opuściły irańską przestrzeń powietrzną w kilka minut i wdarły się do Iraku między Al Kut na północy a Al Amarah na południu. Rozproszyły się w dwumilowych odstępach i przemierzały dwa tysiące mil nad Tygrysem, nadal kierując się na południowy zachód. Ich kurs prowadził je między szyickie święte miasta, Nadżaf na północy i Nasiriję na południu, tuż nad Eufratem. Na brzegu rzeki mężczyzna pracujący na szczycie wieży z antenami telefonii komórkowej ujrzał niezwykłą formację na północy i zadzwonił do kolegi, by spytać, czy on również to widzi.

Żyzna ziemia w dolinach obu rzek stanowiła pole bitwy od tak dawna, jak tylko istniały rządy na planecie. Jednak tereny pod samolotami były bezludnymi, rozległymi połaciami pustyni. Na nią każdy samolot zrzucił opróżniony zewnętrzny zbiornik paliwa, zmniejszając swe obciążenie. Maszyny leciały nad tymi niezamieszkanymi obszarami wolniej niż zwykle, próbując zrekompensować paliwożerny lot na niskim pułapie.

Gdy samoloty zbliżyły się do granicy z Islamiją, zwarły szyk i zniżyły nad piaski pustyni. Pilot prowadzący porozumiewał się ze swymi skrzydłowymi gestami. Ich radia, podobnie jak radary, były włączone, ale nie emitowały. Tylko IRST, system wyszukiwania i naprowadzania na podczerwień, skanował przestrzeń przed nimi. Na tej wysokości miał zasięg ograniczony do około czterdziestu kilometrów, ale w przeciwieństwie do radaru pozostawał niewykrywalny. IRST pokazywał czyste niebo z przodu.

Przekroczyli granicę na północ od Rafhy i na południe od Ar Ar, mając pod sobą jedynie piaszczyste wydmy. Pilot prowadzący pomachał ręką do skrzydłowych, wskazując, że zbliżają się do lewego brzegu. Samoloty wzniosły się lekko przed wykonaniem manewru, potem skręciły łagodnie na południowy wschód. Pod nimi nie było żadnych znaków charakterystycznych określających położenie, jednak sygnał z satelity pozycyjnego Galileo wskazywał, że byli na kursie. Z prawej, nieco na południe, zbliżało się pustynne miasto Baka. Oznaczało to również, że czekał ich teraz etap najniższego lotu. Gdy z prawej minęli Bakę, z lewej pojawiły się, w odległości zaledwie paru mil, bliźniacze kompleksy militarne Hafr al Batin, znane jako Wojskowe Miasto Króla Chalida. Oba miejsca chyliły się ku upadkowi, odkąd przewrót usunął dynastię Saudów.

Irańscy obserwatorzy z Sił Kods w przebraniu pasterzy wielbłądów znajdowali się w pobliżu obu baz. Potwierdzili, że tego ranka z żadnego pasa startowego nie wyleciała żadna maszyna. Ze swych pozycji tuż za ogrodzeniem mogli obserwować lotnisko. Nikt nawet nie przygotowywał żadnego samolotu. Każdy z obserwatorów kliknął małe satelitarne radio, transmitując sygnał na częstotliwościach monitorowanych w Teheranie. Sygnały wskazywały, że wszystko jest w porządku. Teheran nie musiał używać satelity awaryjnego do kontaktu z flankerami.

Z najniższego pułapu lotu flankery miały szybko wzbić się, skierować na południe od Wojskowego Miasta Króla Chalida i skręcić w lewo nad Zatokę Perską, na południe od Kuwejtu. Pilot prowadzący sprawdził poziom paliwa. Zużył nieco więcej, niż zostało to przewidziane na tym etapie misji, ale tylko odrobinę. Jego oczy powędrowały do monitora radiolokatora impulsowego koherentnego Fazotron Żuk. Był włączony, ale nie ustawiony na emisję. Kiedy go przestawił, wyświetlił się tryb *track-while-scan*[20], a rakiety przeszły w stan szukaj-zestrzel. To stanie się już za chwilę. Kiedy obserwował monitor radaru, zauważył ikonkę migającą na ekranie ELINT, rozpoznania radioelektronicznego, która po chwili zniknęła. Pilot przypomniał sobie, że widział już ją kilka minut wcześniej i zignorował. Zignorował ją i tym razem. Wcisnął przycisk pod ekranem, żeby wywołać odczyt. Dane informowały, że przez ostatnie szesnaście minut sygnał dotarł do flankera cztery razy, ale był zbyt krót-

---

[20] *Track-while-scan* – system radiolokacyjny wykrywający cel, obliczający jego prędkość i określający przyszłe położenie.

ki, żeby uruchomić automatyczny alarm. Jeszcze raz włączył system kontroli, żeby przeanalizować sygnał.

Na monitorze wyświetlił się napis „APY-2". Nie miało to sensu. APY-2 to sygnał, który miał namierzyć za kilka minut, potężnego radaru na amerykańskim samolocie AWACS. Spojrzał na zegarek: 8.35. Jeśli amerykański AWACS pokonuje zwykłą trasę, powinien być teraz nad wybrzeżem Islamii, około piętnastu minut na południe od Chafji, oddalony o dwadzieścia minut od przestrzeni powietrznej Kuwejtu. Powinien mieć Amerykanów na wschodzie. Jednak ELINT zlokalizował źródło sygnału na północnym zachodzie. Sygnały AWACS-a były zwykle ciągłe, a nie krótkie i przerywane. Ten odczyt nie miał żadnego sensu. Rosyjski system ELINT był bardzo dokładny.

Teraz zapiszczał system nawigacji. Flankery osiągnęły współrzędne punktu, w którym powinny zacząć się wzbijać. Dał sygnał swoim skrzydłowym i z przyjemnością pociągnął dźwignię. Flanker niemal stanął na ogonie, a potem wspiął się z poziomu tysiąca stóp do czterdziestu tysięcy.

Kiedy siła ciążenia wgniotła Irańczyka w fotel, z wysiłkiem włączył cyfrowe urządzenie nagrywające wbudowane w radio. Radio zaczęło odtwarzać nagranie kilku pilotów myśliwców mówiących po arabsku, którzy koordynowali szyk, zbliżając się do celu. Dzięki temu irańskie odrzutowce miały brzmieć jak islamijscy piloci myśliwców.

Sierżant White czytał rozłożony na kolanach numer „Sports Illustrated", zerkając co chwilę na ekran radaru.

– Fiuuu… wygląda na to, że pieprzone Wojskowe Miasto się ożywiło – wrzasnął do mikrofonu i upuścił gazetę na podłogę. – Mam tu trzy, cztery, pięć myśliwców lecących z maksymalną prędkością na wschód, w stronę Chafji. Myślałem, że te sukinsyny przez chwilę będą siedziały cicho.

– Miej ich na oku – odpowiedział major Johnson, spoglądając na własne monitory. – Wywiad, co o tym myślicie?

– Dwusilnikowce. Przypuszczam, że to F-15, których Islamija jeszcze używa. Ale nie wyłapuję sygnału ich radaru, więc może nie wszystko działa – odpowiedziała porucznik Moore. Przerwała, gdyż cywil z NSA ze słuchawkami na uszach podsunął jej kartkę. Przeczytała ją i kontynuowała raport. – Potwierdzono rozmowy pilotów lotnictwa Islamii we wznoszących się myśliwcach. Będę was informować na bieżąco.

Irańskie siły powietrzne kilkakrotnie wysyłały myśliwce przechwytujące w pobliże AWACS-a, tak sobie, żeby dać nam znać, że tam są, pomyślał Johnson, ale nie Islamija. Może postanowili robić to samo. Uznał, że lepiej przypomnieć pilotowi, żeby przejrzał procedury dotyczące niespodziewanych gości. Chociaż kapitan Phyllis Jordan była niższa stopniem od majora Johnsona, to ona pilotowała samolot. On był tylko dowódcą misji. Kolejny przykład tyranii pilotów w lotnictwie, pomyślał Johnson. Dotknął swojego mikrofonu.

– Kapitan Jordan, być może będziemy mieli małe spotkanie ze straszydłami, zanim wejdziemy w przestrzeń powietrzną Kuwejtu. Dla tych gości to będzie pierwszy raz; tym razem to Islamija.

– Przyjęłam – potwierdziła dowódca. – Będziemy uważać. Skończyła się zabawa. – Nieuzbrojony AWACS kontynuował lot na północ.

Sierżant White, który przysłuchiwał się tej wymianie zdań i obserwował uważnie swój monitor, zauważył kolejną niespodziankę.

– Majorze, jest ich więcej – wychrypiał Troy White. – Przysięgam, że widzę jeszcze sześć, lecą jak jakieś piekielne nietoperze na północy. Wznoszą się pod kątem od dwunastu do dwudziestu. Nie wiem, skąd są te łobuzy.

Kyle Johnson przysunął twarz do ekranu. Zobaczył kolejne ikonki przemieszczające się szybko z zachodu. Tworzyły dwie grupy po trzy maszyny, leciały z boku i z tyłu grupy myśliwców, którą namierzyli kilka minut temu. Przy tej prędkości nie mogły się wlec tak długo. Teraz było to już prawie tuzin myśliwców zdążających w stronę wybrzeża.

– Majorze, wywiad – zawołała Judy Moore.

– Co tam, Jude? – zapytał major Johnoson.

Sir, odebrałam dwa sygnały radaru lotniczego, nadchodzące z okolic Rafhy. Sir, to dwa AWACS-y. AWACS-y sił Islamii – odpowiedziała z niedowierzaniem.

– No tak, sprzedaliśmy Saudom pięć tych maszyn, ale chyba wywiad doniósł, że sprawna jest tylko jedna. A ty widzisz dwie i to lecące w szyku? – spytał Johnson.

– To musi idiotycznie brzmieć, ale to właśnie widzimy. Nie wiem, skąd się wzięły. Pojawiły się znienacka. Lecą na czterdziestu tysiącach – raportowała szefowa wywiadu. – Ta druga grupa myśliwców to bez wątpienia F-15S. Ich radary pracują i wysyłają silne sygnały.

Johnson zachował podejrzliwość. Zastukał w klawisze na swojej konsoli, połączył informacje wywiadu i radaru na jednym ekranie, umieścił kursor koło miasta Ar Ar i cofnął taśmę. Teraz dostrzegł, co wydarzyło się kilka minut wcześniej, a co mogli przegapić. Na ekranie znalazły się dwie ikonki oznaczone jako: „Prawdopodobnie A-340 lub 747 Air Islamija". Żadna z maszyn nie emitowała sygnału radaru. Potem, na krótko, wąski promień radarowy wystrzelił na zachód, a kolejny na południowy zachód. Automatyczne oprogramowanie analityczne zakwalifikowało promień radaru jako: „ASY-2 AWACS". Przesunął taśmę w przód. Nagle trzy ikonki radaru pojawiły się przy 747, AWACS-ie, czy co to tam było. Ikonki szybko się przesuwały. Program diagnostyczny szybko zidentyfikował je jako „F15-S", sprzedaną Saudom wersję amerykańskiego eagle.

Potem, gdy Johnson obserwował, inny duży samolot również wypuścił trzy ikonki, szybko określone jako „F15-S". To, co brał za dwa rejsowe samoloty podczas lotu kontrolnego, okazało się dwoma AWACS-ami w ciasnym szyku z trzema F-15 pod każdym z nich. Teraz, pomyślał Johnson, sześć myśliwców kierowało się w jego stronę. Jak również pięć innych.

Włączył mikrofon.

– Phil, może byś tak popruła w kuwejcką przestrzeń powietrzną.

Zastanawiał się, czy w Kuwejcie stały w gotowości jakieś amerykańskie myśliwce. Sprawdził sygnał wywoławczy tamtejszej jednostki i przełączył się na jej częstotliwość.

– Kilo Light, Kilo Light, tu Quarterback Golf, żądam CAP ASAP[21], powtarzam żądam CAP ASAP. Mamy liczne straszydła, być może

---

[21] CAP (Combat Air Patrol) – patrol powietrzny; ASAP (As Soon As Possible) – tak szybko, jak to mozliwe

nieprzyjacielskie... – Potrzebował patrolu, który odstraszyłby te myśliwce.

Zanim skończył nadawanie, w kabinie rozległa się głośna syrena. Głos z taśmy obwieścił:

– Alarm. Uruchomiono radar rakietowy. Alarm...

Myśliwce nie wystrzeliły rakiet – w każdym razie jeszcze nie. Gdy flankery zbliżyły się do amerykańskiego AWACS-a, ich naprowadzane radarem rakiety zaczęły namierzać z oddali AWACS-a, chociaż wciąż nie oderwały się od myśliwców.

Major Johnson poczuł, jak kadłub 767 szarpnął w przód, gdy pilot zanurkowała. W kokpicie kapitan Phyllis Jordan uruchomiła trzy przełączniki, rozsiewając proszek aluminiowy w powietrzu, wystrzeliwując podczerwone flary z boków samolotu i wysyłając elektroniczne sygnały bojowe w stronę myśliwców na tej samej częstotliwości, której używały ich rakiety. Teraz Johnson usłyszał odpowiedź kuwejckiej jednostki:

– Quarterback Golf, tu Kilo Light. Powtórz swoją prośbę.

Pilot prowadzący irańskiego flankera wciąż się wznosił, kiedy zapiszczał jego odbiornik ostrzegający o opromieniowaniu przez radar. Płaski monitor zamigotał; na pomarańczowym tle pojawiły się litery: „ASY-2 AWACS". Potem wyświetliły się trzy różne napisy. Złapały go radary trzech AWACS-ów, z których tylko jeden był amerykańskim celem. Sprawdził własny radar naprowadzający. Ustawił się on na amerykańskiego AWACS-a jeszcze nad Zatoką, jednak maszyna nadal znajdowała się poza zasięgiem strzału. Wtedy jego odbiornik ostrzegawczy zapiszczał ponownie, szybciej i wyższym tonem. Monitor zamigotał na czerwono i obwieścił: „uchwycono APG-70".

Oznaczało to, że w pobliżu był amerykański F-15. Wiele F-15. Albo, pomyślał, może to Saudowie? Włączył radio i szybko przełączył na niską moc, wystarczającą tylko, by dotrzeć do jego skrzydłowych. Potem wywołał w farsi dwa ze swoich czterech flankerów.

– Odłączcie się. Oczyśćcie nam ogon. Sprawdźcie, co się tam dzieje.

Odleciał. Namiar ustawiony na AWACS-a migotał. Zaśmiał się. Amerykańska maszyna próbowała zagłuszać, ale 767 był za dużym celem, by jego potężny radar mógł go zgubić. Przełączył się na tryb ostrzegawczy.

Dwa flankery złamały szyk, jeden z prawej, drugi z lewej, wzniosły się i wykręciły zmodyfikowane immelmanny[22]. Gdy tylko wyrównały, w ich kamerach dalekiego zasięgu pojawił się obraz lecących w ich kierunku sześciu F-15 Eagle. Pilot jednego z flankerów przekazał informację przez radio dowódcy, prosząc o dosłanie dwóch dodatkowych maszyn, by przyłączyły się do spodziewanego starcia. Tchórz, pomyślał dowódca eskadry, ale zadanie mogę wypełnić sam. Nakazał odłączyć się pozostałym skrzydłowym.

Gdy 767 zszedł niżej, zasięg jego czujników spadł, jednak global hawk uciekł przed namierzaniem do Iranu i wsparł AWACS-a. Major Johnson ujrzał na swym ekranie komunikat „Rakiety daleko". Szybko wystukał wiadomość i wcisnął przycisk nadawania: „CRITIC: wystrzelono rakiety powietrze–powietrze". Wiadomość poprzedzona słowem CRITIC powinna uruchomić syreny alarmowe we wszystkich ośrodkach dowodzenia aż do Pokoju Sytuacyjnego w Białym Domu. Potem do Johnsona dotarło, że rakiet nie wystrzelono w jego AWACS-a. Myśliwce strzelały do siebie!

– Majorze, mam odczyt z ELINT, według niego przynajmniej jeden z myśliwców to flanker, rosyjska wersja eksportowa. Islamija nie ma flankerów. – W słuchawkach odezwała się porucznik Moore. – Może być syryjski lub irański, a może nawet iracki.

Johnson przełączył widok na swym monitorze, by sprawdzić, jak blisko są kuwejckiej przestrzeni powietrznej. Zeszli na trzy tysiące stóp nad Zatokę, dokładnie na południe od Chafji, zaledwie parę minut od brzegów Kuwejtu. Gdy patrzył, na mapie w Chafji pojawiła się iko-

---

[22] Immelmann – wykorzystywana w walce figura akrobacji lotniczej złożona z półpętli i półbeczki, nazwana tak od nazwiska Maksa Immelmanna (1890–1916), niemieckiego asa myśliwskiego z okresu I wojny światowej.

na: „SAM: PATRIOT (X)"[23]. Teraz emitował radar obrony powietrznej rakiety patriot, jednej z eksportowych wersji, jakie Amerykanie sprzedali Saudom. Cicha okolica szybko pogrążyła się w chaosie. Co się tam, do cholery, działo? Odezwał się do Troya White'a przy głównej konsoli radarowej.

– Majorze, to dziwne. Oni – kimkolwiek są – rozwalili jednego slammerem, AIM-120[24]. Zestrzelili go! A teraz jest tam jeden wielki burdel. Na radarach kłębi się kilka ALQ-135[25], zagłuszających radary. Ale, majorze – powiedział sierżant, łapiąc oddech – jeden z nich wciąż leci na nas.

Dwa islamijskie F15-S Eagle wzbiły się na czterdzieści pięć tysięcy stóp i uruchomiły dopalacze, wyruszając z ponaddźwiękową prędkością w stronę nadlatującego flankera. Poniżej cztery eagle i trzy flankery zaczęły wystrzeliwać pociski termiczne i walić z działek. Przechylały się i obracały, ścierając się w chaotycznym pojedynku. Prowadzący eagle miał namiar radarowy na samotnego flankera, który wciąż kierował się w stronę Zatoki. Na płaskim ekranie migotał napis: „Prawdopodobieństwo zestrzelenia: 60%". Pilota wyszkolono tak, żeby czekał, aż się zbliży do celu, wtedy miał co najmniej osiemdziesiąt procent szans. Jednak poziom paliwa zbliżał się do granicy alarmowej. Dopalacze wyssały resztki paliwa ze zbiorników. Odbezpieczył spust i nacisnął go. Spod skrzydła wyleciał slammer, pozostawiając za sobą smugę dymu, gdy mknął w stronę flankera.

Poniżej na plaży, przy granicy kuwejckiej, inny oficer Islamii obserwował pościg i powietrzny balet na płaskim ekranie w zamaskowanej przyczepie. Był dowódcą baterii rakiet patriot, która stanęła tu poprzedniego dnia. Nakierował kursor na ikonę flankera, gdy maszyna zbliżała się do AWACS-a.

– Wystrzel drugą – powiedział i niemal natychmiast usłyszał szum rakiet opuszczających wyrzutnię za wałami po jego lewej i prawej stronie.

---

[23] SAM (Surface to Air Missile) – rakieta ziemia-powietrze.

[24] AIM (Aerial Intercept Missile) – pocisk przechwytywania powietrznego.

[25] ALQ-135 – elektroniczny system zagłuszania.

We flankerze migotały komunikaty „Zbliża się rakieta powietrze--powietrze" i „Zbliża się rakieta naziemna". W uszach pilota rozlegały się syrena i dzwonek alarmowy. Radar ustawiony na AWACS-a przerywał. Zagłuszanie było potężne, a on nagle miał cztery różne obrazy 767 na radarze. Nie miał pojęcia, który jest prawdziwy i gdzie polecą rakiety, jeśli je wystrzeli. I tak wystrzelił. Z każdego skrzydła wyleciał pocisk, jeden skierował się w lewo, drugi pomknął prosto. Pilot pomyślał, że może zobaczyć AWACS-a poniżej i w oddali mimo oślepiającego światła. Gdyby włączył dopalacze, mógłby uniknąć zestrzelenia przez działko flankera...

Stojąc w drzwiach przyczepy punktu sterowania rakietami patriot, podpułkownik Jousef Izzeldin ujrzał, jak flanker eksploduje w pomarańczowej chmurze, a szczątki maszyny zostają rozrzucone w górę i na boki. Był przekonany, że jego patrioty trafiły w cel.

Na pokładzie amerykańskiego AWACS-a major Johnson siedział przed swym monitorem. Szczęka mu opadła. Widział, jak islamijska bateria wystrzeliła rakiety patriot i pomyślał, że już nie żyje. Potem zrozumiał, że patrioty wycelowano w prowadzący myśliwiec, który eksplodował kilka sekund później. Częstotliwość zagłuszano tak bardzo, że nie było wiadomo, co się dzieje. Potem w słuchawkach usłyszał sierżanta White'a:

– No to chyba koniec. Sześć maszyn zestrzelonych. Siedem, jeśli doliczyć tę trafioną przez patriota. Kurwa, wierzycie w to? Czy ktoś ma jakiś pomysł, co tu się stało? Co to było, do kurwy nędzy?

Na głos White'a nałożyła się najwyższej rangi wiadomość głosowa z Kwatery Głównej Amerykańskich Sił Powietrznych z bazy w Langley w Wirginii:

– Quarterback Golf, tu Blue Squire. Czy możesz potwierdzić swą wiadomość „CRITIC: wystrzelono rakiety", odbiór.

Apartament admiralski
na pokładzie USS „Ronald Reagan"
Cieśnina Ormuz

– Weź głośniej, Andy. Chcę posłuchać – poprosił admirał Adams kapitana „Reagana", Andrew Ruckera. Kapitan wziął pilota i włączył głos wiadomości stacji MSNBC. Reporter stał przed wielkim biało-niebieskim 747, którego używał sekretarz obrony:

„...najwyraźniej nieudany bunt w siłach powietrznych Islamii, według wysokiego urzędnika Pentagonu, z którym na pokładzie samolotu sekretarza obrony Conrada przylecieliśmy dziś do Kairu. Źródło twierdzi, że kilku pilotów, najwyraźniej niezadowolonych z nowego reżimu w Rijadzie, przejęło myśliwce i odleciało. Jednak wytropiły je i zestrzeliły siły lojalne wobec reżimu. Urzędnik Pentagonu twierdzi, że w niegdysiejszej Arabii Saudyjskiej panuje coraz większe niezadowolenie, więc w najbliższych tygodniach i miesiącach możemy spodziewać się więcej takich buntów. Barbara Nichols, Kair".

Prowadzący wiadomości dodał: „Wcześnie rano islamijski rząd wydał oświadczenie, że kilka obcych samolotów zostało zestrzelonych, po tym jak wdarły się w przestrzeń powietrzną kraju. Po reklamach opowiemy o nowej, rewelacyjnej diecie..."

– Bzdury! – Adams wyciszył dźwięk. – Kompletny nonsens.

– Sir? – spytał kapitan Rucker.

– Popatrz na raporty taktyczne z AWACS-a, ja już czytałem. To była pułapka, która uratowała nam tyłki, ocaliła AWACS-a. Lotnictwo Islamii w jakiś sposób dowiedziało się, że ci goście przylecą, i czekali na nich. Gdyby ich tam nie było, ci bandyci mogli zestrzelić AWACS-a. Nasze kulawe siły powietrzne nie potrafiły bronić własnego samolotu, sam zobacz. – Adams rzucił kapitanowi okrętu stos wydruków.

– Tak, sir. Ale jeśli to nie byli zbuntowani piloci Islamii, to kto w takim razie? – spytał zmieszany Rucker.

– Hmmm. Mieli nową, eksportową wersję flankerów, Irak ich nie ma. Zostaje więc Iran. – Adams podszedł do wielkiej mapy Zatoki, która wisiała na ścianie.

– Tak, ale wtedy AWACS lub global hawk zobaczyliby ich lecących nad Zatoką. – Rucker wskazał odpowiedni sektor na mapie.

Admirał obrócił kapitana Ruckera i pokazał punkt u samego dołu mapy.

– Nie, jeśli wystartowali stąd, z Iranu, i przelecieli nad Irakiem poniżej zasięgu radaru. A potem, trach, pojawili się w Islamii.

– Ale dlaczego ktoś z samolotu sekretarza powiedział...? – spytał z uśmiechem Rucker.

Adams tylko zmarszczył brwi.

– Chodźmy na wieżę, Andy – powiedział admirał i podszedł do drzwi.

Kilka minut później dwaj mężczyźni znaleźli się na pokładzie obserwacyjnym, dziesięć poziomów nad pokładem startowym „Reagana", dwadzieścia pięć poziomów nad powierzchnią wody.

– Admirał na pokładzie! – krzyknął mat na ich widok. – Kapitan na pokładzie – dodał.

Główny oficer wywiadu floty, kapitan John Hardy, już zajął najlepszą miejscówkę i patrzył przez wielką lornetkę, kiedy dobili do niego wyżsi oficerowie.

– Johnny! Wiedziałem, że jesteś na pokładzie – powiedział Adams, klepiąc kapitana w ramię – ale myślałem, że siedzisz w CIC. – Bojowe Centrum Informacji, mózg okrętu i całej grupy bojowej, mieściło się w ciemnym, pełnym komputerów pokoju kilka poziomów niżej. Nie było tam okien, więc po jakimś czasie mózg wysiadał.

– Musiałem odetchnąć świeżym powietrzem, admirale. Poza tym sytuacja w tej części Zatoki jest spokojna. Irańczycy chyba na wakacjach. Myślałem, że będą chcieli się nam przyglądać teraz, kiedy ruszamy całą Piątą Flotę z Zatoki przez te wąskie cieśniny z Morza Arabskiego na Ocean Indyjski. Cóż za możliwości dla wywiadu. Kurwa, gdyby oni coś takiego robili, latałbym przed nimi, pływał obok, a na tych małych wysepkach posadziłbym gości z kamerami i sprzętem elektronicznym. A tu nic. – Kapitan Hardy potrząsnął głową.

– Nie cała Piąta Flota odpływa, Johnny. Zostawiam dwa nowe okręty. Nowa jednostka przybrzeżna „Rodriguez" i najnowszy kuter

„Loy". I dwa trałowce oraz dwa statki patrolowe – powiedział Adams i wziął lornetkę od Hardy'ego.

– Nie mieliśmy tak mało okrętów w Zatoce od 1979 roku. Sprawdziłem – odparł Hardy.

– Hm, jak to mawiał Arnold: „Jeszcze tu wrócę". Ale dopiero jak rozprawimy się z Chińczykami. Jak przedstawia się teraz ich rozmieszczenie? – Admirał poprowadził swojego oficera wywiadu na bok. Hardy zniżył głos i złożył raport dowódcy floty.

– Obie ich grupy bojowe znajdują się teraz głęboko na Oceanie Indyjskim, ale po przejściu przez cieśninę Malakka jeden popłynął na północ, a drugi na południe. P-3 wylatujące z Diego Garcia tropią też grupę chińskich rorowców, które poprzedzają każdą z grup bojowych. W zasadzie, sir, wszystko zgadza się z tym, o czym poinformował pan Pentagon. Płyniemy prosto w rozwartą paszczę smoka, pełną ostrych zębów.

Adams wciągnął powietrze, napinając baryłkowaty tors. Spojrzał w dół na ogromny pokład startowy, na F-35 Enforcers, najnowocześniejsze wielozadaniowe myśliwce uderzeniowe na świecie.

– Kiedy będziemy w stanie wznowić operacje powietrzne, Andy?

– Jak tylko wypłyniemy z tego gardła, admirale, może koło wyspy Keszm, jeśli kierunek wiatru się nie zmieni. Ale mam teraz w powietrzu cztery F-14 i dwa F-35. Mogą się zregenerować w Omanie, w Seeb albo na Masirah, jeśli zajdzie taka potrzeba. Mamy też F-22 na awaryjnym pasie na Masirah i na omańskim wybrzeżu w Thumrait. Raptory F-22, Enforcery F-35... Jeśli będziemy musieli to zrobić, zdeklasujemy Chińczyków – powiedział kapitan Rucker.

– Zawsze trzeba doceniać wroga, Andy. Zawsze – stwierdził Adams. Przygryzł wargę, odwrócił się i doszedł.

– Admirał zszedł z pokładu!

Centrum Bezpieczeństwa Republiki
Rijad, Islamija

– Wiem, że już kiedyś tu byłem – wyszeptał Brian Douglas do MacIntyre'a w windzie zjeżdżającej na parter Centrum Bezpieczeństwa. Winda zatrzymała się, a drzwi otworzyły. Za nimi w ciemnym korytarzu czekał na nich Ahmed bin Raszid.

– Mam nadzieję, że lot z Dhahranu był przyjemny – przywitał ich doktor. Uścisnął dłonie Brytyjczyka i Amerykanina. Potem zwrócił się do ochrony:

– Wszystko w porządku, już ich stąd zabieram.

Przechodzili obok szklanych ścian, za którymi widniały kolejne pokoje. Było to najwyraźniej duże stanowisko dowodzenia.

– Stąd dowodził Schwarzkopf podczas Pustynnej Burzy – zauważył Ahmed. – Naprawdę powinniście wtedy wyjechać, tak jak obiecaliście. Ominęło by nas wiele złego.

Podeszli do drzwi pilnowanych przez dwóch strażników, którzy skinęli Ahmedowi i pozwolili jemu i jego dwóm gościom przejść dalej.

– Szejku Raszidzie, *salam alejkum* – powiedział Brian Douglas, podając rękę Abdullahowi, który siedział samotnie w małym pokoju. Po krótkiej prezentacji, zasiedli na kanapach – dwaj Arabowie po jednej stronie, a Amerykanin i Brytyjczyk naprzeciwko nich. Pojawił się mężczyzna i podał gorącą herbatę. Inny postawił na stole misę suszonych owoców i słodycze. Kiedy kelnerzy odeszli, Abdullah zaczął rozmowę po angielsku.

– Ahmed przekazał mi wasze słowa. – Zamilkł, zamyślony. – Więc mówicie, że Amerykanie zamierzają najechać mój kraj, a pan, MacIntyre, jest Amerykaninem, oficerem wywiadu. W co więc mam uwierzyć? Że jest pan zdrajcą? Dlaczego mam panu wierzyć?

Rusty spojrzał na Briana, który pokazał mu, żeby mówił pierwszy.

– Dziś rano wasz samolot zapobiegł próbie zestrzelenia przez Irańczyków odrzutowca amerykańskich sił powietrznych, winę chcieli zrzucić na was. Stało się to możliwe dzięki informacji, którą my, którą Brian przekazał pańskiemu bratu. Tak?

Abdullah przytaknął, zerkając na brata.

Rusty ciągnął:

– Rozumiem, że w waszym rządzie są stronnictwa. W moim też. Ja należę do grupy popierającej wszelkie wysiłki pokojowe przed rozpętaniem wojny, grupy, która wierzy, że wasz kraj i nasz nie muszą być wrogami. Jeśli jednak podjęto decyzję o sprowadzeniu broni jądrowej albo o zorganizowaniu bazy dla szkolenia terrorystów, zmienię swój pogląd. Teraz jednak wciąż mamy nieco czasu, żeby uniknąć katastrofy.

Abdullah odezwał się cichym, ale dobitnym głosem:

– Panie MacIntyre, panie Douglas, jeśli obce wojska wylądują na naszych wybrzeżach bez naszej zgody, czy to będą Amerykanie, czy Irańczycy, cały lud tej ziemi będzie z nimi walczył, zawsze. Na wszystkie możliwe sposoby. Możecie to nazwać terroryzmem. Dla mnie to będzie obowiązkiem. Dlatego walczyłem z wami, Amerykanami, gdy byliście tu poprzednio, dlatego pomagałem Irakijczykom, kiedy najechaliście ich kraj. Czemu uważacie, że możecie krążyć po całym świecie, umieszczając swe wojska w obcych państwach? Niemcy, Japonia, Korea, byliście tam przez dziesięciolecia.

– Szejku Raszidzie, nie przybyłem tu po to, by się spierać. – Rusty nie mógł tego pozostawić bez komentarza. – Musi pan jednak wiedzieć, że posłaliśmy wojska do Japonii i Niemiec dlatego, że te kraje nas zaatakowały. Gdy już je pokonaliśmy, daliśmy im pieniądze. Wkroczyliśmy do Korei na jej prośbę, kiedy została najechana. Posłaliśmy też amerykańskich chłopców, by walczyli i umierali za muzułmanów w Bośni, w Somalii, w Kuwejcie. Odbudowaliśmy ich kraje, przynieśliśmy im demokrację, podobnie jak próbowaliśmy odbudować Irak i zaszczepić w nim demokrację. Nie jesteśmy diaboliczną siłą, jak to sobie pan wyobraża.

Abdullah machnął ręką.

– Przynieśliście im demokrację? Nie rozumiecie, że nie możecie zaszczepić demokracji z pomocą swej armii, chyba tylko jakieś fałszywe pojęcie? To właśnie zrobiliście. Demokracja musi wyrastać z ziemi niczym rodzime kwiaty, odmienne w kolory i kształty każdej krainy. Utrudniliście nam nawet dyskusję z naszym ludem o demokracji, ponieważ według nich to wymysł Waszyngtonu.

Ahmed i Brian spojrzeli po sobie w obawie, że spotkanie zmieni się w dyskusję między Amerykaninem i Arabem, który walczył w przeszłości ze Stanami Zjednoczonymi.

– W każdym razie to już historia – wtrącił Ahmed. – Musimy się zmierzyć z teraźniejszością. Amerykańskie, irańskie i chińskie siły są w przededniu inwazji na ten kraj, a nie jego odbudowy czy demokratyzacji. Tworzymy sobie własną formę naiwnej demokracji. Oni wszyscy przybywają tu, by zdobyć ropę, ale dostaną tylko długą wojnę, podczas której zginie wielu Amerykanów i Islamijczyków.

Rusty podchwycił sygnał.

– Naszym celem, szejku Raszidzie, jest temu zapobiec. Byłoby to tragedią dla naszych krajów. Dość już mamy tragedii. Dlatego powiedzieliśmy panu, czego Brian dowiedział się w Teheranie.

Abdullah przyznał, że dość już było nieszczęść.

– Ale nie powiedzieliście nam, jak zapobiec tej kolejnej tragedii, jak powstrzymać potrójną inwazję – wytknął Abdullah.

– Nie, ale my, i kilku innych, pomożemy wam w miarę naszych możliwości – wyjaśnił Rusty. – Zamierzam wrócić do Waszyngtonu. Sądzę, że mogę powstrzymać bieg spraw, informując właściwych ludzi o tym, co planuje sekretarza Conrad.

Abdullah spojrzał na brata i zapytał:

– Dałeś tej amerykańskiej reporterce dokument znaleziony w aktach przez Muhammada? On wskazuje, że ten Conrad był tylko przekupną marionetką w rękach Saudów.

– Ona go ma – zapewnił Ahmed – ale dam też kopię Russellowi.

Chociaż MacIntyre nie całkiem zrozumiał ostatnią wymianę zdań między braćmi, ich spotkanie z szejkiem Raszidem chyba dobiegło końca. Abdullah bin Raszid wstał, zmuszając pozostałą trójkę do powstania, a potem powiedział:

– Podjąłem pewne decyzje, jeszcze zanim dostałem wasze informacje. Poprosiłem Ahmeda, żeby opracował plan, pułapkę, by odstraszyć tych, których on nazywa skorpionami, Chińczyków, Irańczyków i… Amerykanów. Zrobiłeś to, Ahmedzie?

Młodszy Arab pomachał teczką trzymaną w ręce. Abdullah ciągnął:

– Będzie walka. Zamierzamy, jak wy to określacie, działać czynnie. Ale może unikniemy walnej bitwy.

– *Inszallah* – westchnął Brian Douglas. – *Inszallah*.

14

21 LUTEGO

Na pokładzie USS „George Herbert Walker Bush"
Morze Czerwone, na południe od Kanału Sueskiego

– Dziękuję bardzo za wyjaśnienia i oprowadzenie po okręcie, za wszystko, panie sekretarzu – powiedział egipski minister obrony, krocząc po czerwonym dywanie w stronę czekającego V-22 Ospreya. – Postępujemy słusznie. I wiem, że gdy nadejdzie czas, mój prezydent też postąpi słusznie. – Egipcjanin przystanął i położył dłoń na ramieniu sekretarza Conrada. – Ci ludzie nie mogą myśleć, że wolno im zmieniać rządy i zastępować władców fanatykami religijnymi i terrorystami. Nie powinniśmy byli na to pozwolić. Należało zadziałać wcześniej, ale teraz, z waszą pomocą, możemy naprawić ten błąd i ustabilizować region. *Inszallah*. – Cofnął się, zasalutował sekretarzowi i wszedł na pokład wielkiego samolotu pionowego startu.

Conrad, ubrany w lotniczą kurtkę, oddał salut, a potem wrócił do wnętrza okrętu, zanim wielkie śmigła zaczęły się obracać, tworząc silny prąd powietrza na pokładzie lotniskowca. Eskortowano go do CIC i małej sali konferencyjnej tuż pod podłogą sali odpraw.

– Chyba nieźle poszło, Ron – stwierdził Conrad, gdy zamknął drzwi.

Podsekretarz obrony Ronald Kashigian siedział sam, czekając na szefa:

– Zobaczymy. Dopiero kiedy powie prezydentowi Fouadowi, że zamierzamy powstrzymać chaos i Irańczyków, wtedy się dowiemy, czy mamy po swojej stronie egipskie wojska. Nie wcześniej.

– Ron, to bardzo ważne, żebyśmy mieli po swojej stronie kolejne państwo arabskie. Wielkie, a nie jakąś zaszczaną piaskownicę

– stwierdził Conrad, siadając przy stoliczku. – Jak prasa rozegrała ten cholerny pojedynek powietrzny?

Kashigian wręczył mu plik wydruków.

– Właściwie całkiem nieźle. Nie tak, jak chcieliśmy, ale sądzę, że to zwiększa wrażenie niestabilności w Islamii. Bunt pilotów, tak to nazwał „Chicago Courier". Zastanawia mnie tylko, kto to spieprzył. Nie wierzę, że system obrony przeciwlotniczej Islamii okazał się tak dobry. Wszystkie informacje mojego wywiadu mówiły...

– Jezu, ile razy ci powtarzałem, żebyś nie wierzył w wywiad! – powiedział Conrad, rzucając papierami w swego podwładnego. – Ale najważniejsze, że zadziałało. Czy coś jeszcze może nawalić?

– Sprawdźmy. Książęta opuszczą Los Angeles i Houston dziś wieczorem i polecą do Genewy. Zamieszki w szyickich dzielnicach w prowincji wschodniej powinny zacząć się dziś wieczorem, a jutro po południu Teheran zorganizuje wielki wiec, jako protest przeciwko prześladowaniu szyitów w Islamii. Ściągną swoje siły powietrzne i morskie, żeby były gotowe do ataku. Nasza flota właśnie opuściła Zatokę, więc będziesz musiał podpisać rozkaz dla Adamsa, żeby zmienił swój cel: zamiast popłynąć na Bright Star ma zorganizować blokadę Chińczyków... – Kashigian prześledził harmonogram i plan w czarnej skórzanej teczce. – Czy prezydent podpisał rozkaz zatrzymania chińskich okrętów z żołnierzami i bronią jądrową?

Conrad spojrzał na niego zdegustowany.

– Nie, prezydent jeszcze nie podpisał rozkazu – odparł, przedrzeźniając Kashigiana. – Pieprzeni prawnicy z Białego Domu dyskutują, czy to akt wojny. Oczywiście, że tak. I co z tego! Sam wydam rozkaz, jeśli do tego dojdzie. Narodowe Centrum Dowodzenia, prawda?

– Tak, ale myślałem, że chcemy zatrzymać tę kartę, na wypadek gdybyśmy, powiedzmy, spontanicznie postanowili wkroczyć do Arabii Saudyjskiej, żeby powstrzymać Irańczyków po wylądowaniu – rzucił Kashigian.

– Powstrzymać Irańczyków przed wyjściem z enklawy nad Zatoką, ale także, by skończyć z chaosem w Dżeddzie i Rijadzie, zagrażającym ludziom z Zachodu – dodał Conrad.

– Jasne, chociaż aktualnie nie widzę wielu dowodów chaosu, które moglibyśmy komukolwiek pokazać – przyznał Kashigian.

– Dowodów? To nie sąd! – Conrad walnął w stół. – Napiszą o tym, jeśli ich poinformujemy.

Obaj mężczyźni siedzieli przez chwilę wpatrzeni w mapę regionu na ścianie.

– Co jeszcze… – rozmyślał na głos Conrad.

– Jest ten facet, MacIntyre z IAC, który węszy dokoła – rzucił podsekretarz.

– Eee – parsknął Conrad. – To gnojek.

– Siły Specjalne natychmiast przechwycą infrastrukturę naftową, żeby zapobiec jej zniszczeniu. Chcemy wznowić produkcję i jak najszybciej przekazywać ropę prosto do nas. To powinno zadziałać. Zobaczmy, co jeszcze. Nie ufam temu Adamsowi z Piątej Floty – zasugerował Kashigian. – Kazałem, żeby kontrwywiad jego też sprawdził.

– Wiem, że on ci się nie podoba, ale spotkałem się z nim w samolocie. Jest w porządku. Dobry oficer marynarki. Chce zostać głównodowodzącym. Poradzi sobie z Chińczykami – zapewnił Kashigiana sekretarz.

– A co, jeśli oni mu na to nie pozwolą? – zapytał podsekretarz.

– Oni za dużo ryzykują i świetnie o tym wiedzą. Admirał Tian-coś tam, australijski informator, mówi, że jeśli dojdzie do ostrzału, wycofają się. Nie będą chcieli z nami przegrać. Honor i takie tam. A teraz przegrają. Może nie za dziesięć lat, ale teraz, do cholery, dopiero wystartowali z lotniskowcami. Nie pokonają amerykańskiej floty. A poza tym – powiedział Conrad, gładząc policzek – pamiętaj, że mam dla nich niespodziankę.

– Miejmy nadzieję, że Tian-coś tam ma rację, panie sekretarzu. – Kashigian znów się uśmiechnął. – Ja po prostu nie lubię wierzyć wywiadowi.

– Pieprz się – powiedział sekretarz obrony.

Drugi punkt widokowy
George Washington Parkway
Hrabstwo Fairfax, Wirginia

– Mam potwierdzenie prawie wszystkich tych informacji od Ahmeda, Ray, wszystko się zgadza – mówiła Kate do telefonu komórkowego. – Zaraz mam się spotkać z facetem z Dominion Commonwealth Partners, on powie mi jeszcze więcej. – Wsiadła do wynajętego taurusa na parkingu z dala od alei, nad Potomakiem.

– Co to za facet? – spytał naczelny wydawca „New York Journal", Ray Keller. Siedział w swoim gabinecie na czterdziestym drugim piętrze, z widokiem na Manhattan.

– Jak poszłam do Tysons Corner, tego biura finansowego, nasłali na mnie rzecznika. Nie przedarłam się przez recepcję, więc przesłałam mu swoją wizytówkę. Zadzwonił po dwóch godzinach i powiedział, że tutaj gadać nie będzie, ale odpowie na pytania, które im wysłałam faksem. Obiecał, że spotka się ze mną po pracy przy drugim punkcie widokowym i da mi pliki – powiedziała, zerkając w notatki w swoim laptopie.

– Cóż, lubi dramatyzować, albo ma poczucie humoru. – Keller roześmiał się. – Wiesz, że przy drugim punkcie widokowym bohaterzy Watergate spotykali się z Tonym Ulasciewiczem?

Kate również wybuchnęła śmiechem.

– Nie wiedziałam. Ale wiem, że znajduje się w dole alei od Turkey Run. Czy to nie tutaj, zdaniem wyznawców teorii spisków, Bill Clinton zabił Vince'a Fostera? Świry.

– Taa, coś mi to przypomniało, uważaj na siebie. To wielka sprawa i nie podoba mi się to, że przeszukali twój pokój hotelowy w Houston ani że te zbiry wytropiły, czym się zajmujesz – powiedział Keller niższym głosem, co znaczyło, że mówi poważnie.

– I kto tu lubi dramatyzować? – odpowiedziała. – Słuchaj, chcę cztery kolumny na pierwszej stronie, jeśli mi się tu uda. Mam już cztery pierwsze akapity. – Kate zaczęła czytać tekst z laptopa podłączonego do gniazdka w samochodzie:

Sekretarz obrony Henry Conrad patronuje przywróceniu dynastii Saudów na tron Islamii. Obecnie, na podstawie wiadomości zdobytych wyłącznie przez «New York Journal», stało się jasne, że znakomicie prosperująca firma Henry'ego Conrada, wykupująca zadłużenia, finansowana była prawie wyłącznie przez Saudów. Większość funduszy, jakie Conrad wniósł do kampanii prezydenckiej, prawdopodobnie również pochodziła od dynastii saudyjskiej.

Ponad dwa miliardy należące do Saudów wyprała firma Conrad Conversion Partners. Conrad odszedł z założonej przez siebie firmy, kiedy objął stanowisko sekretarza obrony. Pieniądze Saudów zostały wyprowadzone za pośrednictwem sieci przedsiębiorstw i banków, jak również funduszy inwestycyjnych w Stanach Zjednoczonych (patrz wykres). «New York Journal» potwierdził, że pieniądze pochodziły z kont Saudów, chociaż nie wiadomo, czy należały do rządu, czy do rodziny królewskiej.

W zeszłym roku senator Paul Robinson poprosił Departament Skarbu o zbadanie, które fundusze Saudów w Stanach Zjednoczonych były osobiste, a które należały do narodu. Wiele funduszy pozostaje zamrożonych w oczekiwaniu na wyniki śledztwa. Żądanie Robinsona jednakże nie objęło środków w Conrad Conversion, ponieważ nikt nie wiedział, iż są to pieniądze saudyjskie. Kont Conrad Conversion nie zablokowano na polecenie Departamentu Skarbu.

Ponad dwieście milionów dolarów licznym komitetom wspierającym prezydenta przekazali pracownicy lub inwestorzy z firm należących do Conrad Conversion. Jeśli ci darczyńcy działali jako pośrednicy dla eksrodziny królewskiej, to mogli być zaangażowani w przestępczy spisek, wymierzony w amerykańskie prawo finansowania kampanii. Prawo zakazuje cudzoziemcom składania datków na amerykańskie kampanie. Pogwałcenie tych zasad jest ciężkim przestępstwem.

Ray Keller wygłosił swoją typową kwestię:

– Nieźle, Kate, ale wymaga oszlifowania. Kiedy wracasz?

– Muszę się dziś wieczorem spotkać z informatorem, mogę nie zdążyć na ostatni kurs. Jeszcze się nie wymeldowałam z „Marriotta", więc przyjadę zaraz rano. Będę w biurze koło jedenastej. Do zobaczenia – powiedziała Kate, przeciągając się. Teraz zrozumiała, jak jest zmęczona z powodu jet lagu i całej tej bieganiny, jaką odwaliła od powrotu znad Zatoki. Spojrzała w prawo, gdzie w oddali, wśród nagich drzew, widniał pomnik Waszyngtona, jasno oświetlony strażnik amerykańskiej stolicy. Radiowóz policji parkowej przejechał powoli przez parking.

Jednak, pomyślała Kate, tak naprawdę to aktywne, prowadzące śledztwa, zadające pytania media strzegą tego miasta przed ludźmi pokroju Conrada. Przeciwko ludziom, którzy przedkładają bogactwo swych przyjaciół ponad interes narodowy, którzy z taką łatwością wysyłają dzieci biedaków i klasy średniej na swoje wojny, zamiast próbować rozwiązać problemy prowadzące do konfliktów. Na przykład znaleźć alternatywne źródła energii. Boże, pomyślała, jeśli to napiszę, to mnie wyleją. Medytacje na temat władzy przerwało jej migotanie świateł w lusterku.

Kate Delmarco odwróciła się, by przyjrzeć się samochodowi. W takim wozie miał się pojawić, w złotym lexusie.

Właśnie miała dostać dowód, że Dominion Commonwealth Partners to fundusz dwudziestu inwestorów, z których wszyscy, za pośrednictwem prawników, byli zasilani z saudyjskiego konta rządowego. A każdy pracownik DCP złożył duże datki na te same komitety polityczne w ciągu tygodnia od rozdzielenia specjalnych dywidend. Jeśli to nie jest finansowanie przez cudzoziemców amerykańskiej kampanii wyborczej, pomyślała, wysiadając z taurusa, to nie wiem, co to jest.

Tętno jej podskoczyło z niecierpliwości, gdy mężczyzna wysiadł z lexusa.

Meczet Hussejn
Baza marynarki
Dowództwo Irańskiej Gwardii Rewolucyjnej (Pasdaran)
Bandar Abbas, Iran

– Muszę się pożegnać – powiedział generał.

– Za rzadko uczestniczy pan w modłach, generale – stwierdził duchowny, podczas gdy zmieniał szaty przed nabożeństwem, które miał poprowadzić.

– Wciąż pozostało wiele do zrobienia – odparł wojskowy, zawiązując sznurowadło. – Ale moi chłopcy są gotowi do boju, dobrze wyszkoleni i wyposażeni.

– Nie potrafię ocenić takich rzeczy. – Głos duchownego był cichy i łagodny, kontrastujący z tonem, jakim później miał wygłosić kazanie. – Dlatego pokładam ufność w panu. Tak jak zaufałem naszym samolotom, że wypełnią tajną misję, zabiją Amerykanów, obarczą winą Islamiję i wrócą do domu.

Generał wyprostował się, patrząc z góry na duchownego.

– To był najmniejszy kawałek układanki. Nie udało się idealnie, ale Amerykanie ogłaszają światu, że doszło do buntu w islamijskim lotnictwie, dalsza oznaka chaosu w tym kraju. Kiedy dziś wieczorem nastąpią eksplozje w szyickich centrach kulturalnych, zwiększy to chaos, doprowadzi do prześladowań naszych braci w religii, którym będziemy musieli ruszyć na ratunek.

Duchowny spojrzał znad Koranu leżącego na stole.

– Baza amerykańskiej marynarki w Bahrajnie nie wyleciała w powietrze. Amerykańskiego samolotu szpiegowskiego nie zestrzelono. Za każdym razem udaremniła to Islamija. Czy pomyślał, pan, generale, że Islamija może mieć szpiega wśród nas?

Generał nie powiedział mu o odkryciu dokonanym przez służbę bezpieczeństwa Ministerstwa Spraw Zagranicznych. O mężczyźnie, który skopiował tajne dokumenty, zabił dwóch agentów, a potem popełnił samobójstwo. Odnalezione odciski palców należały do tego brytyjskiego szpiega, który wciąż pozostawał na wolności, a nie szpiega Islamii.

– Zapewniam, że sprawdziliśmy dokładnie i nie ma żadnego dowodu na istnienie takiego szpiega – odparł generał lakonicznie.

Duchowny ruszył do drzwi. Poprawił szatę i umieścił Koran w prawej ręce. Odwrócił się w stronę generała.

– Muszę modlić się za nasze wojska. Muszę modlić się z naszym wojskiem. By Allah zesłał nam kolejne zwycięstwo!

Z tymi słowami duchowny wyszedł z pokoju, pozostawiając generała samego.

– Będziemy mieć kolejne zwycięstwo – powiedział generał. – Już ja się o to postaram.

15

22 LUTEGO

Koło Al Dżuajfer
Baza rakietowa CSS-27
Islamija

Tylu Chińczyków. Co też oni robią na tej pustyni?, zastanawiał się strażnik. Co oni szykują? Za co, na Allaha, on musiał żyć na ich ohydną cudzoziemską modłę? Westchnął, myśli mu się rozbiegły. Nikt mu nic nie powiedział.

Było tuż po świcie. Strażnik przy frontowej bramie usiadł zadumany, nagle jego zamyślenie przerwał widok trzech słupów czarnego dymu, które unosiły się zza wydm na północy. Potem usłyszał hałas – jakby coś krzyczało w agonii, coś zrobione z twardego metalu. Położył rękę na telefonie w budce strażniczej, kiedy trzy czołgi M-1A2 wyleciały w powietrze nad wydmą, a potem rąbnęły w ziemię, wzbijając kłęby piasku.

Osłupiały strażnik wyszedł z budki i dołączył do kolegi przy humvee. Zgrzyt metalu stawał się nieznośny, gdy olbrzymie czołgi wyłoniły się z piasku i ruszyły na wysokie ogrodzenie bazy rakietowej. Wyrzuciwszy z siebie dodatkowe zgrzyty i tumany dymu, czołgi zwaliły część ogrodzenia, a potem karabin maszynowy na przedzie najbliższej maszyny obrócił się i zasypał strażników i humvee pociskami.

W obozie rozległ się sygnał alarmowy, z głośnika popłynęły rozkazy wykrzykiwane po arabsku i chińsku. Z baraków zaczęli wybiegać ludzie w mundurach zielonych i khaki. Wielka zielona ciężarówka ruszyła wąską drogą między dwoma rzędami magazynów. Wiozła ruchome pociski CSS-27, ale ścigał ją jeden z czołgów M-1. Wydawało się, że lada moment wjedzie na platformę ciężarówki. Nagle pociski z hukiem zamieniły się w kulę ognia, która pochłonęła ciężarówkę, czołg i pobliskie zabudowania.

W porcie Dżizan na Morzu Czerwonym strażnicy zobaczyli wielkie helikoptery, jednocześnie rozległa się syrena alarmowa. Szef policji portowej rozkazał swoim ludziom strzelać. Krzyczał, że to amerykańskie helikoptery, które zostały przemalowane na kolory armii Islamii. Sam chwycił karabin maszynowy umieszczony na pikapie i zaczął strzelać. Reszta poszła w jego ślady i ostrzeliwała zbliżające się Chinooki CH-47. Pierwsza maszyna zamarła i rozpadła się na dwoje w pomarańczowym wybuchu. Śmigła ciągle pracowały, gdy kadłub leciał w dół.

Pozostałe chinooki skręciły w lewo, oddalając się od portu; wtedy pojawiła się grupa mniejszych śmigłowców szturmowych Apache AH-64. Policjanci widzieli dym pocisków i rakiet wystrzeliwanych z gondoli podwieszonych pod kadłubem. Niemal w tej samej chwili wybuchły zgromadzone na placyku kontenery. Szef policji obejrzał się i zobaczył chinooka wiszącego nad gruzami. Z jego luku ładunkowego żołnierze opuszczali się na linach.

– Poddajemy się! – wrzeszczał szef policji, przekrzykując hałas.

W podziemiach Centrum Bezpieczeństwa zastępca Abdullaha bin Raszida obsadził telefony i konsole radiowe, wypełnił raporty o postępach Protektorów, jak nazywała się teraz armia i gwardia narodowa w jednym. Raporty były w większości pozytywne. Rafinerie i urządzenia portowe zostały dobrze zabezpieczone. Po cichu zmieniono policję religijną w Dwóch Świętych Meczetach. Porty i lotniska były przygotowane na przyjęcie Chińczyków, łodzie patrolowe blokowały porty, a czołgi obstawiły autostrady. Bazy rakiet CSS-27 znajdowały się teraz w rękach Protektorów, zatroszczono się o chińskich gości.

Mimo to w Hadramaut, koło granicy z Jemenem, doszło do walki, gdyż lokalna jednostka wojskowa pozostała lojalna wobec gubernatora powiązanego z Zubairem bin Tajerem i jego frakcją w Szurze. Na wschodzie dowódca bazy odczytał komunikat o zmianie w składzie Szury, potem z Dhahranu wystartowały dwa F-15 i ostrzelały bazę. Lojalny wobec bin Tajera kapitan łodzi patrolowej skierował swoich marynarzy do jednostki wojskowej koło Dżeddy.

Do najgorszych starć doszło jednak w samym Rijadzie. Bin Tajer umieścił lojalistów w części jednostek wojskowych i policyjnych, a jego brat, pułkownik, dowodził pułkiem piechoty stacjonującym dwadzieścia mil na północ od stolicy. Lojalne jednostki zajęły duży pusty biurowiec, magazyn i zabudowania mieszkalne zbudowane niegdyś dla amerykańskich dostawców wojskowych. Były otoczone murem i łatwe do obrony.

– Przyszło potwierdzenie, że bin Tajer jest w kompleksie – zameldował oficer w podziemnym centrum dowodzenia Abdullaha. – Jest z nim większość jego stronników z Szury; nazwał to zebraniem rady. Ich ludzie znajdują się na dobrych pozycjach, żeby utrzymywać nas na dystans. Dwa nasze czołgi płoną trafione pociskami przeciwpancernymi. Mamy wiele ofiar.

Abdullah pogłaskał się po brodzie.

– Zbombarduj ich, Abdullahu – namawiał generał Chalid. – Po co mamy ponosić ofiary w ludziach? Wysadź ich po prostu. Wyślę na nich eskadrę tornad i będzie po wszystkim.

– Nie! – krzyknął Abdullah. Generał Chalid odwrócił się do niego twarzą. – Masz rację, Chalidzie. Nasi chłopcy nie powinni ginąć. Ani ich. Wszyscy jesteśmy braćmi. – Abdullah podszedł do przyjaciela i stanął przed nim. – Każ się cofnąć naszym chłopcom. Potem wyślij swoje tornada, ale zrzuć bomby pod murami. Głupi Amerykanie to wymuszenie psychologiczne nazywają strategią „szokuj i przerażaj". Potem rozmowami zmusimy ich do kapitulacji.

– Zrobię to, szejku, ale kto nakłoni bin Tajera i tych jego głupców z Szury, żeby się poddali?

– Ja. Pójdę tam – powiedział Abdullah, stojąc w drzwiach. – Chalidzie, obejmujesz dowództwo. Ahmedzie, będziesz jego zastępcą. I Ahmedzie, upewnij się, że taśma z nagraniem pułapki na skorpiony będzie gotowa w chwili, gdy aresztuję bin Tajera. Potem zadzwoń do ambasady chińskiej.

Zanim ktokolwiek się sprzeciwił, Abdullah bin Raszid wyszedł.

Gdy wyjeżdżał swym range roverem w stronę posterunku strażniczego poza obrębem rebelianckich umocnień, mógł oglądać krążące w oddali tornada.

– Na co oni czekają? – zapytał generała Hammada, który prowadził atak.

– Na ciebie – odparł Hammad, uśmiechnął się i zasygnalizował oficerowi stojącemu przy humvee z radiem. Dwie minuty później trzy tornada obniżyły lot i zrzuciły bomby po obu stronach ogrodzenia. Gdy środkowa maszyna wznosiła się, została uderzona rakietą z ręcznej wyrzutni. Dym ciągnął się za tornadem, które zniknęło z oczu. Potem rozległa się eksplozja, a gdzieś w oddali wyrosła czarna kolumna.

– Zrób to jeszcze raz, Hammadzie – rozkazał Abdullah. – Tym razem nie przelatujcie nad terenem. I zrzućcie bomby wewnątrz murów.

Cztery minuty później dwa F-15 zniżyły się nad miastem. Gdy dotarły do przedniego posterunku, dwa eagle jak gdyby stanęły na ogonach, wykręciły pętlę i ruszyły w kierunku, z którego przybyły. Zanim eagle zawróciły, od każdego z nich oderwała się wielka bomba i poleciała w stronę ogrodzonego terenu. Abdullah pchnął generała Hammada za range rovera. Wybuch wstrząsnął pojazdem, a ryk trwał przez kilka minut.

Kiedy się podnieśli, frontowa brama i większość muru zniknęły. W kilku miejscach wewnątrz szalał pożar.

– Czy rozmawiał pan z bratem bin Tajera, pułkownikiem, tam w środku? – zapytał Abdullah generała Hammada. – Proszę go wywołać i powiedzieć, że w ciągu czterech minut cała baza zostanie zrównana z ziemią, o ile się nie poddadzą. Proszę go wywołać. Natychmiast!

Kwadrans później generał wyszedł z humvee łączności.

– Zabudowania są bezpieczne, mają bin Tajera i resztę pod strażą.

– Trzeba ich traktować z szacunkiem – oznajmił Abdullah generałowi. – Zabierzmy ich.

Mężczyźni weszli do range rovera i pojechali do zabudowań wokół resztek muru i płonących pojazdów.

– Zatrzymamy ich w areszcie domowym. W pustych willach Saudów na południu. Do wyborów. Potem mogą wyjść, pokojowo przekonywać do swojej sprawy. Może wygrają.

Oficer skierował ich do wielkiej białej willi w centrum zabudowań. Ujrzeli bin Tajera i trzech innych członków Szury pod strażą koło wielkiej fontanny. Abdullah odezwał się pierwszy.

– Zubairze bin Tajerze, aresztuję cię za spiskowanie z obcymi agentami, za planowanie wprowadzenia do kraju dodatkowych obcych sił bez zgody Szury oraz za próby narażenia na niebezpieczeństwo dobra narodu przez wprowadzenie broni masowego rażenia do ziemi Dwóch Świętych Meczetów.

Bin Tajer splunął na niego.

– To ty zostaniesz aresztowany. Za zabicie naszych obywateli. Za przekroczenie swych uprawnień szefa służb bezpieczeństwa.

– Zubairze, mamy różne poglądy. Może podczas wyborów większość mężczyzn i kobiet naszego kraju zgodzi się z tobą, ale wątpię...

Bin Tajer zgasił Abdullaha:

– Nie będzie żadnych wyborów z udziałem kobiet.

Wyjął coś spod szaty i rzucił w jego kierunku.

Czas stanął w miejscu – a potem rozległ się huk, po nim kolejne. We wnętrzu białej willi pojawiły się rozbłyski. Nadbiegli strażnicy; znaleźli ciała rozrzucone na podłodze. Wielu, włącznie z generałem Hammadem, odniosło rany; siedzieli lub opierali się o fontannę. Dziewięciu innych nie żyło: czterej zbuntowani członkowie Szury rozerwani przez własne ręczne granaty. Czterej strażnicy.

I Abdullah bin Raszid.

Krew płynęła z twarzy generała Hammada; miał nieprzytomne oczy. Z trudem odezwał się do oficera, który przybiegł, by objąć dowodzenie.

– Wywołaj centralę. Daj mi doktora Ahmeda bin Raszida...

Wewnętrzne biuro senatora Paula Robinsona,
przewodniczącego Senackiej Komisji do spraw Wywiadu
Hart Senate Office Building, Wzgórze Kapitolińskie
Waszyngton

– Zadzwoń do prezydenta – nalegał Russell MacIntyre. – Powiedz mu, co zamierza jego sekretarz obrony.

Sol Rubenstein odpowiedział swemu zastępcy w imieniu senatora.

– On nie może tak po prostu zadzwonić do prezydenta i umówić się na pogawędkę w cztery oczy. Poza tym prezydent jest na szczycie Azji i Pacyfiku w Chile.

– Przenieśli Chile do Azji? – zażartował Robinson. – Posłuchaj, Rusty, te wydarzenia czegoś mnie nauczyły. Zamierzam zbudować koalicję i oprzeć się na niej. Nie możemy dopuścić, żeby zaczynające się teraz stulecie upłynęło pod znakiem walki o to, kto zagarnie resztę ropy. Rozwój Chin tylko zaostrzył sytuację, ale ten problem wystąpił już wcześniej. Załamał się rynek. Sektor prywatny nie może ponosić ogromnych kosztów i ryzyka rozwoju alternatywnych źródeł energii. Więc my musimy. Dzięki nowym, sztywnym zasadom oszczędzania, ulgom podatkowym, bezprecedensowemu programowi badawczo-rozwojowemu. A co do dzisiejszych i jutrzejszych wydarzeń...

– Rusty, nie chodzi o to, że ci nie wierzę. Przeciwnie – dodał Rubenstein. – Po prostu nie wiemy, jak to powstrzymać. Raport wywiadu z rana pokazuje, że chińska flota jest już w połowie drogi. Może Conrad ma rację, że próbuje przeciwdziałać wkroczeniu wojsk i przekazaniu broni jądrowej.

Rusty zjeżył się.

– Nie wykorzystaliśmy wszystkich możliwości dyplomatycznych, aby powstrzymać Chińczyków. Przypomnijcie sobie kubański kryzys rakietowy. Jak powstrzymaliśmy radzieckie okręty przed dostarczeniem broni jądrowej? Nie flotą. Poza tym, on nie powstrzymuje Chińczyków od wylądowania, on planuje desant amerykański i zajęcie tego pieprzonego kraju – stwierdził zdesperowany MacIntyre. – Poza tą częścią, którą przehandlował z Iranem.

Dwaj starsi mężczyźni wymienili spojrzenia. Odezwał się Rubenstein.

– Rusty, nie możesz udowodnić, że Conrad to zrobił. W najlepszym razie te dokumenty świadczą o tym, że jakiś Irańczyk spotkał się z Kashigianem i doszli do porozumienia. Oczywiście Kashigian powie, że to układ... był tam, żeby im zagrozić. W najlepszym razie możemy przygwoździć Conrada za brak koordynacji z Departamentem Stanu.

MacIntyre gapił się na swego szefa.

– Posłuchaj, Sol, wiem, że jestem zbyt zaangażowany, ale według mnie jesteśmy o dzień lub dwa od wojny z Chinami i zajęcia większości najświętszej ziemi islamu przez dywizje amerykańskich marines. – MacIntyre przeniósł wzrok z Rubensteina na Robinsona. – Coś pominąłem, senatorze?

Nikt się nie odezwał.

– No dobrze, a co z tym, że Kate Delmarco ma ujawnić cały finansowy układ Conrada z Saudami? Czy to nie wystarczy, by odwołać go z Egiptu?

Senator podszedł do stosu gazet.

– Opowiedziałeś wszystko Kate Delmarco?

– Tak, wykorzystała to? Wyszedłem z samolotu dwie godziny temu. Całą dobę byłem w powietrzu lub na lotniskach – odparł MacIntyre, pocierając czoło.

Senator Robinson wziął gazetę i założył okulary do czytania.

– Jest. W ostatnim wydaniu. „Zdobywczyni nagrody Pulitzera, reporterka «New York Journal» Kate Delmarco została znaleziona martwa dziś wieczorem. Przyczyną śmierci był atak serca..."

– Co? – wykrzyknął Rusty. Poczuł mdlące szarpnięcie w brzuchu.

Senator ciągnął:

– „Pani Delmarco, lat czterdzieści pięć, została znaleziona przez policję parkową przy George Washington Parkway, gdzie najwyraźniej zatrzymała się, kiedy w drodze na spotkanie w McLean poczuła bóle w klatce piersiowej..."

Rusty usiadł i wbił wzrok w dywan.

– Zabili ją!

– Kto? – zapytał senator Robinson.

– Kto? Saudowie, Kashigian, wojskowi, nie wiem. Ci sami faceci, którzy wysadzili samolot admirała Adamsa, którzy zdekonspirowali źródło Briana Douglasa i niemal zabili go w Teheranie. Ci, którzy napuścili na mnie FBI za spotykanie się z terrorystami... oni.

Rusty opadł na krzesło i zamknął oczy. Co się działo? Może jak bohaterowie książki Fursta był po prostu małym człowieczkiem, który musi stać z boku i obserwować, jak nadciąga wojna, jak wszystko wsysa ogromny wir, stanąć w obliczu zniszczenia wszystkiego, co kochał.

– Hej, a to co? – zapytał Sol Rubenstein, wskazując na telewizor. – Paul, włącz dźwięk. Możesz głośniej?

Senator Robinson znalazł pilota i włączył CNN

„...walki. Oświadczenie wydane w imieniu Szury przez wiceprzewodniczącego Abdullaha bin Raszida potwierdza, że doszło do próby przewrotu zorganizowanej przez elementy wspierane przez Iran i że przewodniczący Szury Zubair bin Tajer zginął w walce. Oświadczenie zapewnia, że przywrócono stabilność. Nie podano dalszych dowodów zaangażowania Iranu, ale podobno Raszid jutro zwróci się do narodu. W wiadomościach z..."

Rusty rozejrzał się i uśmiechnął.

– Świetnie. Zaczęli. Abdullah i Ahmed!

– Mam wrażenie, że stało się to, czego się obawiałeś – odparł Sol Rubenstein. – Teraz Iran i Conrad mogą głosić, że panuje tam chaos. A Iran może uznać, że ten bin Raszid obwinia Teheran po to, żeby uderzyć w szyitów.

– Nie, nie – sprzeciwił się Rusty. – Nie rozumiesz? Ahmed i Abdullah przejęli władzę. Starają się powstrzymać tę machinę. Co za ironia. Siedzimy tu we trzech i nie możemy znaleźć sposobu, żeby wpłynąć na własny rząd, a w Islamii są faceci, którzy coś robią.

– Nie wiem, kim są Abdullah i Ahmed, Rusty, ale z mojego punktu widzenia trzeba cholernie dużo, żeby powstrzymać Stany, Chiny i Iran od inwazji na Islamię – zauważył senator.

16

22 LUTEGO

Centrum Informacji Bojowej (CIC)
USS „Ronald Reagan"
Na północy Morza Arabskiego

– Jak daleko znajdujecie się od prowadzącego ich grupę bojową, kapitanie? – Admirał Brad Adams zapytał kapitana krążownika USS „Ticonderoga" za pośrednictwem bezpiecznej linii.

– Jestem na mostku, admirale, i przez okulary widzę jeden z ich okrętów na horyzoncie. Chyba amerykański klasy Burke i płynie w naszą stronę – odezwał się głos w słuchawce.

– Za blisko – powiedział Adams do kapitana Hardy'ego, który stał obok niego w Centrum Informacji Bojowej. Admirał wcisnął guzik i kontynuował rozmowę z krążownikiem „Ticonderoga". – Kapitanie, wycofajcie się. Utrzymujcie dwudziestopięciomilowy odstęp, ale niech wiedzą, że tam jesteście. Włączcie, co się da, będzie was słyszał. – Odwiesił słuchawkę i odwrócił się do swojego oficera wywiadu. – Jeśli dojdzie do walki, poleje się krew. Nie chcę doprowadzić do tego przez błąd albo nieporozumienie – westchnął. – Johnny, możesz sprawić, żeby Chińczycy myśleli, że „Ticonderoga" to my? „Reagan"? Czy mogą uznać, że jesteśmy tam, na Oceanie Indyjskim?

– Sądząc po przejętych wiadomościach, właśnie tak uważają. – Hardy roześmiał się. – A na podstawie codziennych biuletynów Pentagonu powiedziałbym, że myślą tak samo!

– A Irańczycy, Johnny? – zapytał kapitan. – Ich samoloty tropiły nas przez Ormuz i na Morzu Arabskim, dopiero potem zawróciły. Chyba nikt nie wie, że krążymy, odkąd kontrolujemy emisję i rozświetliliśmy te dwa frachtowce z Diego Garcia. Myślę, że trik się udał, tak samo jak kiedyś z Rosjanami.

Dowódca „Reagana", kapitan Andrew Rucker, słuchał i spacerował.

– Zwracam honor, admirale. Nie myślałem, że uda się panu ukryć grupę bojową lotniskowca, szczególnie przed Pentagonem.

– To stara sztuczka z czasów zimnej wojny. Wystawia się reflektory kątowe, wyłącza radio i nadajniki radiolokacyjne i nagle z satelitów i na radarach niszczyciel wygląda jak lotniskowiec, frachtowiec jak krążownik. Chińczycy też się nabrali. A Pentagon myśli, że tam jesteśmy wyłącznie na podstawie raportów, jakie im wysyłamy. I dzięki współpracy Bobby'ego Doyle'a i paru innych... – dodał cicho Admas.

– Ale w pewnym momencie będziemy musieli bryknąć, jeśli mamy zablokować chińską flotę – powiedział Rucker, obserwując położenie okrętów na monitorze.

– Jeśli będziemy musieli, to się tam znajdziemy. Uruchomimy reaktory, ale zrobimy to, kontrolując emisję, po cichu, żeby nas nie zauważyli – wyjaśnił admirał. – Jeśli Pentagon nas przyłapie, polecę ze stołka. Ty po prostu wykonujesz moje rozkazy. – Stanął przy drzwiach i odwrócił się do obu kapitanów. – Idę na górę zaczerpnąć świeżego powietrza. Dajcie znać, jak coś się zmieni. Rucker, idziesz ze mną?

Brad Adams i kapitan Andrew Rucker przechadzali się z rękami w kieszeniach po pokładzie startowym między samolotami. Jeszcze nie zaczęło świtać. Rzadko mieli okazję patrzeć na lotniskowiec pogrążony w takiej ciszy. Żadnego ruchu. Wirujące zwykle radary były wyłączone. Większość świateł została wygaszona. Adams patrzył na wodę, zastanawiając się, czy postępuje właściwie. Chciałby być w dwóch miejscach naraz, w Zatoce Perskiej, żeby powstrzymać irańską inwazję na Bahrajn i Islamiję, i na Oceanie Indyjskim, żeby namierzyć chińskie okręty, a może nawet ostrzelać chińską flotę. W tej chwili nie był w żadnym z tych miejsc, tylko błąkał się po Morzu Arabskim.

– Andy, to, co tu robimy, znajduje się na granicy niesubordynacji. Wiesz, jak wierzę w cywilną kontrolę nad wojskiem. To uchroniło nas od przewrotów i tego typu bałaganu, z jakimi musiały się uporać inne państwa. Ale kiedy decyzje cywili nie prowadzą do zachowania równowagi, kiedy wypaczają informacje, kiedy zastraszają media, żeby brnęły razem z nimi w to gówno, to sam nie wiem. – Brad zamyślił się.

– Kiedy byłem w Newport, opowiadali nam o młodych oficerach Colina Powella, którzy wracali z Wietnamu. Wszyscy przysięgli wtedy, że nigdy nie dopuszczą, by cywile znowu wysłali armię na wojnę bez wyraźnej potrzeby, bez rozstrzygnięcia, bez poparcia społecznego. Może teraz powraca ta atmosfera wśród wojskowych – zasugerował Rucker.

– Admirale – zawołał John Hardy z drugiego końca pokładu startowego. Kapitan biegł przez stalową płaszczyznę. – Irańczycy wypłynęli w morze. Wszystkim, co mają. Okrętami desantowymi, promami samochodowymi, frachtowcami. Płyną w stronę Islamii i Bahrajnu. Raporty NSA twierdzą, że z ich baz powietrznych wystartowała setka samolotów.

– Jak długo według ciebie będą w stanie się bronić? – spytał Adams, biorąc raporty.

– Niedługo. – Hardy potrząsnął głową. – Islamija ma całe wojsko na zachodzie, na wypadek gdybyśmy my też ich najechali.

– Johnny, musimy teraz podjąć decyzję. – Adams spojrzał na morze. – Jak to mówią: brak decyzji również jest decyzją? Nie wracam do Zatoki. Nie teraz, kiedy Chińczycy idą w naszą stronę.

Podszedł do nich marynarz z wielką szarą kopertą. Hardy ją otworzył.

– Kurwa. To wiadomość CRITIC z ASU w Bahrajnie. „O 5.30 czasu lokalnego irańskie lotnictwo zbombardowało kwaterę Piątej Floty".

– Jak to dobrze, że ją opróżniliśmy. – Adams spojrzał na wiadomość. – Ale w pobliżu wciąż pozostało wielu Amerykanów. Wracamy do środka.

Kiedy weszli do CIC, dowódca grupy bojowej, kontradmirał Frank Haggerty, przeżywał przypływ energii. Właśnie rozmawiał przez bezpieczną linię.

– To bardzo ważne, komandorze. Może pan potwierdzić, że „Czou Man" wykonał zwrot o sto osiemdziesiąt stopni?

– Tak jest, sir. Patrzyłem przez peryskop na jego rufę. Zawrócił szerokim łukiem.

– Kto to? – spytał Adams Haggerty'ego.

– Dowódca z „Tucsona". Zanurzył się i płynie za „Czou Manem". Mam też B-52, który śledzi chińskie rorowce. Właśnie doniósł, że płyną w stronę Karaczi. „Ticonderoga" mówi, że niszczyciel też zawrócił. Myślę, że oni się zwijają. – Haggerty był bardzo podekscytowany. – Co tu się dzieje, do diabła?

– Panowie, jeśli można, dzieje się kilka rzeczy – wtrącił się kapitan Hardy, przeglądając papiery. – Prawie cała Marynarka Wojenna Indii wyszła w morze w szyku bojowym i płynie za Chińczykami. – Hardy zachichotał. – A „Czou Man" i „Czeng He" otrzymały z Pekinu specjalnie zaszyfrowaną wiadomość o najwyższym priorytecie. Ale nie znamy jej treści.

– Ja znam – przyznał się Adams. Koledzy spojrzeli na niego zaskoczeni. – Pięćset lat temu wysłał ją cesarz do admirała Czeng-He na Oceanie Indyjskim. Brzmiała: „Natychmiast wracaj". Kiedy wrócił, cesarz spalił całą flotę i wszystkie zapiski z jego wielkiej wyprawy. Potem cesarz ustąpił i pozwolił mu udać się do Mekki na hadżdż... ale bez floty.

Adams wszedł na małe podwyższenie, używane czasem podczas odpraw w CIC.

– Panowie i panie, oto jak według mnie przedstawia się sytuacja. Nie możemy wykonać naszej misji przejęcia chińskich okrętów, gdyż albo zdążają one do portu w Pakistanie, albo wracają do Chin. Z drugiej strony, otrzymaliśmy wiadomość CRITIC, że nasza kwatera w Bahrajnie została zbombardowana. Nasz wywiad uważa, że Iran zaatakował z morza Bahrajn i Islamiję. Nie potrzebuję rozkazów, kiedy dostaję wiadomość, że Amerykanie zostali zaatakowani.

– Kapitanie Rucker, proszę ustawić „Reagana" pod wiatr. Wysłać dwie eskadry enforcerów w pełnym uzbrojeniu nad Oman, w stronę Bahrajnu i Islamii. Wykonać plan dziesięć zero dziewięć, z następującymi zmianami. Czterdziesta trzecia eskadra weźmie kurs na irańską marynarkę, czterdziesta czwarta na irańskie nabrzeżne bazy powietrzne i morskie. Raptory z Omanu będą je eskortować.

– Admirale Haggerty, proszę pozostać w kontakcie ze sprzymierzeńcami w Zatoce. Proszę im powiedzieć, co robimy, i poprosić ich, żeby wykonali zgodnie z modyfikacjami z ubiegłego tygodnia plan dziesięć zero dziewięć. Enforcery zatankują i zostaną przezbrojone w Katarze. Nowe super F-16, które mają Emiraty, polecą nad nami nad Ormuzem. Mają reagować ogniem na każde poruszenie na irańskich wyspach.

– Kapitanie Hardy, proszę zakończyć akcję mylenia przeciwnika. Uruchomić elektronikę grupy bojowej, niech Irańczycy wiedzą, że się zbliżamy. Są jakieś pytania? – prawie krzyknął Adams.

– Nie, sir! – zabrzmiała chóralna odpowiedź w CIC.

– Zatem ruszamy na wojnę. Kapitanie Rucker, proszę wywiesić flagę bojową.

Zapłonęły światła na wieży „Reagana", zaczęły wirować anteny radarów, zabrzmiały syreny, a na maszt wciągnięto niebieską flagę z pięcioma białymi gwiazdami. Ogromny okręt ruszył do przodu, przyśpieszył i zatoczył ogromny łuk, zostawiając za sobą szeroki kilwater w kształcie litery U. Wielkie windy wywiozły na pokład startowy samoloty. Do maszyn wskakiwały kobiety i mężczyźni w jaskrawych kombinezonach, czerwonych, zielonych, żółtych...

W Centrum Informacji Bojowej kapitan Hardy zaczekał, aż Adams obejdzie centrum dowodzenia, sprawdzi, jak wykonywane są jego rozkazy, klepiąc marynarzy po ramionach. Potem cicho spytał dowódcę Piątej Floty:

– Co to za modyfikacje do planu?

– Te, które otrzymałem w zeszłym tygodniu – wymamrotał Adams, czytając planszę informacyjną. – Te, które w CENTCOM-ie zaaprobował generał Bobby Doyle.

– Załatwił pan, żeby cała pieprzona indyjska flota, z dwoma małymi lotniskowcami, zamknęła Chińczyków między naszymi dwoma flotami, admirale? – wyszeptał kapitan Hardy.

– Przeceniasz mnie, Johnny. Myślę, że ten mały manewr zaplanował sekretarz Conrad. Bóg wie, co im za to dał. – Admirał wybuchnął śmiechem i przekazał Hardy'emu planszę. – Ale to nie dlatego Chińczycy zawrócili. Przyjrzyj się wymianie informacji. Rząd Islamskiej Republiki Islamii oficjalnie poprosił, żeby Chińczycy zakończyli swój wojskowy program pomocniczy i wycofali cały swój personel wojskowy. Ubiegłej nocy oficjalnie ogłosił to Abdullah bin Raszid!

– O żesz kurw… ach, przepraszam za moją łacinę, sir – powiedział zdenerwowany Hardy.

Dołączył do nich admirał Haggerty.

– Słyszę, że coś straciłem. Nieważne… Admirale, czy mam zawiadomić Tampę i Waszyngton o tym, co robimy?

– Oczywiście, Frank. To standardowa procedura operacyjna. A my zawsze przestrzegamy standardowej procedury operacyjnej. Przynieś mi wiadomość do podpisania – spojrzał na zegarek – za pół godziny. Będę obserwował start maszyn. Może być potem.

Haggerty i Rucker wybuchnęli śmiechem.

– Tak jest, sir – zasalutował Haggerty.

Pokój zarządu Banku Bahrajn
Trzydzieste piąte piętro biurowca Banku Bahrajn
Manama, Bahrajn

– Irańczycy mogą zbombardować Ministerstwo Obrony, ale wątpię, żeby ostrzelali ten bank – powiedział bahrajński minister obrony, generał Ibrahim, do Briana Douglasa. – A stąd mamy dobry widok i komunikację. – Za nim żołnierze podłączali radia i telefony, ustawiali teleskopy dalekiego zasięgu i monitory telewizorów. W dole, w mieście, Brian widział pożary i dym unoszący się w kilku miejscach, gdzie rankiem irańskie lotnictwo zaatakowało bahrajńskie urządzenia obronne.

– Łodzie patrolowe, nurkowie i nasza fregata strzegą ujścia portu, my i Amerykanie założyliśmy ubiegłej nocy pole minowe. Pomogła nam amerykańska jednostka SEAL i kuter Straży Wybrzeża – powiedział generał, wskazując na wschód.

– Jak wielkie szkody Irańczycy wyrządzili w bazie powietrznej? – spytał Douglas. Baza powietrzna szejka Issa znajdowała się na południe, zasłaniając widok z miejsca, w którym stali.

– Dość znaczne, ale wypchnęliśmy z bazy nasze F-16, a inne samoloty przenieśliśmy na obrzeża międzynarodowego lotniska. No i ciągle mamy osiem czy dziewięć F-16 w akcji – odpowiedział generał. – Przewidujemy, że Irańczycy spróbują wylądować w rejonie północnej plaży i tam właśnie skierowałem większość armii. Dysponujemy też zbudowanym przez Amerykanów wieloprowadnicowym systemem rakietowym, wycelowałem tam wyrzutnie.

Niebo poszarzało na północy, skąd miał nastąpić atak. Na wschodzie, zza poszarpanych chmur pojawiły się różowe promienie, słońce zaczęło wschodzić.

– Mam wizję. Widzę ich flotę – krzyknął oficer po arabsku. Brian spojrzał przez jego teleskop. Widział zarys kadłuba niszczyciela i małego okrętu wojennego na zachodzie. Potem, między nimi, dostrzegł rozpyloną wodę, a pod nią szybko mknące wodoloty wyładowane samochodami pancernymi i ciężarówkami.

– Za dwie minuty znajdą się w naszym zasięgu – oznajmił Ibrahim.

Słońce wychyliło się zza horyzontu i oślepiło ludzi patrzących na wschód. Brian założył polaryzowane okulary przeciwsłoneczne. W tej samej chwili pojawiły się amerykańskie F-35 Enforcers. Obrócił teleskop i ustawił go na samoloty. Leciały spokojnie, nie miały na zewnątrz żadnych pocisków, bomb czy zbiorników paliwa. Kiedy wyregulował ostrość, zobaczył pociski wystrzelone w samoloty. Na północy, nad okrętami pojawiły się irańskie Migi-29. Na zachodzie, w górę wzbiła się pierwsza seria rakiet wystrzelonych z wieloprowadnicowych wyrzutni rakietowych. Tymczasem na północy, niemal jednocześnie, pociski z enforcerów uderzyły w kilka okrętów, inne jednostki roztrzaskały rakiety z plaży. W powietrzu wybuchł jeden z samolotów. Nad enforcerami i za nimi raptory ostrzeliwały migi. Gdy chciał przyjrzeć się raptorom, zobaczył eksplodującego enforcera, trafionego przez pocisk z migów. Wtedy zadrżały szyby od wybuchu w ujściu portu. Coś trafiło w jedną z min.

– Chyba stracili element zaskoczenia – powiedział Ibrahim do Douglasa. – Dzięki tobie.

– Powiedziałbym, generale, że to mi wygląda, jakby dwa z trzech skorpionów nadziały się na pułapkę – odpowiedział Douglas.

Za plecami Ibrahima kolejna seria rakiet wyleciała z plaży.

– A tak przy okazji, Brianie, szyicki imam z ich wielkiego meczetu jest na plaży i zagrzewa nasze wojska do boju, razem z księciem – powiedział generał i pokazał podniesione kciuki.

Na zachód od biurowca banku Douglas zobaczył smugi innej grupy enforcerów i rapotorów kierujących się w stronę irańskich lądowisk w Islamii. Za nimi leciały strzelające raz po raz migi. Douglas odwrócił się do generała Ibrahima.

– Churchill wiele by dał, żeby mieć taki widok na Londyn podczas bitwy o Anglię!

– Może pójdzie nam tak dobrze, jak jemu – odpowiedział generał. – *Inszallah.*

Szyby znowu zadrżały, kiedy pod nimi wybuchło skrzydło bahrajńskiego pałacu.

Tymczasem na morzu irańskie siły zdążały w stronę plaż Islamii. Poduszkowiec przewożący lekkie pojazdy opancerzone i ciężarówki unosił się tuż nad wodą, a potem nad piaskiem, kiedy doleciał do lądu. Wyżej irańskie migi i su toczyły bój powietrzny z amerykańskimi i brytyjskimi myśliwcami, którymi wciąż jeszcze posługiwała się Islamija. Walkę wygrywali Irańczycy, gdyż mieli więcej maszyn, niż mogły wysłać odcięte od części zapasowych dawne Saudyjskie Królewskie Siły Powietrzne, nawet nad własne terytorium.

Za poduszkowcem podpłynął wyremontowany desantowiec i wypluł żołnierzy w morską pianę. Islamijska artyleria i czołgi otworzyły ogień w strefę lądowania, siejąc śmierć, ale część irańskiego wojska dostała się na brzeg i plaże. Islamija miała dłuższą linię brzegową do obrony niż Bahrajn, więc i opór był większy. Irańskie siły specjalne na pokładach miniokrętów podwodnych i barek wyrzuciły na brzeg komandosów w rejonie portu. Mieli oni za zadanie przejąć kontrolę nad urządzeniami, żeby do portu mogły wejść irańskie promy i rorowce.

Sytuacja była zła. Generał dowodzący Protektorami w prowincji wschodniej, w bunkrze w Dhahranie, doszedł właśnie do wniosku, że nie ma wyboru i musi zarządzić odwrót i przegrupowanie swoich jednostek, kiedy nagle kilka irańskich okrętów przewożących wojsko eksplodowało tuż przy brzegu. Kilka sekund później AWACS doniósł, że zestrzelono kolejną eskadrę irańskich myśliwców nadlatujących znad Zatoki.

Co się stało? Generał wiedział, że na pewno nie dokonały tego siły Islamii. Radary nie wykryły zbliżających się kolejnych jednostek. Kto zabił tych ludzi?

Wtedy przyszła wiadomość, że dostał irański okręt flagowy „Zagros". W bunkrze w Dhahranie generał odwrócił się do swojego koordynatora, który szeroko się uśmiechnął i powiedział:

–Enforcery. Raptory.

Jak to mówią w amerykańskich filmach? Nadciągnęła kawaleria?

Generał kiwnął głową. Tak. Kawaleria nadciągnęła.

17

22 LUTEGO

Centrum Bezpieczeństwa Republiki
Rijad, Islamija

– Włącz odtwarzacz – rozkazał generał Chalid.

Wszystkie kanały telewizyjne w kraju pokazały obraz zielonej flagi na tle błękitnego nieba. W tle popłynęła wojskowa pieśń. Głos oznajmił:

– teraz przemówi do narodu Abdullah bin Raszid, przewodniczący Rady Konsultacyjnej, Szury.

Na zielonym tle stał Abdullah w galowych szatach. Kamera zrobiła zbliżenie jego twarzy.

– Chociaż mnie nie wybraliście, uważam za mój obowiązek przewodzić naszemu państwu, dopóki sami nie zdecydujecie, kto ma nami rządzić. Nas, członków Szury, wybrali tylko ci, którzy walczyli o usunięcie uzurpatorów, zagarniających dla siebie bogactwo naszego państwa. W tym roku nadejdzie ten dzień, kiedy wybierzecie tych, którzy będą nami rządzić. Nikt was nie powstrzyma, bracia i siostry, od dokonania tego wyboru.

– Wybierając, miejcie na względzie przyszłość. Pomyślcie, jak my, Arabowie, możemy wrócić do czasów świetności, kiedy uczestniczyliśmy w światowym postępie. Musimy dać coś więcej niż energię z liczącej miliony lat skamienieliny. Ponownie musimy zwrócić nasze umysły ku matematyce, naukom ścisłym, medycynie i inżynierii, nauczyć się odkrywać sekrety darów Allaha. Wykorzystajmy umiejętności całego naszego narodu, mężczyzn i kobiet.

– Żeby nasza republika mogła przetrwać, musimy oczekiwać dnia, kiedy na tym świecie zapanuje pokój Allaha. Kiedy broń masowej zagłady zostanie zniszczona. Kiedy odkryjemy sekrety innych darów

Allaha, żeby zastąpiły przestarzałe paliwo kopalne, które Bóg zapewnił światu. Allah umieścił je w naszej ziemi, zaopatrując ludzkość w paliwo, którego era właśnie mija.

– Aby ten czas nadszedł jak najszybciej, musimy przejąć przywództwo. Dziś zniszczymy rakiety dalekiego zasięgu w naszym państwie, broń, która pewnego dnia mogłaby stać się bronią masowego rażenia. Zaprosimy dyplomatycznych przedstawicieli wielu państw na naszą pustynię, żeby zobaczyli, jak je niszczymy. Pozwolimy międzynarodowej inspekcji zajrzeć w każdy kąt, o każdej porze. I wezwiemy, aby Iran, Izrael i inne państwa poszły w nasze ślady.

– Dziś zainwestujemy dwa miliardy euro, jako pierwszą ratę, w utworzenie Instytutu Przyszłych Energii, tu, w Rijadzie, międzynarodowego centrum dla rozwoju nowych metod wytwarzania elektryczności i innych źródeł zasilania, które zakończą erę paliwa kopalnego. Tutaj także zaprosimy społeczność międzynarodową, żeby dołączyła do nas i uczestniczyła w badaniach. Na razie podzielimy się naszą ropą na światowym rynku; każdy będzie mógł kupić jeden procent naszych rezerw rocznie. Ni mniej, ni więcej. Dziesięć procent dochodu przeznaczymy na Instytut Przyszłych Energii. Jeśli ktoś zechce siłą wydobyć więcej naszych zasobów, zniszczymy wszystkie urządzenia naftowe. Tym sposobem najazd na nasz kraj stanie się bezcelowy.

– Musimy też uznać, że tak jak Allah umieścił ten szczególny skarb w naszej ziemi, tak i my mamy szczególne zobowiązania wobec niego, żeby chronić Dwa Święte Meczety, które również umieścił w naszych granicach. Miejsca te są święte dla niemal dwóch miliardów muzułmanów. Muzułmanów wszystkich społeczności, sunnickich i szyickich, gdyż nie istnieje jedyna właściwa społeczność islamu. Nasz rząd musi chronić je wszystkie i nie może popierać jednej opcji.

– W zamian wy musicie chronić nasz rząd i nasz naród. Szczególnie teraz, w okresie przemian. Znaleźli się tacy, którzy chcą najechać na nasze terytorium i wyssać paliwo zalegające pod naszymi piaskami. Musicie odstraszyć te skorpiony. Musicie zademonstrować swoje poparcie dla rewolucji. Pomaszerować nad Morze Czerwone i obsadzić jego brzeg tysiącami patriotów i wiernych. Okazać, że jesteście gotowi się poświęcić, aby ocalić nasze państwo. Członkowie Szury zorganizują transport z każdego miasta. Dołączcie do mnie po wysłuchaniu tej mowy. Brońcie Islamii. – Kamera odjechała i ukazała tuziny mężczyzn i kobiet stojących po bokach Abdullaha.

– Nie będziecie sami. Przedstawiam wam nową Szurę. Oto mój brat Ahmed, lekarz, który jako moja prawa ręka próbuje uzdrowić nasz kraj i który jest autorem tego planu. Oto generał Chalid, dowódca Protektorów. Oto Fatima Chaldan, naukowiec, która powróciła do ojczyzny z...

Po prezentacji na ekranie pojawili się generał Chalid i Ahmed siedzący obok siebie. Przemówił Chalid.

– Po nagraniu tej przemowy dla stacji telewizyjnych, Abdullah zginął dziś z rąk wrogów rewolucji. Teraz potencjalni wrogowie czają się u naszych brzegów. Nasze siły odstraszyły Persów na wschodzie. Abdullah poprosił was, byście dołączyli do naszych sił na zachodzie, nad Morzem Czerwonym. Przyłączcie się do doktora Raszida, który pochowa ciało swego brata męczennika w morzu.

Na pokładzie USS „G.H.W. Bush”
Morze Czerwone

– Musimy podjąć decyzję, sir. Lądujemy rano na wschodnim czy na zachodnim brzegu, w Egipcie czy w Islamii? – zapytał sekretarza szef CENTCOM-u.

– Irańczycy zdobyli przyczółek na plaży? – spytał sekretarz Conrad generała Moore'a.

– W jednym miejscu, koło Dżubajlu, ale samoloty z „Reagana”, Emiratów, Kataru i Kuwejtu ostro go atakują. Wygląda na to, że ich inwazja na Bahrajn również została odparta – rzekł generał.

– Oni nie najechali Bahrajnu, generale – upierał się sekretarz Conrad. – Może to był manewr mylący.

– Pieprzony Adams! Wiedziałem, że to on – powiedział Kashigian do sekretarza – ale wciąż możemy ogłosić, że wyruszyliśmy dla ochrony pól naftowych przed drugą falą irańskiego ataku... i przed chaosem w Islamii. Ewidentnie tam panuje chaos. Wciąż zmieniają przywódców.

Conrad głośno zaczerpnął powietrza.
– Może. A co z chińskimi wojskami i bronią jądrową?
– Cóż, dwa chińskie lotniskowce najwyraźniej wracają do domu. Rorowce weszły do portu w Karaczi, gdzie wyładowują dla Pakistanu pojazdy wojskowe, a poza tym doradców wojskowych i techników – odczytał generał Moore z komunikatu radiowego.
– Więc nie ma chińskiego zagrożenia – wymamrotał Conrad do Kashigiana.
– Panie sekretarzu, od czasu porannego przemówienia tego gościa z Szury dostajemy raporty o ruchach w stronę plaż, gdzie wyznaczyliśmy miejsca lądowania. Pokażę panu dane, jakie zdobyliśmy z global hawka w miejscu, które nazywamy Plażą Nebraska lub rejonem lądowania Alfa Dwa.
Na ogromnym ekranie pojawił się obraz wybrzeża, nastąpiło zbliżenie plaży, a potem w oddali ukazały się tłumy ludzi wędrujących grupami.
– Nie widzę żadnych czołgów ani artylerii. W co oni są uzbrojeni? Zrób większe zbliżenie – Conrad warknął na generała.
– Panie sekretarzu, właśnie o to chodzi. Oni nie są uzbrojeni. To cywile. Trzymają się za ręce i modlą. Co kilka jardów jest wśród nich jakiś imam.
Sekretarz podszedł do monitora, próbując zerknąć na plażę. Odwrócił się do Kashigiana:
– Ron, co myślisz o... Ron, przestań czytać te depesze. Muszę podjąć decyzję.
Kashigian podszedł do sekretarza, trzymając najświeższe wiadomości.
– Właśnie nadeszło. Pierwsza strona „New York Journal". Artykuł tej Delmarco. Napisali, że jej laptop zginął z samochodu, kiedy ją znaleźli, ale szkic artykułu został automatycznie zapisany na serwerze. – Wręczył sekretarzowi kartkę.
Oczy Conrada rozszerzały się w miarę lektury. Pobladł.
– To skandal, oszczerstwo i kłamstwo.
– Sir? – zapytał generał, zmieszany wymianą zdań między cywilami.
Sekretarz obrony spojrzał z góry na podwładnego.

– Wszystko spieprzyłeś. Nic nie działa.

– Nie obwiniaj mnie. Wydałeś rozkaz, żeby urządzić wszystko tak, żebyś ty i twoi saudyjscy przyjaciele mogli wrócić do władzy. Plan był najlepszy z możliwych. Nieważne, jakie są fakty, Henry, musimy dokonać inwazji! – Kashigian wrzasnął na swego szefa. – Już wykorzystaliśmy wielkie kłamstwo. Zadziałało.

Henry Conrad podszedł bliżej do monitora pokazującego plaże pełne modlących się cywilów.

– Nie widzisz? Tam nie ma broni jądrowej. Nie ma irańskich najeźdźców. Nie ma Chińczyków. A obiecany przez ciebie chaos zmienił się w jakąś pieprzoną rozmodloną pielgrzymkę. Czy myślisz, że możemy w domu powiedzieć wyborcom, że zbombardowaliśmy pielgrzymkę?

– Sir? – ponownie zapytał generał Moore.

– Dobrze, dobrze – odparł Ron Kashigian. Odwrócił się do generała Moore'a. – Sekretarz postanowił przystąpić do zaplanowanych manewrów z Egiptem. Musi jednak wrócić do Waszyngtonu, by zająć się nagłą sytuacją. Potrzebujemy samolotu do Kairu, gdzie stoi nasz 747.

– Tak jest – odparł głównodowodzący.

– A dla mnie proszę zarezerwować bilet na lot z Kairu do Genewy – dorzucił Kashigian.

Punkt dowodzenia, Baza morska Gwardii Rewolucyjnej
Bandar Abbas, Iran

– Możemy wykorzystać kolejną falę i rozszerzyć przyczółek – oznajmił irański generał, spoglądając na mapę.

– Moi bracia w Teheranie mówią, że nasz dowódca lotnictwa odmawia. Uważa, że straty już są za duże – powiedział duchowny, jak gdyby rozmawiali o pogodzie.

– Nie możemy ich tam tak po prostu zostawić – upierał się generał.

– Owszem, możemy. Znacznie więcej zostawiliśmy w irackich więzieniach na ponad dziesięć lat. Znacznie więcej – oznajmił duchowny, zbierając swoje papiery. – Tamta wojna skończyła się klęską. Ta również. Pogódź się z tym.

– Ale nie wykorzystaliśmy jeszcze broni jądrowej – rzucił generał, starając się odwlec wyjście rozmówcy.

– Mówiłem przecież, że broń atomowa jest tylko do obrony. Nie dla pana, Sił Kods, Hezbollahu czy całej reszty – wyjaśnił duchowny.

– Jeśli bomba atomowa spadnie na Stany Zjednoczone, oni nie zawahają się spalić całego naszego kraju i Korei również, tak dla przykładu.

– Generale, musi pan patrzeć w odleglejszej perspektywie. W 1986 zakończyliśmy wojnę z Irakiem bez zwycięstwa. W 2006 wygraliśmy dzięki panu i innym. I to bez broni. Ta dzisiejsza operacja była zbyt bezpośrednia, zbyt jawna. Zero subtelności. Ale bez obaw, generale, będziemy górą. Mam inny plan. Przedyskutujemy go w Teheranie. Niech pan tam do mnie wpadnie na kilka dni, gdy to wszystko... wróci do ładu.

– Szersza perspektywa, generale. – Duchowny zerknął na mapę, a potem na wojskowego. – Nasz dzień nadejdzie.

28 lutego
Towarzystwo Kultury Etnicznej
Central Park West
Nowy Jork

– Rany, znała kupę ludzi – powiedział Brian Douglas do Rusty'ego, gdy wyszli razem z pogrzebu Kate Delmarco.

– Większość z nich to reporterzy. Cholerna robota takie dziennikarstwo. Trzeba mieć mózg i jaja – odparł Rusty MacIntyre, schodząc po schodach. – I można stracić życie. – Pomyślał o ich wspólnej nocy, jej uśmiechu, uporze i zalało go poczucie winny. Czy był odpowiedzialny za jej śmierć?

– Przestań, znowu zaczynasz. Widziałeś raport z sekcji, chociaż pewnie nie miałeś prawa. To był atak serca, Rusty – rzucił Sol Rubenstein, który ich dogonił.

– Ray Keller, jej naczelny, tak nie uważa. Sprawę bada trzech reporterów – oznajmił MacIntyre swojemu szefowi. – Próbuje skłonić FBI, żeby się temu przyjrzało. – A ja osobiście dopilnuję, żeby tak się stało, powiedział do siebie.

– Życzę powodzenia im i Metsom – odpalił Rubenstein. – Powinieneś się cieszyć, że FBI się od ciebie odczepiło, doktor Raszid teraz nie wygląda na terrorystę – bardziej na następnego prezydenta Islamii.

– Zaprosił mnie do siebie – oświadczył Rusty. – Ahmed zamierza wystartować w wyborach.

– To kiedy wyruszasz? – zapytał Rubenstein.

– Nie tak szybko, szefie – odpowiedział. – Brian wyrusza na wakacje pod żaglami w Virgin Gorda i potrzebuje załoganta. Więc za twoim pozwoleniem...

Rubenstein roześmiał się.

– Myślę, że za zapobieżenie wojnie światowej zasłużyliście na tydzień wolnego. Chociaż nie jestem pewien, jak sir Dennis zareaguje na takie zacieśnianie więzów między wami.

– Będzie musiał przywyknąć – zaśmiał się Brian. – To w końcu jego wina. On nas sobie przedstawił.

Gdy szli w stronę Columbus Circle, Rubenstein zapytał po ojcowsku:

– A jak tam Sarah? Ona też wyrusza do Virgin Gorda?

Rusty spojrzał na park po drugiej stronie ulicy, a potem na Rubensteina.

– Nie , nie wyrusza. Od trzech miesięcy Sarah ratuje Somalię.

Rubenstein wyglądał na rozczarowanego, chociaż nie zaskoczonego. Zaczął coś mówić, ale ten wyraz twarzy Rusty'ego... Nie, lepiej dać temu spokój.

Na skraju parku skręcili do Time Warner Center, gdzie mieli zjeść spóźniony lunch, by uczcić ostatnie wydarzenia. Telewizor w holu nastawiony był na CNN.

– Hej, patrzcie. Prezydent zwołał konferencję prasową – powiedział Rubenstein, podchodząc do ekranu. Gdy się zbliżyli, usłyszeli:

„...uznaliśmy, że te nieudowodnione zarzuty powinny zostać zbadane, ale podczas gdy zajmuje się tym prokurator generalny, chciałbym powiedzieć, że Henry Conrad w naszej służbie publicznej to dla nas największy dar. Jego program reform zmienia siły zbrojne i oszczędza podatnikom miliardy dolarów. Odbudował więzi z naszymi kluczowymi sojusznikami na całym świecie, czemu miałem okazję się przyjrzeć na szczycie państw azjatyckich w Chile...

– Wynika z tego, że Henry Conrad jest najlepszym sekretarzem obrony w naszych dziejach. Jak brzmiała druga część twojego pytania...?

– Niewiarygodne – powiedział MacIntyre.

– Najlepszy w dziejach, co? – rzucił Rubenstein.

– Ciekawe, czy podają tu balvenie? – spytał Douglas, gdy przechodzili obok telewizora do restauracji.

Prezydent wciąż przemawiał.